JN092632

INCLUSIVE CAPITALISM

インクルーシブ・キャピタリズム

疲弊する資本主義再生への新たな潮流

広瀬 健
KEN HIROSE

青木大樹
DAIJU AOKI

木村玄蔵
GENZO KIMIRA

棚瀬順哉
JUNYA TANASE

日本経済新聞出版

はじめに

インクルーシブ・キャピタリズムとは何か。その定義は第1章にて詳述しているが、大まかな意味としては「より多くの人々に恩恵が行きわたる資本主義」となる。やや皮肉を込めた言い方をすれば、こういう言葉が出てくること自体、既存の資本主義の仕組みではその恩恵が特定のグループ、既得権益層に集中してしまい、社会格差が拡大していることを表しているのかもしれない。

日本では岸田文雄政権が、その経済政策の柱として2021年より「新しい資本主義」を掲げているが、もともとインクルーシブ・キャピタリズムという動きが出てきたのはリーマンショック後の欧米だ。発起人はロスチャイルド・ファミリーの投資会社代表を務めるリン・フォレスター・ロスチャイルド氏。1980年代に大学を卒業しキャリアをスタートさせた彼女は、「その後の20年間で貧富の格差が信じられないほどに広がり、2008年には到底看過できないほどに悪化していた」と語っている。2014年には彼女の旗振りの下、英チャールズ皇太子（当時）や米クリントン元大統領、ラガルドIMF専務理事（同）、カーニーイングランド銀行総裁（同）等がロンドンに集まり、資本主義のあるべき姿について議論された。

筆者は当時、大手運用会社のアジア拠点にて富裕層向け資産運用の業務に従事していたのだが、金融緩和政策の下支えにより富裕層の所有する金融資産の価値が堅調に推移する一方、実体経済においては雇用機会の減少や若者が将来を悲観する現実に社会矛盾を感じることもあった。この頃、トマ・ピケティ著の『21世紀の資本』（山形浩生・守岡桜・森本正史訳、みすず書房、2014年）がベストセラーとなったのも、同様の矛盾を感じていた層が相応に多くいたことを表しているのだろう。

本書は資産運用業務に長く携わってきた筆者が、マーケットの盟友たちと共に立ち上げた私的研究会「金融梁山泊研究会」の成果物である。同研究会では2016年の立ち上げ以降、日銀のゼロ金利政策やトランプ政権とその経済的影響、米中貿易摩擦や地政学的リスク等、グローバルな市場テーマを中心にメンバーたちと多角的な議論を重ねてきた。その集大成として、今回インクルーシブ・キャピタリズムをテーマに本書を執筆することとなった次第である。

第1章ではインクルーシブ・キャピタリズムの定義を、クリントン元大統領のスピーチをはじめとするインクルーシブ・キャピタリズム発起人メンバーたちのメッセージを踏まえつつ、資本アクセスの格差やESG投資の有効性等について一部補足のうえで筆者が総括した。

第2章では、日本におけるインクルーシブ・キャピタリズムの実現に向けた分析と提言について、UBSウェルスマネジメントの日本CIOでもありチーフエコノミストでもある青木大樹が執筆した。青木は本業の傍ら経団連の研究会にも参加していたが、その活動で日本の構造問題の背景にあるこれまでの供給サイド中心の政策の考え方を見直した経験を踏まえ、本稿ではインクルーシブ・キャピタリズムを新たな需要につなげる視点で考察している。

第3章では、日本の賃金の硬直性とその弊害について、GPIFシニアエコノミストの木村玄蔵が執筆した。財務省の出身でもあり民間運用会社でのファンドマネージャーの経験もある木村は、日本特有の賃金の問題についてミクロとマクロの両面から考察・提言している。

第4章では、インクルーシブ・キャピタリズムを実践するための金融処方としてのESGについて、財務省にて外資準備の運用に関するリサーチ等を担当する棚瀬順哉が執筆した。棚瀬は長年為替ストラテジストを務めた経験も活かし、インクルーシブ・キャピタリズムにおけるさまざまなファイナンス手段について分析している。なお、第4章では一部、ESGの株式投資実務とESG指数について、筆者の同僚でFTSEラッセル社のサステナブル投資部門の日本代表を務める森敦仁がサポートしている。

なお、本書に記載されている意見等は、全て、筆者たちの個人的見解であり、その所属する組織等とは何ら関係するものではないことをお断りしておく。

今回の執筆メンバーは皆、設立当初から参画する金融梁山泊研究会のコアメンバーでもあり筆者の盟友でもある。ファンドマネージャーやエコノミスト、ストラテジスト等の立場で金融市場に長く携わってきた経験を踏まえ、マーケットを動かす重大なテーマについて定期的に会合を持ち、多角的な議論を重ねてきた。今回、インクルーシブ・キャピタリズムという大変重要なテーマを題材にした本を執筆するにあたり、このメンバーで長年議論を重ねてきた経験は非常に有益だった。そして多忙を極めるなかで時間をつくり、議論と執筆に多くの貴重な時間を割いてくれた彼らの多大なる貢献なくして本書の完成は成し得なかった。ここに心より感謝を申し上げたい。

2023年5月

金融梁山泊研究会主査
FTSEラッセルジャパン　インデックス投資部門日本代表
広瀬　健

目次

第4章 インクルーシブ・キャピタリズムにおけるファイナンス手段 141

第1章　インクルーシブ・キャピタリズムとは

◆より多くの人々に恩恵が行きわたる資本主義

日本では今のところ、「インクルーシブ（inclusive）」という言葉には「包摂」という訳を充てるケースが多いようだ。包摂とは「一定の範囲の中に包み込むこと」とされているが、本書執筆陣の間では、この訳には違和感を覚えている者も少なくない。

それは、ひとつには包摂という言葉自体に馴染みがない人が多いことがある。またもうひとつには、元来、インクルーシブ・キャピタリズムはより多くの人々に経済成長の恩恵が行きわたる仕組みを指しており、「一定の範囲」に限定する意図はないからだ。本書執筆陣の間でこの問題が議論された際、「総恩恵資本主義」等のほうがよいのではないかとの意見もあった。本著ではインクルーシブ・キャピタリズムという言葉をそのままカタカナ表記で統一することとするが、その意味としては「より多くの人々に恩恵が行きわたる資本主義」を指していることを、はじめにお伝えしておく。

◆SDGsやESG投資との関わり

本節に入る前にここで、インクルーシブ・キャピタリズムと関連性の高い国連のイニシアチブであるSDGs（持続的開発目標）や、金融実務の現場で近年拡がりをみせているESG投資との関係性を整理しておく。

経済システムの括り：資本主義経済圏／社会主義経済圏

国際連合の括り：国連加盟国（193）、オブザーバー国（2）、非加盟国（56）

まず最も大きな特徴として押さえておきたいのが、インクルーシブ・キャピタリズムは右記の括りのうち資本主義経済圏のあり方をアップグレードするものということだ。資本主義をよりインクルーシブに、より多くの人々（未来世代を含め）にその恩恵が行きわたるようにし、そして重要な点として、その結果、経済活動に関わる全員が、利益も長期的に大きく伸ばすことを目指す。

一方、SDGsは、国連主導で加盟国にサステナブル経済への移行を促すイニシアチブ。そのため、かつての社会主義経済圏であるロシアや中国に対して資本主義化を求めることはなく、社会主義システムのままでもサステナブル経済への移行を求める。そして、キャピタリズムを前提とはしないので、必ずしも利益向上は追求していない。

その意味では、ＳＤＧｓは政府主導による規制を通じて実現する場合も許容している（もちろん人権等の側面から問題となるようなアプローチは看過しない）が、インクルーシブ・キャピタリズムは企業がサステナブルな経営への移行を果たすことでより大きな利益とより大きな機会を広範な人々にもたらすことを主張する。

次にＥＳＧ投資との関係だが、ＥＳＧ投資はＳＤＧｓを達成するための金融手段として位置付けることができる。その意味では、インクルーシブ・キャピタリズムにとってＥＳＧ投資はひとつの手段である。ＥＳＧ投資はＥＳＧ（環境・社会・企業統治）の観点から企業を評価し、投資する企業を選択する投資方法。そのためインクルーシブ・キャピタリズムに向けた動きのなかにＥＳＧ投資は当然含まれるが、これに加えて、インクルーシブ・キャピタリズムでは投資家と被投資企業の関係を前提としないＮＧＯのような活動、そして民間では担えないような超長期的なＲ＆Ｄ（研究開発）、インフラ開発等で政府にも役割を求める。

ＥＳＧ投資をはじめ、インクルーシブ・キャピタリズムを実現するための各種金融手段については、第4章にて整理・詳述しているので参照いただきたい。

1　インクルーシブ・キャピタリズム連合の立ち上げ

◆格差の拡大は資本主義の構造的欠陥？

筆者がインクルーシブ・キャピタリズムという言葉をはじめて目にしたのは2014年5月、ロンドンで初のインクルーシブ・キャピタリズム・カンファレンスが開催された時だ。発起人のリン・フォレスター・ロスチャイルド氏（E・L・ロスチャイルドCEO）の旗振りの下、チャールズ・イギリス皇太子（当時）やクリントン元アメリカ大統領、ラガルドIMF専務理事（同）、マーク・カーニー・イングランド銀行総裁（同）等のほか、世界の機関投資家やグローバル企業のCEOが集まり、資本主義のあるべき姿について真剣に議論された。その時のカンファレンス趣旨概要は以下の通りだ。

〈第1回インクルーシブ・キャピタリズム会議　開催趣旨〉

□全社会がなぜインクルーシブ・キャピタリズムを必要としているのかを定義し世界に明示
□資本主義の倫理基準とビジネスの責任を確認し、社会の信頼を再構築
□社会が必要としている職業に教育を連動、雇用機会と機動性を増強し、雇用の成長を促進させることで資本主義の恩恵を拡大
□ビジネス戦略や投資を長期的視点で捉え、受託者責任とステークホルダーの期待を両立

図表1-1　構造的欠陥？　資本主義圏共通の課題

- アメリカではCEOの報酬が1978-2018年の間で940％上昇
- 株式市場はS＆P500指数が7倍に上昇
- 労働生産性は69.6％上昇
- 教育、ヘルスケア、住居、食品等のEssential品目・サービスのコストはいずれも上昇

…にもかかわらず労働者の賃金は40年間で+12％のみ!?

（出所）Coalition for Inclusive Capitalismに基づき筆者作成

図表1-2　格差の過剰な拡大

□1980年以降、トップ1％の富裕層の所得の対GDP比率は、IMFがデータを有する26カ国中24カ国において上昇

□アメリカではトップ1％の富裕層の所得の対GDP比率は1980年以降で2倍以上に拡大、世界大恐慌の時の水準に匹敵

□英独仏3カ国では私的資産の対GDP比率は100年前の水準に戻っている

□世界上位85人の超富裕層が保有する資産は世界人口の約半数、下位35億人の保有する資産の総額に相当

□過剰な格差は教育やヘルスケア等の機会をも奪う

（出所）IMFラガルド専務理事（2014年当時）スピーチ

□世界のステークホルダーによる尽力を通じ、インクルーシブ・キャピタリズムを世界的気運に拡張

発起人のロスチャイルド氏によると、インクルーシブ・キャピタリズムの構想はリーマンショックが起こった２００８年からあったとのことだ。１９８０年代に大学を卒業しキャリアをスタートさせた彼女は、「卒業当時は他の多くの人と同様に、個人のキャリアを合法的、倫理的、そしてエキサイティングに発展させることが社会全体の発展につながると信じていた。ところが実際には、その後の20年間で貧富の格差が信じられないほどに拡がり、２００８年には到底看過できないほどに悪化していた。〝Greed is Good（貪欲は良い）〟というのはアダム・スミスの考えにはなかったはずだ」と語っている。

◆地球環境問題も重要なアジェンダ

なお、右記にあるような格差社会の是正という目的に加えて、環境問題への対応も第１回会合から重要なアジェンダとして含まれていた。長きにわたる環境活動で知られたチャールズ皇太子は、キーノートスピーチで「資本主義の最大の目的は人類の広範かつ長期的な発展に貢献することであり、それは地球環境との共生なくして実現はできない。インクルーシブ、サステナブルかつレジリエントな社会を実現するために、既存の経済活動モデルが地球環境の危険なまでの犠牲のうえに成り立っている現実を直視し、手遅れになる前に行動を起こすべきである」と述べている。

世界から大きな反響を呼んだインクルーシブ・キャピタリズム会議は、２０１５年の第２回会

図表1-3　環境問題の遠因も短期的利益追求にあったとの反省

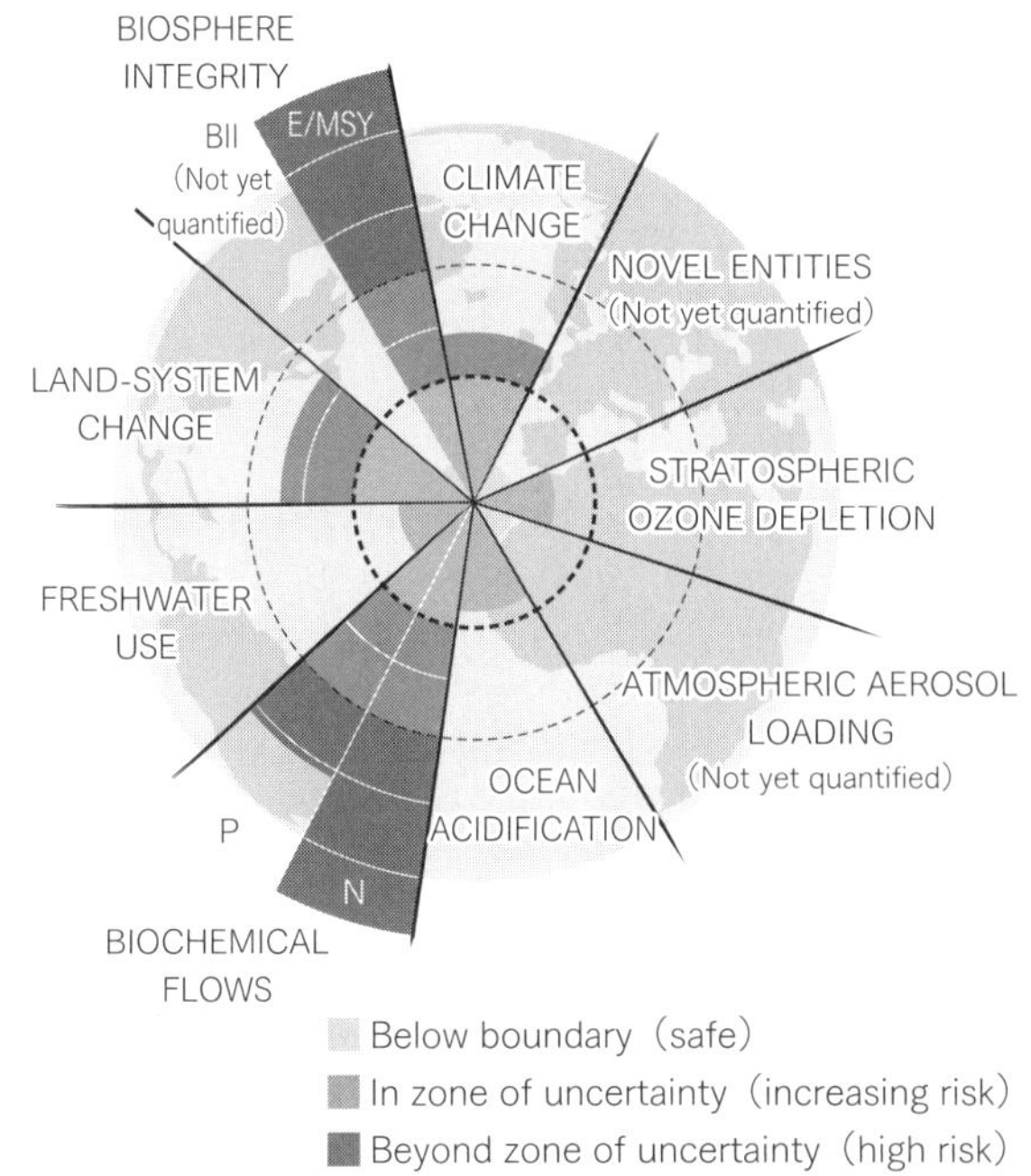

- ストックホルム・レジリエンス・センターが2009年のCOP15にて提唱した「Planetary Boundaries（地球の安全な機能空間）」
- 産業革命以降の人間の活動が地球環境の変動の主な要因となってきたことを示す
- 2015年には9つのBoundaryのうち、①気候変動、②生物多様性の喪失、③土地利用の変化、④生物地球科学的循環（窒素、リン）の4項目で既に限界値を超えたと指摘

地球も危機!!

（出所）ストックホルム・レジリエンス・センターに基づき筆者作成

議にはローマ教皇の参画を得たほか、運用資産残高で25兆ドル相当を代表する世界25カ国の大手機関投資家が一堂に会する等、より大きな広がりをみせた。

特に、ローマ教皇は世界10億人以上のカトリック信者の頂点に立つ特別な存在であると同時に、世界の貧困問題を重くみて「行きすぎた資本主義、足枷を外された拝金主義」への批判を繰り返していたことから、インクルーシブ・キャピタリズムの国際会議に参画したことは重要な意味を持っていた。なお、その後2020年には、インクルーシブ・キャピタリズム評議会がバチカンに設立され、ローマ教皇がモラル・リーダーとして同評議会に参画するに至っている。

◆ESG――進み始める投資実務レベルでの変革

日本ではESG投資の先駆者としてGPIF（年金積立金管理運用独立行政法人）がよく知られている。そのきっかけとしては2015年から2020年までの期間に同基金の最高投資責任者を務めていた水野弘道氏によるインクルーシブ・キャピタリズム会議への参画や、2015年9月の国連責任投資原則への署名等が影響したと考えられている。

同様に日本以外の地域でも、大手機関投資家のインクルーシブ・キャピタリズムへの参画がきっかけとなって、2015年以降ESG投資が飛躍的に拡大している。インクルーシブ・キャピタリズム連合の立ち上げ当初より参画していたマーク・カーニー氏が、世界的金融情報ベンダーであるブルームバーグ創業者のマイケル・ブルームバーグ氏と共に主導した気候関連財務情報開

図表1-4　2015年は世界がインクルーシブ・キャピタリズムに向けて重要な舵を切った年

6月：	第2回インクルーシブ・キャピタリズム会議をロンドンで開催。ローマ教皇が初参加し、「地球の悲鳴、貧民の悲鳴に耳を傾けなくてはならない」とスピーチ
9月：	国連がSDGs（持続可能な開発目標）を採択
12月：	気候変動関連財務情報開示タスクフォース（TCFD）設置
12月：	COP21にてパリ協定採択

（出所）The Coalition for Inclusive Capitalism 開示情報に基づき筆者作成

示タスクフォース（ＴＣＦＤ）も、２０１５年にＧ20の要請を受ける形で立ち上がり、その後、ＧＰＩＦをはじめとする世界の主要機関投資家がその投資プロセスにＴＣＦＤ開示を組み込む展開をみせた。

発起人のロスチャイルド氏は、当初から「資本主義をよりインクルーシブに改革するためには、世界の投資家が従来の枠組みにとらわれず、新たな価値観、よりインクルーシブな投資観を持って投資実務を変革する必要がある」としてきた。インクルーシブ・キャピタリズムのこれまでの活動は、この投資実務レベルでの変革を実現しつつある。

2　インクルーシブ・キャピタリズムの定義と実践

◆クリントン元大統領のスピーチ

ここで改めて、初回会合でインクルーシブ・キャピタリズムとは何なのかを具体例を交えてわかりやすく提示した、ク

図表1-5　第1回カンファレンスにおけるクリントン・スピーチの骨子

Ⅰ. 現代社会に既にある良い変化の兆候

- テクノロジーの発達を通じて解決されつつある各種社会課題
- 軽減傾向にある世界の若者のアイデンティティ・クライシス
- 権利向上に向けた世界の女性たちの立ち上がり
- 新興国経済圏の成長と改革への期待

Ⅱ. だが解決すべき重要な課題が4つある

- 拡大する過剰な格差
- 加速する市場の過剰な変動
- 短期的利益の過剰追求と長期持続的利益機会の逸失
- 世界になお多く残る排他性

Ⅲ. 政府、民間企業、そしてNGOに求められる役割とそれらの連携の重要性

（出所）図表1-4に同じ

リントン元大統領のスピーチを紹介する。

インクルーシブ・キャピタリズムの定義付けは、発起人であるロスチャイルド氏の依頼を受けて、実質的にこのクリントン・スピーチにより行われた。２０１２年に彼女がインクルーシブ・キャピタリズム・カンファレンス開催をロンドン市から持ちかけられた時、ふたつ返事で開催を受諾したと同時に、「このイベントをアイコニック（象徴的）なものにするためには何としてでもクリントン元大統領に参加してもらわなければならない」と、即座に彼の参画に動いたことを後に述懐している。

「クリントン氏が大統領を務めた期間は、近代アメリカの歴史のなかで唯一といっていいほど、貧困層から富裕層までの全ての人々が経済成長の恩恵を受けて所得を伸ばしました。最上位5％の富裕層と、下位20％の貧困層の所得が

共に成長したのです。そして彼が任期を終えた2000年、アメリカ人の71％が『私の子どもたちは私よりも良い人生を歩めるだろう』と答えました。この比率は彼の就任前に比べて22％の上昇です。当時はインクルーシブ・キャピタリズムという言葉を生みだす必要性がなかったといえます。いわれなくとも実践していた。ところが今は喫緊の課題となってしまいました」というのは彼女の弁だ。

以下に、クリントン元大統領の第1回カンファレンスでのスピーチのほぼ全文を紹介しよう（筆者訳）。

我々は資本主義者だ。資本主義は市場を創出し、仕事を創出し、財産を築き、機会と富をもたらすうえで素晴らしいシステムだと信じている。そしておそらく、我々の知能、向上心、そして希望といったものは元来、人類皆平等に備えられているとも信じているだろう。ところが、機会や投資、あるいは努力がきちんと報われる法制度等は、必ずしも世界に十分に行きわたっていない。我々は本日、この問題について政府として何をすべきか、民間企業として何をすべきか、そしてNGO団体として何をすべきかを共に考えるために集まっている。

現代社会は実に相互依存度の高い社会である。100年前の1914年、第1次世界大戦が勃発した当時の社会も、実は先進国の貿易依存度は高かった。貿易の対GDP比率は今よりも当時のほうが高かったくらいだ。だが、現代社会のほうがはるかに相互依存度は高くなった。それはインターネットのおかげで世界中が情報網でつながっていることが背景にある。世界で何が起こっているか、それを我々は瞬時に知り得るようになった。

私は今日、スーダンでキリスト教徒の女性がイスラムへの背教で絞首刑を言い渡されたことにひどく動揺している。彼女の父親はイスラム教徒だが母親はキリスト教徒。彼女自身も幼少期からキリスト教徒として育てられ、やがてキリスト教徒の男性と結婚した。今彼女は妊娠8カ月。身重にもかかわらず投獄された、しかもまだ1歳の幼子と一緒に。こんなことはあってはならない（筆者追記：件の女性は後日、獄中で娘を出産し、無罪放免で解放された後にアメリカ大使館に保護され、同年7月、家族と共にスーダンを出国した）。

我々の生きる相互依存型社会では、我々自身の行動と、地球の裏側で起こっている事象とが相互に作用しあって未来を形成する。そして我々の生きる地球自体の環境もまた、我々の未来に大きく作用する。

もうひとつ、今日のニュースで私が辟易したものがある。アメリカ下院がつい先ほどDefense Appropriation Bill（国防歳出法案）への修正案を採択し、国防総省が気候変動を考慮して防衛予算を組むことを禁止するというのだ。下院は「オバマ大統領が気候変動の考えを軍に無理強いすることを防ぐ狙いがある」というが、オバマ大統領の当選以前から、米軍自身が気候変動は国家安全保障上の脅威であると認めているのだからおかしな話だ。世界にはポジティブな勢力もあればネガティブな勢力もある。これは残念ながら事実だ。我々は今後、この相互依存型社会の要件を共に定め、ポジティブな定義付けをしたうえで、正しい方向へと進めていく責務がある。

ここ数年の間で読んだ最も重要な政治に関する書籍は、進化生物学の権威であるハーバード大学のエドワード・O・ウィルソン教授による『The Social Conquest of Earth』（邦題『人類はどこから来て、どこへ行くのか』斉藤隆央訳、化学同人、2013年）。進化生物学の教授が書いた本だが、政治・社会的にとても重要な学びを与えてくれる。

教授はこの本で、人類の進化について、生物学、人類学、社会学などの側面から多面的に考察している。そして、長い地球史において絶滅することなく進化を続けてきた希少な生物として蜂、アリ、シロアリ、そして人類の4種を挙げている。教授によると、これら4種に共通するのは、地球史上最も優れた協調性を持つ生物だということだ。教授は熱帯雨林に存在するアリの一種を例にとり、外敵が近づいていることを察知すると集団の一部が最も高い草を探してそれをよじ登り、自ら囮となることで地面に残る集団全体が捕食されないように犠牲を払うことを紹介している。また熱帯地域に生息するシロアリが、多くの穴を掘り空調機能を持たせている塚の紹介もしている（降雨時には事前にそれを察知し塚に入らないようにしている)。

そして教授は、これら優れた協調種のなかでも、特に人類が最も優れた協調種のはずだとしている。それは人類が「想像力」と「良心」を持っているからである。人類は自らの行動が他の生物や地球環境全体に与える影響を見通す能力を持つ。そして、自らの生活様式の変え方を想像する力がある。これらを理由に、教授は人類の未来、地球の未来について基本的には心配していないといっている。

ただし、過大なストレスがかかると人類はその協調性を失い、より多くの種と協力しなければならぬところを自らの種の都合のみを優先してしまいがちであることを注意喚起している。リーマンショックという大変な経済的ストレスを経験した我々の社会では、政治的対立が増えて、多国間協調の枠組みからも撤退するケースが増え保護主義化してしまっている。ウィルソン教授は、実に多くの示唆を我々に与えてくれている。

我々には子どもたち、そして孫たちにより良い社会を残す責務がある。世界中の人々が明るい未来を描ける社会でなければならない。インクルーシブ・キャピタリズムは、それを実現するための根幹だ。キャピタリズムをよりインクルーシブにすることで、数々の素晴らしい仕組み、その恩恵をより多くの人に行きわたらせることが可能になる。

例えばテクノロジー。携帯電話の普及はより多くの人々がつながることで相互理解を深め、より多くの機会を創出する。私は国連の仕事でハイチ共和国を訪れたことがある。ハイチでは大きな地震があったが、震災前にも訪れたし震災後にも訪れた。ハイチでは以前、銀行口座の普及率は15％にも満たなかった。だが85％もの人が既に携帯電話は持っていた。そこでカナダのスコシアバンクがハイチの携帯電話最大手のデジセルと組み、モバイルバンキングのサービスを始めた。これがきっかけとなり、ハイチでの銀行普及が進み、経済活動が大きく活性化された。

私が国連特使として津波の被害を受けたインドネシアやスリランカ等の地域を訪れた際、被災者の漁師の方々に携帯電話を無償供与したところ、彼らの平均所得が30％も増加した。携帯電話のおかげで魚の市場別価格が正確に把握できるようになり、より価格の高い地域でより多く販売できるようになったからだ。船と携帯電話があるだけで、所得がこれだけ増えたのだ。実に勇気づけられたエピソードのひとつだ。

先週、ドイツでは産業革命以来はじめて、74％もの電力を風力と太陽光で発電した。ロンドンと大して変わらない程度の晴天日しかない国での話だ。再生可能エネルギーは高いというかもしれない。確かに今はそうかもしれないが、ドイツでは再生可能エネルギーへの移行で新たに30万人もの雇用が創出されており、エネルギー価格も今後下がっていく見込みだ。

さらに電力の供給先はより広範に及んでおり、再生可能エネルギーの50％以上が個人や地方コミュニティに直接給電されている。

世界各地で女性たちが声を上げていることにも勇気づけられている。ナイジェリアでは、ボコ・ハラムによって女子中学生300人近くが連れ去られたが、1日も早く彼女たちが解放されることを願っている。彼女たちは地球の子どもたちだ。先ほどオバサンジョ元大統領は、彼女たちを一刻も早くみつけて解放すると約束してくれた。スーダンで拘束されたキリスト教徒の女性も、一刻も早く解放されることを願っている。彼女たちは古い慣習が続いている地域で女性の権利向上を求めて立ち上がった先駆者たちだ。このムーブメントは抑圧に屈しない。女性の社会進出が進んでいる地域では、実際に良いことがたくさん起こっている。

若い世代のアイデンティティ・クライシスが、彼らの親世代、または祖父母世代よりも軽減されていることも良い兆候だ。このカンファレンスに私はスウェーデン経由で来たが、その前はニューヨーク大学（NYU）のアブダビ校一期生の卒業式があったから、アブダビに立ち寄った。140名の卒業生のうち、31名は超低所得の家庭環境の出身。式典に参加することもままならない彼らの家族のため、大学は必要経費をもサポートした。その31名のうちの1名の奨学生は、アフリカの小さな村の出身で、在宅のまま学び続け学位を取得した。

私は財団の活動で、世界の大学生が集まって共通の社会課題を解決するコンクールを主催している。昨年は、「どうしたらアフリカの農村地域に2年で２０００万台の太陽光パネルを配備できるか」という課題を提示した。この課題に取り組み優勝したのがＮＹＵアブダビ校のチームだった。メンバーの出身はインド、パキスタン、中国、台湾。私はその授賞式展で写真撮影の際、彼らに尋ねた。「本当にこの写真が君たちの地元の新聞に掲載されてもいいのかい？」。彼らは皆、「もうその問題は、とうに乗り越えました。私たちは平気です」と答えた。私は彼らから、人類共通の明るい未来を築くことに対する勇気を与えられた。

私は、今後最も大きな経済成長を果たすとみられている10カ国のうち7カ国がアフリカの国々であることにも勇気づけられている。また、ラテンアメリカのなかでも特に貧富の格差が大きいとされてきた2カ国、ブラジルとメキシコにおいて、過去10年の間に格差が縮小していることに勇気づけられている。ブラジルは大掛かりな雇用促進政策で雇用を増やしながら、熱帯雨林の破壊活動を年率75％も削減した。メキシコでは１４０の学費免除型の大学ネットワークを設立し、２０１０～２０１１年にはメキシコからアメリカへの移民流入超過が近年ではじめて解消された。メキシコの人口はアメリカのおよそ3分の1。そこから11万３０００人のエンジニアが卒業した。ちなみにアメリカでは12万人だった。

インドでは新たな政権が誕生した。その政権はパキスタンの首相を就任宣誓式に招待した。インド人民党は反ムスリム政党ではないということを示したのだ。モディ首相は地方行政で実績を積んだ改革者であり、インドの経済成長に必要な資本を呼び込み、その成長の恩恵を特定の既得権益層ではなく広く国民全般に還元することが期待できる。これが実現すれば、インドは中国と並び、21世紀の世界経済を牽引する経済大国となれるだろう。

中国では国内経済の改革が進められている。一人っ子政策の廃止に向けた動きは、中国が少子高齢化問題に対応するうえで非常に重要だ。また米中はハイドロフルオロカーボン類（HFC：代替フロン）と温室効果ガスの削減に向けて合意した。温室効果ガスは気候問題への影響としては二酸化炭素よりもはるかに大きなインパクトがある。これらは主に我々のエアコン等の使用により排出されているものだ。インドや中国等、暑い気候の地域ではエアコンの使用が許可されるべきだが、そのためには代替フロンの排出に関する取り決めが必要だ。

これまで、インクルーシブ・キャピタリズムの実現に向けて勇気づけられる事象に主に目を向けてきたが、ここで逆に、重大な障害となってしまう可能性がある4つの課題を話そう。

1点目は、あまりに格差が大き過ぎることだ。これは所得の格差でもあり、資本へのアクセスの格差でもあり、教育の機会、そして政治参加の機会の格差でもある。民主主義型の投票システムが確立されていなくとも、国民には何らかの形で参政できる権利が与えられなければならない。格差自体が悪いといっているのではない。ここにいる我々は、何らかの形で格差の恩恵を受けているのは事実だ。勤勉な者、良い成果を上げる者には正当な報酬が与えられなければならない。成果を公平に評価し、それに報いるシステムとして機能する限り、市場経済は有効だ。問題はその仕組みが行き過ぎた場合だ。多くの市場は過剰な結果を生んでいる。そして過剰な格差は、経済成長を大きく阻害する。

2点目は不安定さだ。これもまた格差同様、マーケットにはある程度の変動、活性が必要だ。敗者がなければ勝者も生まれない。変動のない市場は停滞する。だが極端な変動は弊害を生む。リーマンショックをはじめ、これまでの経済危機はいずれも市場の極端な変動で市場参加者が取引できなくなり、投資家たちがこぞって撤退したことで起こった。市場が機能停止に陥ると経済には大打撃を与える。経済の活気を維持すべく、ある程度の格差と変動を許容しつつ、極端な格差や変動は抑制する。そのためにはどうすればよいのだろうか。

ここで、企業社会における投資家の役割というものが近年どう変わってきたかを考えてみたい。40年前、私がロースクールの学生だった頃、企業法務と企業倫理は長らくセットで教えられるものだった。企業は国家にとって必要不可欠な存在であり、法に守られるべき存在である。そして企業の側は、顧客、株主、従業員、さらには彼らが所属する地域・コミュニティのために活動の成果を還元するのだと。ほどなくして金融がグローバル化した。ビジネスの多くがグローバル化するよりもはるか前のことだ。そして企業経営者の多くは、従業員やコミュニティ、顧客よりも株主や債権者のことを重視するようになった。

今ではこれが当てはまらない企業をみつけるほうが至難の業だ。賃金の企業利益に占める割合は、過去50年以上の間でも最低水準に落ち込んでいる。生産性向上の結果、より少ない労働力で生産できるようになったためではないかとみる向きもあるかもしれないが、そうではない。今私の手元には、投資会社ブラックロックのCEO、ラリー・フィンク氏が投資先企業のCEOたちに宛てた手紙がある。彼はこのなかで、「ブラックロックが投資する企業は、何よりも、長期的・サステナブルに収益を上げ続けることを重視すべきと考えています。コーポレートガバナンスのなかで、長期持続的な企業利益の実現が最も重要であると思います」と述べている。私はフィンク氏のような考えを持つ投資家が増えることを望んでいる。

極端な格差、そして極端な変動を抑えるためのインクルーシブ・キャピタリズムを実現するうえでは、保守的な方法とよりリベラルな方法があるといえる。まずは保守的な事例をいくつか紹介しよう。

私はアーカンソー州知事時代、ニューコアという鉄鋼会社を誘致した。ニューコアは「ミニミル」と呼ばれる小規模な電炉で鉄鋼生産を革新した会社だ。ちなみに長年ニューコアを率いていたケン・アイバーソン氏は保守的な共和党員であったので、おそらく私には投票しなかったはずだ（笑）。だが、素晴らしい経済人だ。私の大統領時代、ニューコアは全米3位の鉄鋼会社となり、何千人もの従業員を抱えていた。ニューコアが払っていた基礎賃金は、業界平均の6～7割程度に抑えられていた。だが一方で、生産ボーナスを毎週払っており、ボーナス込みでみた場合、従業員の収入は業界平均の130～200％にも達していた。

ニューコアは本社ビルを持たず、全米で11拠点あった製鉄所以外では、ノースカロライナ州のシャーロットに20名程度の小規模なレンタルオフィスを有していただけだ。マネジメントの階層は4段階と極めてフラットな組織。従業員には大学生の子ども1人当たり1500ドル相当の手当（人数制限なし）が支給されていた。この手当は今や3000ドル以上に増えていると聞く。この学生手当は配偶者が大学に通う場合でも適用され、さらに従業員本人が夜間に通う場合でも助成される。

ノー・レイオフ・ポリシー（不解雇主義）も徹底されていた。非常に厳しいポリシーだ。私が州知事としてニューコアと一緒に仕事をした期間、一度だけ利益が前年比で下がった年があった。その年、アイバーソン氏は全従業員宛に以下のようなレターを出した。

「皆様ご存じの通り、我が社はノー・レイオフ・ポリシーを遵守しています。我が社は鉄鋼業界の大変厳しい市場環境のなか、本年もなんとか利益は確保できたものの、その水準は残念ながら前年比でマイナスの結果となりました。そのため、皆様の今年の収入は20〜25％程度、例年よりも下がることとなります。これは決して皆様の責任ではありません。経営陣がお願いしたことを皆様は全てやり遂げてくれました。私は経営者として、ニューコアをこの市場環境の下でもなお利益を伸ばすことができる唯一の鉄鋼会社にすることができませんでした。その責任の証しとして、私は自らの役員報酬を前年比で60％下げることとしました」

当時のアイバーソン氏の報酬は45万ドル。これはフォーチュン500企業のCEOのなかで最も低い額であり、それを彼は誇りにしていた。その報酬をさらに下げたのだ。彼の情熱は、彼の会社を支えてくれている全従業員の日々の仕事、彼らの多大なる貢献を常に認識し、それに報いることにこそあった。彼は元来企業が果たすべき役割、社会的責任、そしてその会社を支える全従業員に会社の利益を還元することを愚直に実践していたのだ。これは現代の多くの経営者が忘れかけている、企業の本来あるべき姿だ。彼の姿勢に我々は改めて学ばなければならない。

もうひとつ例を紹介しよう。私が知る限り、世界で最初に炭素税を導入したのは1991年のスウェーデン。時の政府は保守派の政権だった。だが彼らは、気候変動問題を従来の政府体制では対応できない新たな課題、喫緊の社会的課題と捉え、自国民たちに炭素排出がもたらす経済的打撃と環境被害を理解してもらうことを企図して炭素税を導入した。そして炭素税を支払った人々にすぐにその税収を還付し、その際に説明を付した。「一旦こちらはお返ししますが、来年また同じように炭素税を支払うことを馬鹿らしいと思われるなら是非、こちらの還付金を元手に炭素効率を意識して生活様式を見直してみてください」と。

繰り返すが、これは1991年の話だ。その後1997年、京都議定書が締結された。その頃までにスウェーデンのGDPは50％伸びた一方、温室効果ガスの排出量は7％削減された。京都議定書で他の国々が1990年のレベルに戻すために排出量をどれだけ削減できるかを議論していたのと対照的に、スウェーデンは排出枠を4％増加されたほどだ。

保守派の皆さん、リベラル政党のいうことに従うのは面白くないと思われるかもしれないが、スウェーデンのように保守政権の下でもやれることはあるということをご理解いただきたい。立場を超えて協力を模索することは、聞く耳を持たずに否定を繰り返すよりもはるかに有効な戦略だ。

次はより進歩的な事例をいくつか紹介したい。

例えばビル・ゲイツ氏やウォーレン・バフェット氏が、より直接的な寄付や投資を通じて支援を行う方法。私は実際にゲイツ財団と一緒にいくつか仕事をしたのでわかるが、ゲイツ氏は世界各地で数え切れないほどの命を救っている。

あるいは、ヨーロッパや日本のヘルスケア制度。アメリカのそれと比較するとはるかに低コストで多くのリターンを実現している。オバマ大統領が成立させたヘルスケア改革法を批判する人もいるが、私にいわせれば何も変えないよりはるかにマシだ。アメリカはGDPの17・8％をヘルスケアに費やしていたが、そんな非効率な国はヨーロッパのどこにもない。最大でもGDP比12％、主要国に限れば11・8％が最大だ。アメリカは毎年1兆ドルを費やして、ヨーロッパよりも悪いヘルスケアのリターンしか得られていなかったというのが現実なのだ。

オランダはGDP比で12％をヘルスケアに充てている国だが、政府の直接的なヘルスケア制度は有していない。国民が自らヘルスケアのプランを選定し、低所得層には助成金が支給され、所得ゼロの場合は全額助成金によりカバーされる仕組みだ。オランダの大手保険会社のパートナーと話したが、彼らは健康保険も提供しているが健康保険は利益マージンを一切乗せておらず、必要経費のみカバーしているとのこと。彼は以下のように話してくれた。

「健康保険は国民に必須の公益サービスであり、そもそも民間の保険会社が対応すべきものではないかもしれないが、政府が対応できないのであれば我々が代わって対応するまでだ。健康保険でそもそも利益を上げようとするのは間違っている。私は保険会社の経営者だが、利益は本業の保険事業で確保する。それができなくなったらすぐにでも退任しよう」

アメリカの経営者でこんなことをいえる人はいないだろう。オランダが国民皆保険を実現している一方で、アメリカでは実現できていないのは、こういったところに理由があるのではないだろうか。1990年代に毎年1兆ドルもの追加の予算があったなら、より多くの雇用を創出し、賃上げをし、研究開発により多くの投資を行い、民間セクターをより成長させられただろう。これは本当にビッグ・ディール（Big Deal）なのだ。

先ほど私は、ダウ・ケミカルCEO（当時）のアンドリュー・リベリス氏から、アクティビスト投資家と成長資本（Patient Capital）の違いについて話を聞いた。化学工場を建設するのに5年もかかるという理由で、とあるアクティビストが同社において最も収益性の高いケミカル部門の売却を求めてきたというのだ。足元の収益性が高くとも、今後さらに伸びることが確実な部門であったとしても、そんなことはお構いなし。そのアクティビストは早急に利益を確定し、ポジションをクローズして次の投機に向かいたいのだ。実にクレイジーな話だ。ダウ・ケミカルはアメリカにとっても雇用創出に大きく貢献してくれる重要な企業だ。インクルーシブ・キャピタリズムは、真の投資家と、目先の利益にしか関心がない投機家を明確に選別しなければならない。

最後に4点目の話をしたい。一見すると本カンファレンスのテーマから逸脱するように聞こえるかもしれないが、とても関連が高く認識しておくことが重要な点だ。不安、不穏、そして被害妄想ともいい切れないような、社会の仕組みが自分にとって不利に働くという印象。これが人々に大変なアイデンティティの問題、社会と自己の適応的結びつきに危機をもたらしている。有効な解決策が必要とされている状況だが、根源的に求められているのは排他的でない、内包的な世の中だ。私は大統領時代、30億ドルをヒトゲノムの解読に充てた。アメリカ、イギリスを中心に、日本、ドイツ、フランスなどの国際協力体制で進められ、2000年にほぼ完了したものだ。これはその後、アメリカで1800億ドルの民間投資を生み出しているが、まだほんの序章にすぎない。おそらく我々が行った投資のなかで、最も大きな成果を生むことになるだろう。

このヒトゲノム解読でわかったのは、我々人類は99・5%同じだということだ。この会場にいる参加者は実に多様なバックグラウンドをお持ちだが、我々の差異は、ジェンダーの差も含めてゲノム的には全て0・5%のなかでの違いでしかないということだ。にもかかわらず、我々はそのわずか0・5%の世界で、微小な違いにこだわって日々生きている。経済や政治に限った話ではない。20万年前、ホモサピエンスの誕生した頃からずっとそうだ。自分自身、家族、そして種族を守るために、種の特性、個性を守るために、そうやって生きてきた。つまり人類の歴史は、大きく捉えると自らが属する集団の権益を大きくすること、自らの所属外の権益を小さくすることに奔走してきたというわけだ。

利害の不一致は当然ある。だが、我々はゼロサムでない社会をつくらなければならない。

ゼロサムの社会では勝者の裏に必ず敗者を生むが、ゼロサムでない市場は参加者全員に恩恵をもたらし得る。これは私が大統領時代に標榜したことだ。WTOと中国の加盟。APEC首脳会談に米州サミット。NATO拡大もそうだ。ちなみにNATO拡大はロシアを刺激し、それがウクライナ紛争につながったと批判する向きもあるが、我々は、ロシアともウクライナとも取り決めを交わしたうえでNATO拡大を行った。ウクライナが核兵器をロシアに返却するならロシアはウクライナの領土を侵害しないということも、同国に約束させた。残念なことにこの約束が守られていないようだが。

いずれにせよ、ネットワークをつくりそれらを拡大させることで、人々に確固たるアイデンティティを与えると同時により大きなグループに属する環境を与えることを企図したのだ。人は不安を覚えたり脅迫されたりすると、本能的に自分の属する種にすがろうとする。これは我々人類の深層心理に染み付いているものだと理解したほうがいい。そしてこれも、インクルーシブ・キャピタリズムを実現すべきひとつの理由になる。正しい方向に個々人が周りの仲間と一緒に向かうことができる、いわば集団安全保障となるからだ。

ここからは、インクルーシブ・キャピタリズムに向けて政府、民間セクター、そしてNGOに求められる役割について考えてみよう。私の考えでは、民間セクターに期待されることは基本的には各人の得意分野で最大限の能力を発揮してもらうことだ。ただし、それをするうえで機会の輪を拡げることを忘れてはならない。そして利益を上げる方法。大抵いくつかの方法があるはずだが、そのなかで最もインクルーシブ・キャピタリズムを促進できる方法を是非実践してもらいたい。そしてこれは大抵の場合、スケールを拡大し利益を最大化する方法でもある。この点については後ほど具体例を紹介したいと思う。

一方で政府の役割は、人々がこれらの機会を最大限活用できるようにサポートすることだ。教育、職業訓練、ヘルスケア。困難な境遇にいる人たちに救いの手を差し伸べ、安心して暮らせる環境を提供する。また先進国においては、年金債務やヘルスケアのコストが膨大となる事例も多くみられるが、こういった目先のことばかりに資源を充てるのではなく、将来に向けた投資にしっかりと配分することが極めて重要だ。民間企業がしっかりと利益を上げられるようになるまでに、相応の研究開発が必要となる分野が常にある。我々が30億ドルを費やしたヒトゲノムの解読は、その最たる事例だった。

こうした先行研究を支援するのに、大きな政府は必要ではない。世界の政府は改めて考えるべきだ。汚職ばかりが問題ではない。むしろ肥大化した組織こそが問題だ。私が大統領の任期を終えた時、アメリカ政府はアイゼンハワー政権以降で最もスリムな組織となっていたことを誇りに思ったものだ。もちろん、アイゼンハワー大統領の苦労に比べれば私のやったことなど簡単なものだった。なぜなら私の場合は、政府のあらゆる部門にＩＴを導入すればよかっただけだからだ。『Inc.』誌（成長著しいアメリカ企業500社をランキングする中小企業向け経済誌）は当時、政府の社会保障局を「アメリカで最も消費者対応が優れた組織」として表彰した。どの民間企業よりも社会保障局のほうがいい仕事をしていると評価してくれたのだ。我々が実際にやったことは至ってシンプル。全てのサービスをオンライン化し、24時間365日、国民がいつでも利用できるようにしただけだ。今では当たり前だが、当時は斬新だった。

もうひとつ重要な政府の役割として、民間部門にインセンティブを与えると同時に、税収を貧困撲滅のために有効活用できるような政策を実行することがある。貧困撲滅は、特に先進経済圏の民間部門が単独で担うのは難しい役割だ。1996年に福祉改革法を成立させた時、「福祉から労働へ」の実現のために民間企業2万社から雇用の協賛を受けた。政府からは企業にインセンティブを与え、実際にこれらの協賛企業は延べ100万人以上の新規雇用を実現した。その後ドットコム・バブルが弾け、2001年に景気が一時後退したのだが、この制度で新たに雇用された100万人は、他の労働者に比べレイオフ対象となった人の割合が低かった。この制度で得られた仕事に感謝している層が多く、レイオフの対象になりにくかったのは、とても勤勉だったことが背景にあったとのことだ。

ここでひとつのグラフを紹介したい（図表1－6）。私の政権時代とレーガン政権時代を、国民の所得階層別に所得の伸び率で比較したものだ。レーガン政権の頃は赤字を厭わず積極的に財政支出を拡大したこともあり、任期中の8年間経済は好調だった。シュガー・ハイ（Sugar High：一時的興奮状態）といってもいい。雇用は特に軍事産業を中心に大幅に増加。だが問題は、所得水準下位20％の層では所得の伸び率が0・7％にとどまったことにある。対照的に上位20％の層では22・7％の伸び率。私の政権では上位20％の層の伸びはレーガン時代に及ばず20・4％だったが、下位20％の層の所得は23・6％伸びた。そして貧困状態から抜け出した人の数はレーガン時代の100倍に及んだ。ビジネスフレンドリーに経済を成長させる。その結果人々が貧困状態から抜け出せるようにする。これが政府の仕事だ（図表1－7は筆者が追加）。

21世紀の素晴らしいグッドニュースのひとつが、NGOの隆盛だ。だが、ただ単にNGOの数を増やせばよいというものではない。私が2010年のハイチ地震で復興支援に向かった際、非常に多くのNGOが集まった。それ自体はいいことなのだが、きちんと共通の経済支援策を承認してもらい、各団体の活動を束ねるのにはかなり苦労した。スマトラ地震・津波の時はNGO間での連携が非常にうまくとれていた。だがハイチの時は、多くのNGOがそれぞれのやり方でもう何十年も関わっていたからなのだろうか、そのやり方を変えることが難しく、連携はなかなかとれなかった。

図表1-6　実質所得の伸び率比較（クリントンVSレーガン）

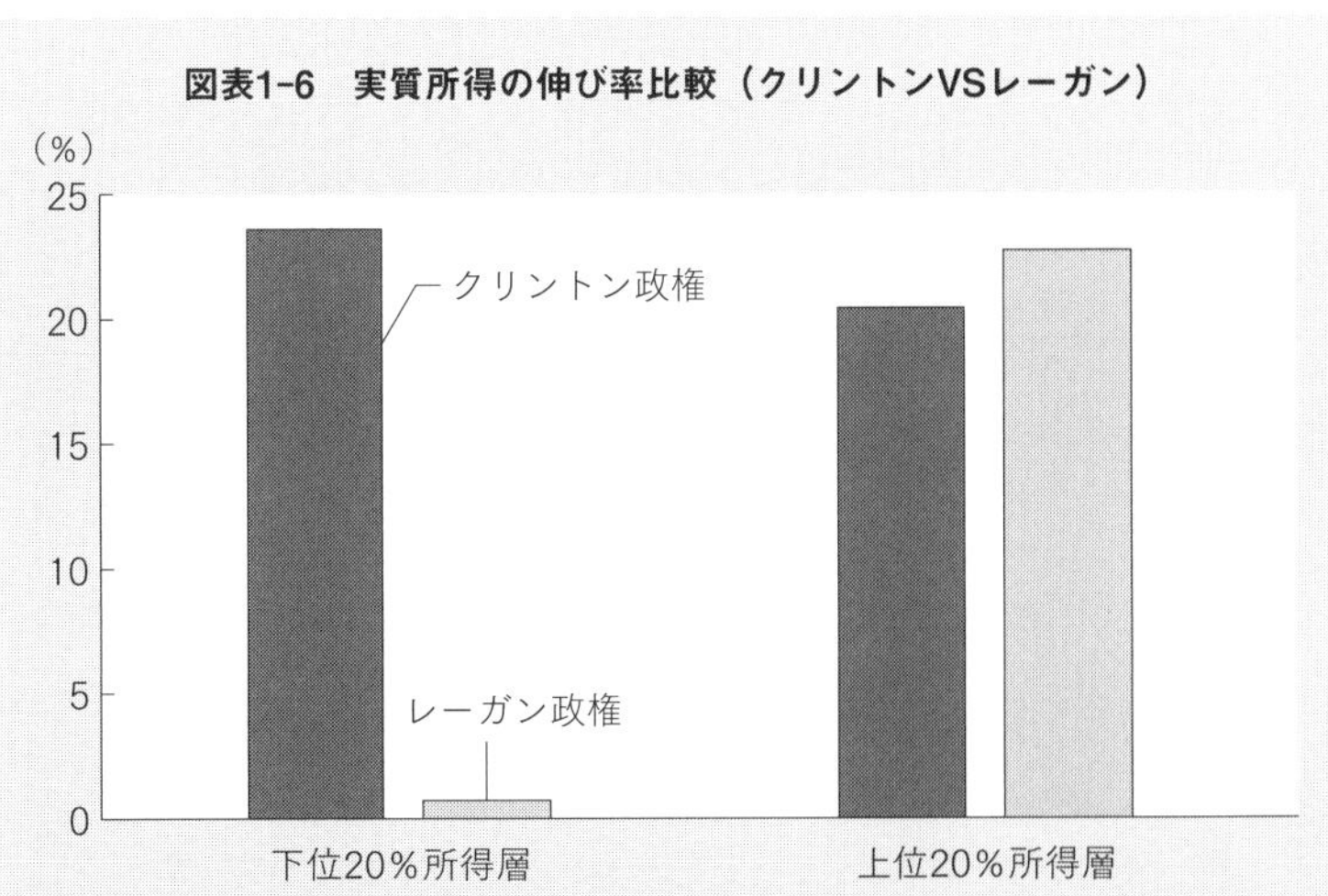

（出所）クリントンスピーチ、ホワイトハウスアーカイブに基づき筆者作成

図表1-7　アメリカの世帯当たり実質所得（中央値）と歴代政権

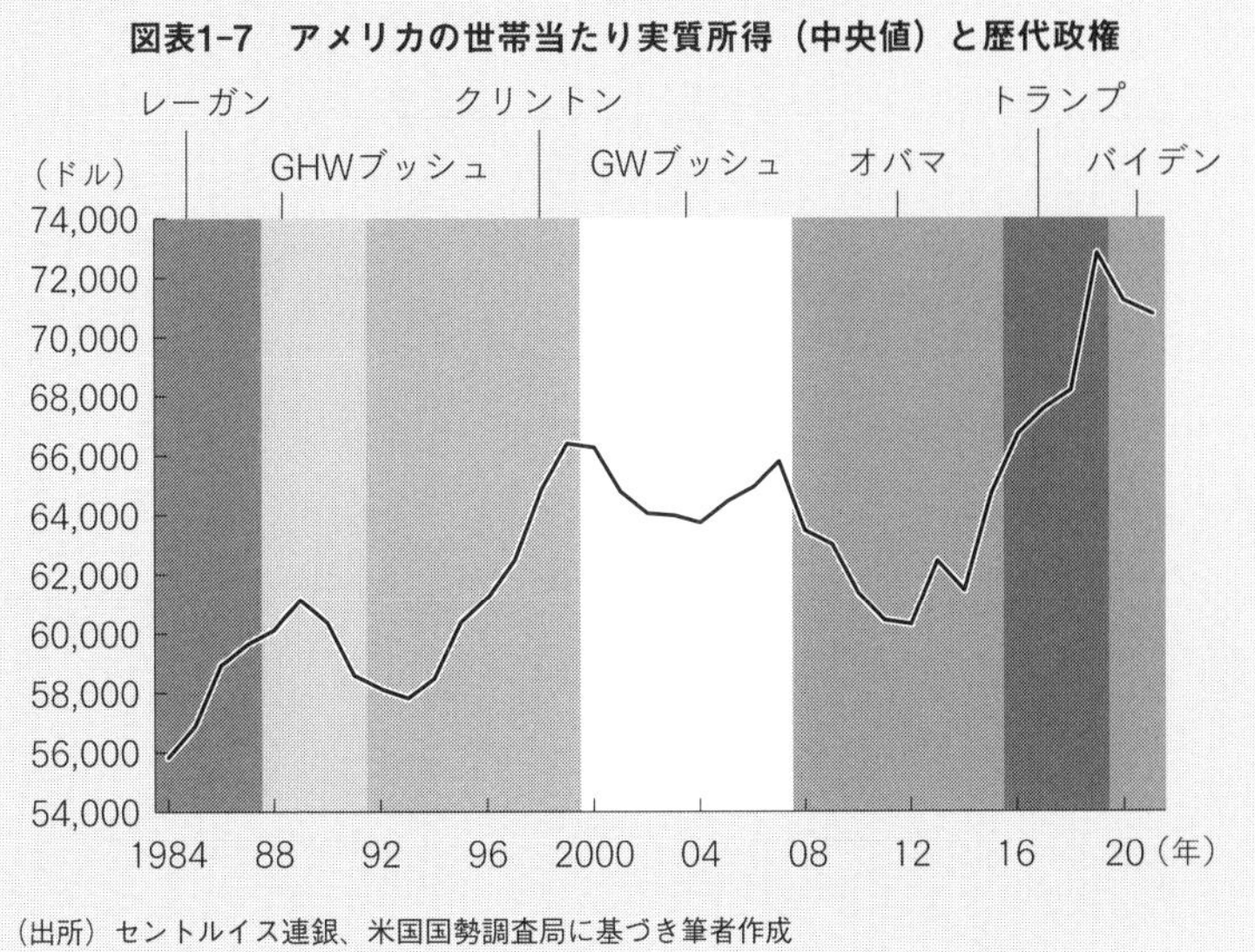

（出所）セントルイス連銀、米国国勢調査局に基づき筆者作成

ＮＧＯの役割は元来、民間セクターや政府がカバーできていないギャップの部分を埋めることにあるが、それに加えて政府や民間企業とパートナーシップを組むことで、より早く、より効率的に、より良い方法で様々な問題を解決することが重要だ。政府はＮＧＯたちがそういった形で活動できるよう、サポートしなければならない。

私は大統領職を終えた後、クリントン財団の活動で同時期に大統領を退任したネルソン・マンデラ氏と一緒に仕事をする機会があった。世界エイズ・結核・マラリア対策基金やブッシュ大統領のエイズ救済緊急計画等が設立される前の頃だ。ＨＩＶ対策の資金を得るため、マンデラ氏と私は世界の国々に支援協力をお願いしてまわっていた。最初に支援を約束してくれたのがカナダとアイルランド。年間最大２０００万ドルを財団に5年間支援してくれるという内容だった。私は、その資金は財団に充てるのではなく、ＨＩＶに苦しめられているアフリカの国々に送ってもらえないかと最初は頼んだ。私が仲介する形でこれらの政府から汚職禁止の誓約を取り付けるので、そのうえでこれらの政府が自分たちで有効なＨＩＶ対策を行えるようにするための資金に充ててもらうという考えだ。

だがその形では実現せず、結局、私の財団にその資金が提供されることとなった。そこで我々は小児エイズ、そして通常のエイズのジェネリック薬を製造する製薬会社大手に出向いた。その頃その企業は中国から原材料を仕入れ、インドの工場でジェネリック薬を製造していたが、サプライチェーンに多くの課題を抱えていた。販売価格は年間で患者1人当たり500ドル相当。アメリカでは当時1万ドルかかっていたので、それに比べればずいぶん安価ではあったが、苦しんでいるアフリカの国々では国民1人当たりの所得が1日1ドル。とてもではないが一般国民には賄えない金額だった。私はその企業にこういった。

「現状ではこれは少量生産・高マージン・支払い不確実なビジネスだ。サプライチェーンもお粗末といわざるを得ない。財団からの資金を活用し、大量生産・低マージン・支払い確実で堅固なサプライチェーンを有したビジネスに変えてもらいたい。これで利益を上げられなかったら、この契約は破棄しよう」

改めていうが、これは民間企業との取引だ。彼らに、利益を犠牲にすることを求めても何も始まらない。私は、彼らに利益の上げ方を変えることを求めただけだ。結果、この企業が製造するエイズのジェネリック薬の価格は年々低下し、最終的には90ドルになった。小児用に至っては、当初600ドルしたものが60ドルになった。そしてこの企業は、利益を大きく伸ばした。

今世界では1000万人ほどの患者がエイズの治療を受けているが、このうち600万人ほどは我々がこの企業と結んだ契約に基づいて薬の提供を受けている。小児エイズ患者では75％ほどがこの契約でカバーされている。エイズ治療薬の市場効率化に成功し、世界中のエイズ患者にこの薬が行きわたるようになったのだ。当初苦しんでいたアフリカの国々はエイズ対策の予算を大幅に削減し、ヘルスケア制度全般が改善された。インクルーシブ・キャピタリズムが世界を救い、かつ企業が大きく利益を伸ばしたのだ。

似たような事例がアメリカにもある。クリントン財団が子どもの肥満問題に取り組み始めた頃、アメリカでは貧困家庭の子どもたちが1日のカロリーの半分近くを学校で販売されるソフトドリンクから摂取している状況にあった。そこで、飲料会社の経営陣たちと会議の場を設けた。もちろん、彼らは子どもたちを肥満や糖尿病にしようと思っていたわけでもなく、ましてや子どもたちの寿命を縮めようと思っていたわけでもない。ただ、過去のやり方を変えられずにいたのだ。そこで、彼らにはエイズ治療薬での成功例を紹介したうえで、学校から高糖質の飲料を撤去しつつ利益を伸ばす方策を業界全体で考えてもらうように依頼した。政府からの規制でもなく、税金が絡むわけでもなく、全て我々との契約にのみ基づいて実行してくれた。結果、アメリカの学校で販売される飲料のカロリーは90%削減された。

アフリカの農業にも好例がある。財団がパートナーとなっているアフリカ・マラウィのアンカー農業事業は、周辺の小規模農家2万世帯（ここでいう小規模農家とは鍬一本で1エーカーほどの土地を耕しているような農家だ）をサポートしている。我々は種子や肥料の価格を引き下げ、作物は市場に運び保管環境も改善し、土地当たりの生産性は2・5倍に向上した。そして、アンカー事業設立前、周辺の小規模農家は1日1ドルに満たない収入だったが、設立後わずか1年で５７０％もの増収を果たしたのだ。

中国やサウジアラビア等の国々は、たくさんお金を持っているが自給率は低い。大抵の場合、自給率が低くお金がある国は、どこかの土地を取得して機械農業を導入して食料を確保しようとする。だが、それだと地球の表土を傷める。このやり方は世界の食料エコシステムに非常に大きなダメージを与えるのだ。

我々のマラウィでの取り組みは、小規模農家がアンカー機関を通じて世界の食料システムの重要な一翼を担えるようにすることで、大型機械農業に依存しない形で世界の食料問題を少しでも解決することを目指すものだ。今はまだ2万世帯ほどのスケールでしかないが、これを10万世帯程度に伸ばせれば、話は変わってくるだろう。そして重要なポイントは、既に現段階でも、このアプローチは関わる民間企業が大きく利益を伸ばすことに成功していることだ。価格が低下した種子や肥料の事業者も然り。なぜなら圧倒的にボリュームが増えているからだ。

様々な事例を紹介してきたが、最後に会場の皆様にメッセージをお送りしたい。ここにいる皆様は市場経済のなかで活躍してきた成功者たちだ。そして市場経済が有効であるということを自ら立証してきた。だからこそ、あなた方こそがアクションを担うべきだ。慈善的な物思いに耽るのではなく、あなた方の仕事としてインクルーシブ・キャピタリズムを実践して利益を伸ばしてもらいたい。これからの相互依存社会のあり方を、我々が率先して示すのだ。

アフリカや中南米やアジアの貧しい農村部に暮らす人々。グリーンランドの氷床や南極の氷河が溶けてしまうと絶望的な状況に追い込まれる人々。彼らはあなた方と同じ人間だ。アラブの春でタハリール広場に集まった学生たち。エジプトでは毎年40万人の学生が卒業するが、エジプト経済はそんな数の雇用を創出できない。だから彼らは広場に集まった。彼らもあなた方と同じ人間だ。

人々がクリエイティブな、協調的ネットワークのなかで生きている社会では良いことが起こっている。逆に紛争が絶えない社会では良いことが起こっていない。E・O・ウィルソン教授のいっていた通りだ。ここにいる皆さんは成功者だ。だが世界で苦しんでいる彼らもまた、あなた方のような成功者になる機会を与えられるべき素晴らしい人間だ。我々の仕事は、あなた方と同じようにこの会合に参加するチャンスを、より多くの世界の人々に提供することだ。

インクルーシブ・キャピタリズムとは何かを具体的な事例を多く用い提示してくれた名演説。終了後に会場がスタンディングオベーションで応えたことからも、当時の盛況ぶりがよくわかる。

YouTubeで当該スピーチが視聴できるので、関心のある方は是非ご覧いただきたい（ただし字幕の英語は間違いが多いため注意が必要）。なお、スピーチを通じてハイライトされたポイントは以下の通りだ。

1　貧富の格差、過度な変動を抑制する市場経済が必要
2　長期的利益の追求（投機から投資、株主重視からステークホルダー重視へ）
3　相互依存社会のあるべき姿
▽人類は九分九厘同じ（ヒトゲノムの解読）
▽協調的社会が人類繁栄のカギ（E・O・ウィルソン氏のメッセージ）
▽ネットワーク拡大で利益を伸ばし、社会全体に還元
▽未来への投資と責任：政府、民間とNGOの役割

◆近代市場経済システムは「資本市場のなれの果て？」

カンファレンス全体を通じても度々ハイライトされたスピーチ論点の1点目、近代市場経済システムがもたらす過剰変動と格差について。これについては、リーマン危機をはじめ様々な金融・経済危機を通じて多くの金融市場参加者が実感してきたことだろう。筆者自身、マクロ系ファンドマネージャーとしてリーマンショック及びその後の金融緩和相場を経験しているが、よくファンドマネージャーの仲間たちと「資本市場のなれの果て」という表現で冗談半分に揶揄したもの

だ。

従来「株価は経済の体温計」といわれてきたが、近年ではその図式に当てはまらないケースが頻発している。実体経済について詳細なリサーチを行い、そのうえで一昔前の経済系教科書に載っていたような理論に基づき運用していても、良いパフォーマンスは確約されない。変質したマーケットの実態を受け入れ、そのうえでリスクセンチメントや一部重要イベントの予測をし、政策当局者の次の一手を見極めて運用戦略を立てない限り勝てないマーケットになっているのが実情だ。さらに金融工学の加速度的発展に伴い、デリバティブを活用した極端なレバレッジ取引や高頻度アルゴリズム取引が拡がったことで、市場の反応は速度、スケール共に格段に上昇している。

筆者はビッグデータ・ベンチャーでPOS（Point of Sales＝小売り販売）データや自然言語処理、機械学習等を活用した金融取引モデルを、優秀な若手データサイエンティストたちと一緒に開発した経験もあるが、市場に影響を与える様々な情報がデータ化される社会に向かう限り、運用の高度なモデル化の流れは今後も続くだろう。データの質（精度、範囲、頻度）の向上、モデル性能の向上、そしてレバレッジの拡大や取引速度の高速化等がより効率的に利益を上げやすい資本市場をつくり出している一方で、実体経済の変化速度は金融市場のそれには到底及んでいない。マーケットと実体経済の乖離は拡大し、高度なデータサイエンスの技術と質の高いデータを活用できる一部の市場参加者のみが有利な運用を実践し、そこに高頻度と高レバレッジを組み合わせてより効率的に大きな利益を上げる光景が既に広がっている。

また、金融危機が起こると市場では極めて単純な「リスクオンかリスクオフか？」によって市況が決定されるケースが増える。実体経済の変化を市場が表すのではなく、市場のドタバタが実体経済に外的影響を与えてしまうのだ。

市場が健全な動きを示せなくなると、当局が介入して落ち着かせようとする。リーマンショック以降の市場では、中国の大型財政出動のアナウンスメントも市場センチメントの回復に貢献したが、それ以上に重要な役割を担ったのは、アメリカＦＲＢや日本銀行、欧州中央銀行等の金融緩和政策だった。日本では、アベノミクスで日銀の「黒田バズーカ」が円安・株高を演出したことはよく知られるところだ。

実体経済を支える労働者の賃金がなかなか上がらないなか、株主の資産価値は堅調な増大が続き格差が広がるという図式は、冒頭で述べたアメリカだけでなく、程度の差はあれ本質的には日本も同様だ。なお、筆者は日本銀行出身の大変著名な経済学者の先生方と一緒に仕事をした経験もあるが、１９７０年代から80年代にかけてキャリアをスタートさせた彼らの多くから、「現在は中央銀行の存在感が増し過ぎている」といった趣旨の発言をよく聞いていた。元来、経済を支える貨幣価値や物価の安定等といった役割を担う中央銀行は、そこまで目立つべき存在ではない。実体経済ではなく、中央銀行の金融政策次第でテクノロジーを活用して短期的に利益を追求する向きが増えてしまった今の資本市場を表すエピソードのひとつだ。

◆株主至上主義がもたらした弊害

2点目の重要ポイント、「短期的利益を追求する投機ではなく、長期持続的利益を求める投資を重視すべき」について。この問題は、スピーチでは金融の肥大化と絡めて説明されたが、株主至上主義がもたらした弊害の側面を色濃く表す問題といえよう。ちなみに日系企業と外資系企業、そして上場企業と未上場企業のいずれをも経験したことのある筆者の実感からすると、これは日系・外資系を問わず上場企業共通の課題といえる。そして未上場企業でもIPOを目指す場合は、IPO時の市場評価を高めるインセンティブが強く働く関係で（上場企業ほどではないにせよ）、目先の株価にセンシティブな経営になりやすいという側面がある。

なお、クリントン元大統領のスピーチでは、ダウ・ケミカル社が短期志向のアクティビストに主要事業のケミカル部門の売却を迫られた話が紹介されたが、インクルーシブ・キャピタリズム連合は後にEPIC（Embankment Project for Inclusive Capitalism）という名の短期志向型アクティビストへの対抗プロジェクトを立ち上げている。これはもともと2017年、インクルーシブ・キャピタリズムの創設時メンバーでもありサステナビリティ経営で有名なポール・ポールマン氏が率いる日用品大手ユニリーバに対し、巨大食品会社クラフト・ハインツによる買収を仕掛けたアクティビスト投資ファンドである3Gキャピタルへの対抗策として生まれた組織だ。

3Gキャピタルは、マヨネーズ大手のクラフトとケチャップ大手のハインツの合併を成功させた際にバークシャー・ハサウェイのウォーレン・バフェット氏と組んだが、ユニリーバに対する買収を仕掛けた時も同様だった。ユニリーバの経営スタイルは、環境負荷や消費者の健康への配慮等、大変な尊敬を集めていたが、マーケットでは高コスト体質を指摘されることもしばしば。一方で3Gキャピタル傘下のハインツ・クラフトは対照的に、グローバルに徹底したコスト管理で知られていた。

先見の明を持つバフェット氏がハインツ・クラフト株を原資にユニリーバをターゲットとしたことも踏まえると、コスト削減型経営の限界が近いこととサステナビリティ経営が評価される未来の到来を予見させたニュースでもあった（株式交換を伴う買収は自社に対する株式市場の評価が高いうちに、長期的に市場の評価が高くなる可能性を秘めたターゲット企業に対する買収を仕掛けるインセンティブが働きやすい）。実際、当時はまだ市場の実務家レベルでは懐疑的な向きが多かったESG投資だが、今や投資のメインストリームとなりつつあり、ESG評価の高い企業の株価はそうでない企業に比べ相対的にパフォーマンスが良くなるケースが増えている（この点については本章第4節にて詳述する）。

このEPICプロジェクトは、ハインツ・クラフトによる買収画策の翌週、インクルーシブ・キャピタリズム連合アレンジの下、ロンドンのビクトリア堤防（Victoria Embankment）にあるユニリーバ本社にイギリスの代表企業10社のCEOが集まったことで名付けられた。ネスレ、ペプシコ、デュポン等の企業のほか、ブラックロックやシュローダーズ、アリアンツ、ヴァンガード等の大手運用会社も参画。EPICの支援、ユニリーバの強い抵抗、さらにはイギリス政府の

ロンドンにあるユニリーバ本社
（筆者撮影、2023年2月）

介入等もあり、この買収は結局断念された。

ポールマン氏は後に世界経済フォーラムで、「サステナブルな経営を志向するビジネスモデルと、株主の優位性にのみ着目するモデル。この相反する経済モデルのぶつかり合いだ。元来株主は投資先の企業に対し長期的に責任を持つものだったが、今は〝入っては出て〟の状況だ。アクティビストは企業に入り込み、他の誰もがその企業の役員を務めたがらないように仕向け、やがて短期的利益のみ追求し始める」と述べている。ポールマン氏はユニリーバのＣＥＯを２０１９年まで10年間務めた後に退任。現在は国連グローバル・コンパクト・ボードの副議長を務める等、ライフワークとしてサステナビリティ経営の促進に取り組んでいる。

◆相互依存社会の向かうべき道

クリントンスピーチの重要ポイントの３つ目、相互依存社会のあるべき姿について。これはスピーチの冒頭で紹介され、また締めくくりもこの話だったことから、クリントン氏のなかでもオーディエンスに最も印象付けたかった点ではないかと推察される。

テクノロジーの発展により世界とつながりやすくなり、相互依存度が高まっていること。人類がヒトゲノムの次元では皆99・5%同じという科学的事実。そしてウィルソン教授の研究、地球上で最も長く生存してきた生物4種、蜂、アリ、シロアリ、そして人類に共通する協調性という特徴。これらはいずれも我々がインクルーシブな社会を発展させるためのカギを、経済や金融、国家や宗教等といった社会的次元から一歩引いた全人類的視点から抄出してオーディエンスに提示されたものだ。特にウィルソン教授の研究については、筆者も彼の最近の書、『ヒトの社会の起源は動物たちが知っている』（小林由香利訳、NHK出版、2020年）を拝読したが、大変学びの多い内容だった。教授はそのなかで、以下のように述べている。

「歴史上のほとんどにおいて、組織宗教は人間存在の意味づけに対する主権を主張してきた。宗教の創始者と指導者たちにとって、その謎を解くのは比較的簡単だった。神々が私たち人間をこの世に誕生させ、どう振る舞えばいいかを教えた、というわけだ」

「ダーウィンは、人間がアフリカの類人猿の子孫である可能性を示唆して、人間存在の意味というテーマ全体を科学の範疇に入れた。人類がいつ、どこで、どのように誕生したのか、今ではかなり多くのことがわかっている。この事実に基づく創世物語は、それまで神学者だけでなく、ほとんどの科学者と哲学者も信じていた物語とはかけ離れていた。新しい物語は生物のほかの系統、つまりヒト以外の系統の進化の歴史にも適合していて、そのうち一七の系統には利他主義と協力に基づく高度な社会が存在することがわかっている」

昨今日本で政治と宗教のつながりや宗教2世の問題が社会問題化しているなかで、ウィルソン教授の研究は、組織宗教が拡大した歴史的背景と、対照的に進化生物学が発達した現代では人間存在の意味付けをより科学的に他の生物と比較したうえで明快に分析してくれている点で大変興味深い。そして彼は、最も優れた進化を続けた生物に共通する特徴として「真社会性」を挙げているが、これは集団生活、世代の重複、役割分担、集団内での高い血縁度などで特徴付けられ、蜂、アリやシロアリ、そして人類でしかみられない進化上の奇跡としている。グループ間の競争では利他的な社会的形質が有利になり、一方メンバーレベルでは利己的個人が競い合う。足元の資本主義経済圏が疲弊している状況には、教授のいう「利他的な社会的形質」が弱まり、「利己的個人の競い合い」が過剰な格差を生んでしまったことが背景にあると整理できる。これにクリントン元大統領の指摘する「ヒトゲノムレベルでの同質性」と「テクノロジーが加速させた相互依存性」を掛け合わせると、インクルーシブ・キャピタリズムは「グループと相互依存社会」を拡大し、「利他的な社会的形質」を向上し、利他と利己のバランスを回復することと定義できる。

クリントン元大統領は度々、〝我々（Us）〟グループを大きくし、〝他人（Them）〟グループを小さくするという表現で、グループと相互依存社会の拡大を訴えている。ヒトゲノムの解読が示す通り、一見〝他人〟に思われる他国の人々、異なる宗教や価値観といった違いは、科学的には極めて微小な差異でしかなく、99・5％同じ人間だ。0・5％という狭い世界のなかで小さな違いにこだわって〝他人〟扱いすることをやめ、同じ人間、〝我々〟の一員として迎え入れ、市場のスケールを大きくして共に繁栄する。この考えこそがインクルーシブ・キャピタリズムの根幹であり、相互依存社会を正しい方向に導くうえで最も重要だとしている。

◆次世代への投資と責任

クリントンスピーチ最後の要点は、次世代への投資と責任である。これはインクルーシブ・キャピタリズムを実現するうえで政府、民間企業、そしてNGOに期待される役割のなかで述べられた。

「先進国においては年金債務やヘルスケアのコストが膨大となる事例も多くみられるが、こういった目先のことにばかり資源を充てるのではなく、将来に向けた投資にしっかりと配分することが極めて重要」と述べたが、人類の同質性を訴える際にも言及したヒトゲノムの解読は、彼の政権で行われた次世代投資の大きな成果のひとつだ。彼は2014年のスピーチ時点では、アメリカで1800億ドルの民間投資を生み出していることを紹介したが、「フォーチュン・ビジネス・インサイト（Fortune Business Insights）」によると、グローバルなゲノム市場は2020年時点で231億ドル。さらに新型コロナの蔓延の結果その成長ペースは加速し、2028年には947億ドルにまで拡大することが見込まれている。

なお、山口大学教授で科学教育に詳しい林裕子氏は２００５年論文で、「日本はゲノムの自動解析機の開発研究でアメリカに5年先行しながら、ヒトゲノム計画開始時は小規模で、後追い的な性質を持った。アメリカが全解析量の約60％を占め、これに続きヨーロッパが30％、日本は６％の貢献。解析結果は医学、薬学を始め産業や社会への幅広い影響が考えられる。ヒトゲノム計画をアポロ計画等と並ぶ巨大科学と位置付け、日本の貢献度の低さを悔やむ声も多い」としている。

次世代への投資は、ともすれば政府にその役割の多くを依存すると思われがちだが、クリントンスピーチにもある通り、インクルーシブ・キャピタリズムの実現においてはＮＧＯと民間部門の役割も大きい。アメリカの小児肥満問題への対策として小学校で販売される清涼飲料水のカロリー削減の取り組み事例があったが、これはクリントン財団と民間飲料会社による取り組みだ。またアフリカのＨＩＶジェネリック薬の普及についても、当初はアフリカ政府を通じた支援を模索したが、最終的には財団が直接民間製薬会社大手と契約し、サプライチェーン改革と大量生産を通じて低価格化と一般市民患者への幅広い普及を実現した。

「Faster, Cheaper, Better（より早く、より安く、より良いものを）」――。一昔前の牛丼チェーンのＣＭを思い出すようなフレーズだが、これはつまるところ供給サイドのボトルネックを除去し、大規模化を果たし良いデフレ[注]を実現し、そして、その恩恵を幅広く共有する政策となる。政府に委ねると遅々として進まないような案件も、ＮＧＯが民間企業とタイアップすることでよりスピーディーに改革を実現できるケースを表している。

注
日本では慢性デフレからの脱却を掲げたアベノミクスが持てはやされたが、ここでいう〝良いデフレ〟を実現することに長けた日系企業は、トヨタ自動車をはじめ非常に多い。問題は、成長の恩恵を株主、従業員、顧客、そして所属する地域コミュニティといったステークホルダー全員と共有するべきところを、特に従業員との共有において十分な賃上げにつながらず、専ら企業の内部留保にまわった点にあろう。製造プロセスやサプライチェーンを改善し、良い物をより安く大量に販売すれば顧客満足と株主利益は両立できるが、これが過剰となると従業員が犠牲となりがちだ。なお、日本企業の長きにわたる賃金の硬直性とその弊害については、第3章にて詳述する。

3 ― 資本へのアクセス

◆ピケティ氏が提唱する税制のアプローチ

クリントンスピーチでも冒頭に述べられた格差の問題。
有名なところではトマ・ピケティ氏が『21世紀の資本』（山形浩生ほか訳、みすず書房、2014年）で述べた「r＞g」の式がある。「資本収益率（r）＞国民所得成長率（g）」である限り格差は縮まらない。rには資本家が先取りする将来成長分が含まれるが、gには未実現の将来成長まで反映されないからだ。

ピケティ氏はこれを税制で是正する提案（累進課税型の財産税や所得税を設け、タックスヘイブンへ資産を逃がさないように国際社会が連携）を示したが、彼自身、現実的には難しいことを認めている。また、税制のアプローチは資本家の所得の伸びを抑制、または所得そのものを引き下げる効果があるが、フェアネスの観点からは疑問符が付きやすいところや、成長資本を呼び込むうえでは市場としての魅力を削いでしまうことになりかねないところ等も弱点であろう。

そもそもピケティ氏が提唱する税制のアプローチは、rとgの差を縮めることを企図している面があるが、一方で、rとgの差が変わらないなかで格差をある程度是正することもできる。これは資本へのアクセスをより広範に広げることだ。rの恩恵をより多くの国や人々が享受できれば、資本市場のダイナミズムを損なうことなく共に成長し、よりインクルーシブな社会を実現することに近づく。

資本へのアクセスの格差についてはクリントンスピーチでも冒頭に言及はあったが、詳細な解説はなかったため、この点については本節で補足する意味も兼ねて、①新興国と先進国の間にある資本アクセスの格差と、②資本市場国内における資本家と労働者の間にある資本アクセスの格差のそれぞれについて事例を紹介したい。

図表1-8　先進国と中国の過去の排出量が多いことを示すClimate Equity Monitor

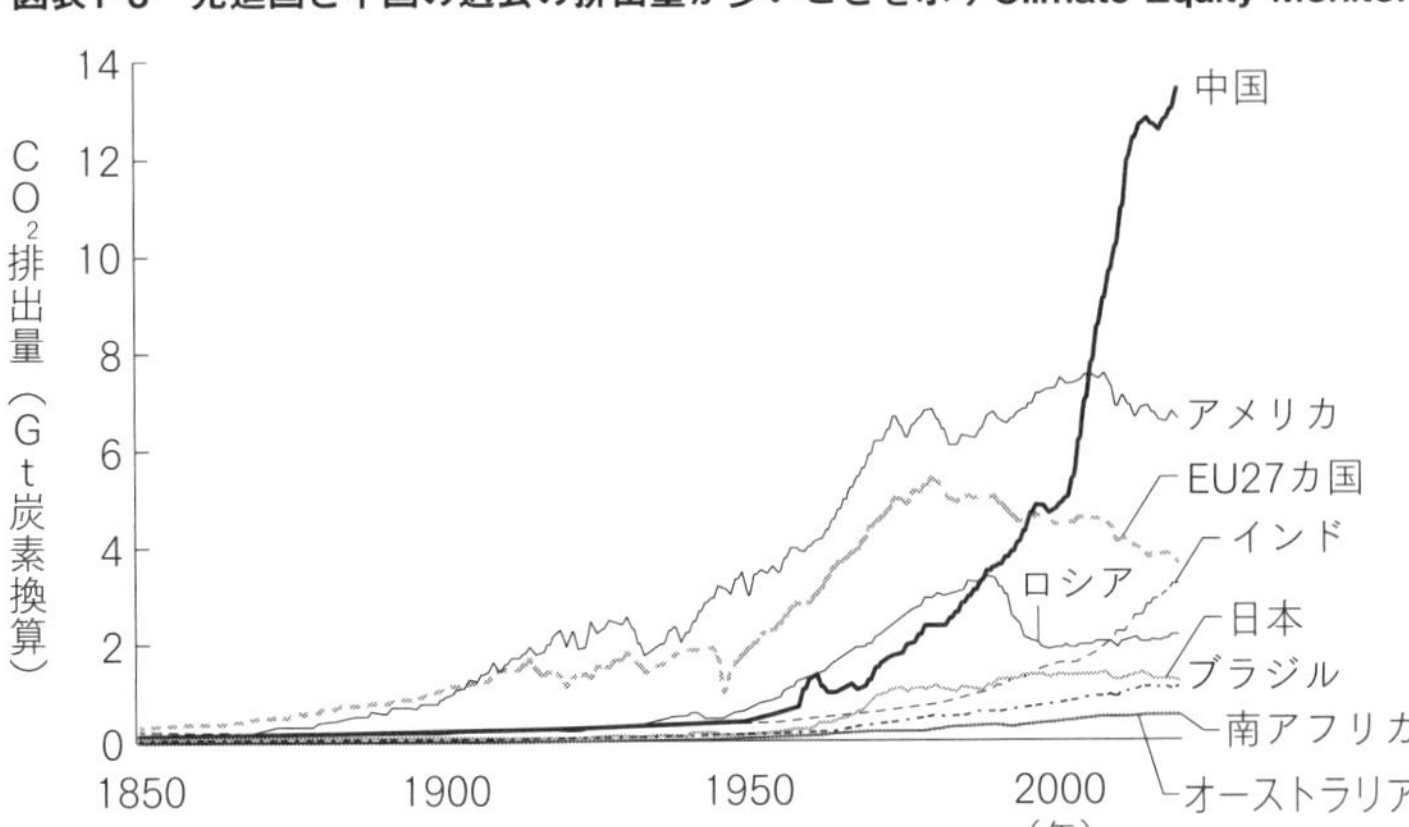

（出所）Climate Equity Monitor

◆パリ協定：モディの主張は資本市場労働者の声に通じる

1つ目は、アル・ゴア氏が奔走した、インドへの太陽光エネルギーの導入に関する事例。

彼はクリントン政権を副大統領として支え、政治から引退した後は映画『不都合な真実』で地球温暖化問題に警鐘を鳴らし、ノーベル平和賞を受賞した環境活動家だ。２０１７年公開の続編『不都合な真実２』では、国連の気候変動交渉COP21において態度を硬化させていたインドを最終的にゴア氏が軟化させ、パリ協定を合意に導いた様子が描かれている。

インドのモディ首相は当時、スピーチで「気候変動問題は重要な国際的挑戦です。ですがもとはといえば、産業革命以降の世界で化石燃料エネルギーに支えられ実現した繁栄と、それがもたらした地球温暖化の問題です」と述べ、過去の先進国および中国による排出が主因であるとした。加えて、インドはまだ発展途上の段階にあるため「化石燃料の責任ある利用の権利」を主張していた。[注]

注
2021年に開催されたCOP26でも、直前にインドの専門家らが気候公正モニター（Climate Equity Monitor）を立ち上げ、同様の主張が繰り返されている。

COP21でインドを軟化させることに成功した直接的な理由は、アメリカ企業のソーラーシティが持つ太陽光発電技術をゴア氏が仲介して、インドへの無償提供を実現したことにある。貧しい地域に多くの人口を抱えるインドは、環境問題に理解は示すものの、まずは経済発展を優先させなければいけない。そして高額な費用が必要となる環境エネルギーよりも、安価なエネルギー資源である化石燃料に依存せざるを得ない。ただし、先進国からの技術と資金の提供があれば、再生可能エネルギーに切り替えることは可能。この点を踏まえ、ゴア氏は当初、世界銀行へ対インドの低利融資を働きかけたが実現しなかったため、最終的には民間ソーラーパネル企業の持つ技術の無償供与の形で決着させた。

ここで押さえておきたい重要なポイントは、インドが当初から低利での長期融資、つまり資本へのアクセスを求めていたこと。国レベルでみた場合、開発資本として機能するのは世界銀行等の国際機関からの長期融資や、国債の発行を通じて得られる長期資金。インドの場合は、世界銀行や債券投資家から求められる利息が高過ぎたのである。これは実質的には長期資本へのアクセスが遮断されていたことになる。

また、モディ首相は2009年のCOP15で合意されたはずの毎年1000億ドルの資金援助の約束が先進国側で守られていないことにも不満を表明した。2021年に開催されたCOP26では、2070年までのネットゼロを掲げたが、ここでも先進国から途上国への1兆ドルの融資が必要との条件を付け加えている。

◆ティモシー・マッカーシー氏の経営スタイルから得られるヒント

2つ目は、先進国富裕層と同労働者層の間にある資本アクセスの格差について。これについては筆者自身が共に仕事をし、感銘を受けた、日興アセットマネジメントの元CEO、ティモシー・マッカーシー氏の経営手法を紹介する。

▽日本人のあまりに多くのまじめなサラリーマンの方々が経営陣に無批判に従っている。会社は軍隊ではない。

▽優秀な従業員にはその働きに見合った報酬をフェアに与えなければならない。日本のボーナスは低すぎる。

▽優秀な従業員向けにストックオプションを積極的に付与する。これは一部の役員に限定されるべきではなく、全従業員にそのチャンスを与えるものだ。そして全従業員向けに自社株へ

の投資を助成し奨励する。
▽従業員は会社に投資するステークホルダーであり、経営陣は彼らの声に耳を傾けなくてはならない。
▽タウンホールを積極的に開催する。それは経営陣からステークホルダーへの定期的な経営報告だ。従業員としてではなく、会社のオーナーとして参加し、積極的に質問もしてもらい、経営のチェックをしてほしい。

日興アセットマネジメントは、筆者が入社した2005年当時、CEOのマッカーシー氏に率いられる形で、キャプティブ運用会社からの脱皮を図っていた。従来は親会社である日興證券の子会社として、専ら親会社の求めに応じてファンドを組成し提供するビジネススタイル。これを真の資産運用プロフェッショナル集団として独り立ちさせるために経営陣を刷新して、積極的に外部から専門人材を登用、グローバルに通用する独立系資産運用会社としてIPOを実現することを目指していた。

マッカーシー氏による改革の肝は、従業員の株主化。全従業員による自社株保有の奨励とストックオプションの積極的な付与を行ったのだが、特にストックオプションについては日本の企業によくある「実質的に役員のみ」を対象にするのではなく、一般従業員のかなりの人数を対象に広範に付与した。ストックオプション制度のメリットについては「優秀な人材の確保」や「モチベーションアップ」等がよく挙げられるが、インクルーシブ・キャピタリズムの観点からは従業員と経営者が「企業価値の向上」という目標を共有でき、またピケティ氏のいう「r＞g」においても、rの恩恵を従業員と経営者が直接的に共有できる。さらには、クリントンスピーチで挙げられた「〝我々（Us）〟グループを大きくする」という観点においても有効だ。

一方、ストックオプション制度には課題もある。日興アセットマネジメントはその後リーマンショック等の影響もあり、結局ＩＰＯを実現することができず、経営陣も惜しまれつつ交代。その後２０１９年には、後任の柴田拓美ＣＥＯが特定評価会社を使い株式価値を過少算定し、マッカーシー時代に付与されたストックオプションを無価値化した疑いで元経営陣から訴えられる事態となった（親会社の住友信託銀行はこの問題を受けて柴田氏を解任）。未上場企業のストックオプションにはその価値算定に正当性担保が求められるが、その課題を浮き彫りにする事案となった。

なお、件のマッカーシー氏は『おカネに目覚めよ、日本人！』という資産形成のハウツー本を２０００年に毎日新聞社より出版している。本人からよく聞いていた話だが、この書の執筆にあたり、投資初心者を強く意識し日本語への翻訳に相当な神経を使い、正確かつわかりやすい表現にとてもこだわって書いたとのことだ。「長期の資産形成という側面でわかりやすい」「この本で述べていることは本来、学校で習うべきことだ」等の評価をＡｍａｚｏｎのサイトで目にしたが、より多くの人に長期的な視点で健全な資産形成を広めようとした彼の信念が伝わっているようで大変嬉しく思う。

4　株価に影響を与え始めたＥＳＧ評価

本節では、第2節でＥＰＩＣの活動を紹介した際にも触れたＥＳＧ投資のパフォーマンスについて詳述する。このテーマについては、ＧＰＩＦがオーストラリア国立大学との共同研究（沖本・竹内・渡辺、２０２２年2月）を出しているが、それによると、グローバル株式市場を代表する大手１２００社を対象にした２００２年から２０１９年の期間の分析（社債に関する分析はデータの制約上、２００７年から２０１８年）で、以下のような分析結果が得られている(https://www.gpif.go.jp/investment/research_202204_full.pdf)。

▽ＰＲＩ署名数が増加するにつれて、ＥＳＧ評価（スコア）が企業価値（株価）に与える正の影響が強くなっている。

▽産業別にみると、一般消費財、生活必需品、ヘルスケア、資本財、情報技術、公益事業で影響が大きい。

▽債券市場では、社債発行体の信用スプレッドに対するタイトニング効果もＰＲＩ署名数の増加に伴い大きくなっており、特に低格付け企業においてより大きな効果が確認されている。

ＧＰＩＦの共同研究はグローバル株式市場を対象にしているが、右記の分析結果は、最近筆者がFTSE Russell の代表的日本株ＥＳＧ指数、FTSE Blossom Japan Index シリーズのデータを用いて行ったパフォーマンス要因分析とも整合している。日本株市場においても同様に、ＰＲＩ

図表1-9　FTSE Blossom Japan指数は伝統的な日本株指数を近年上回るパフォーマンス

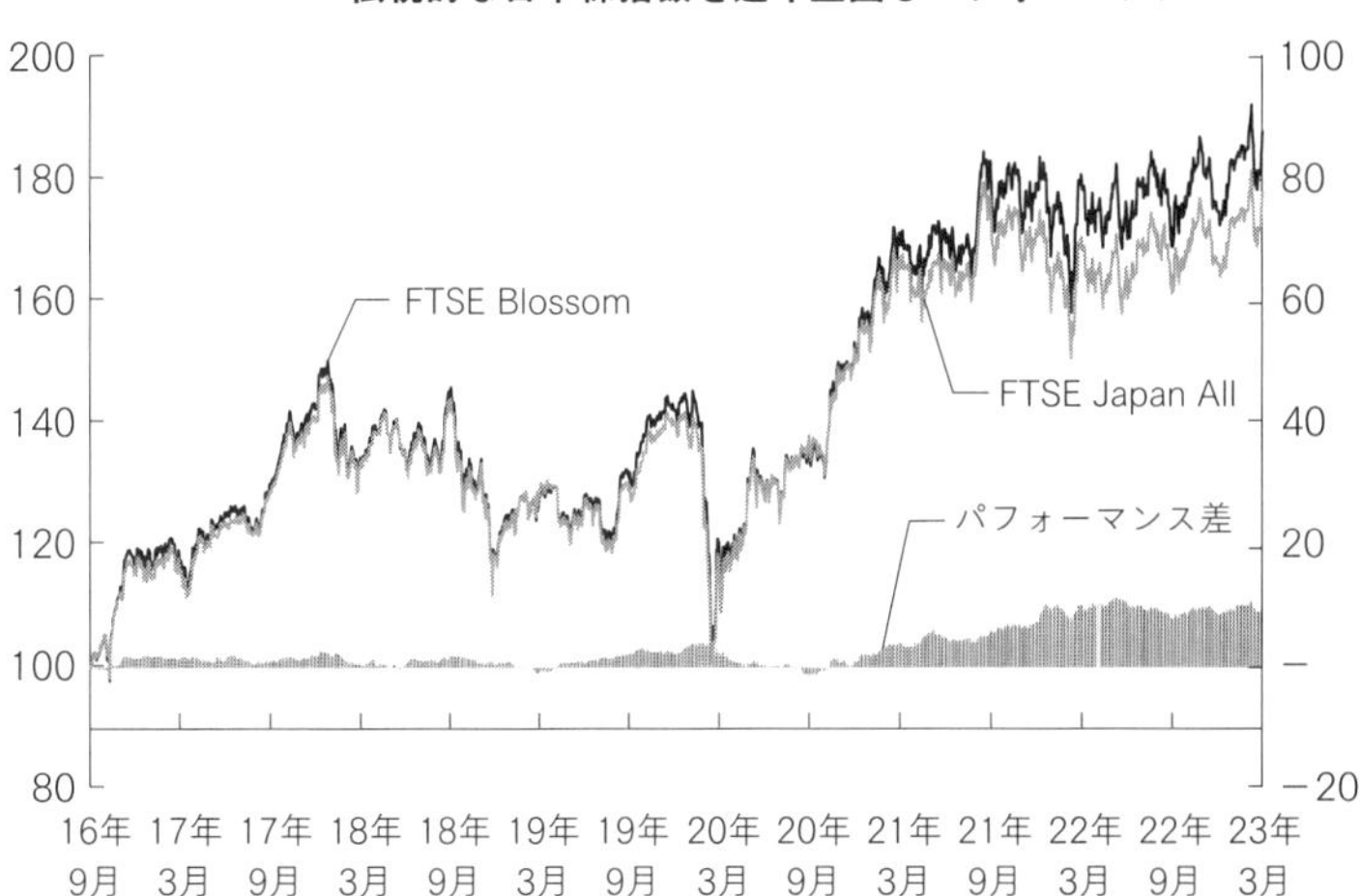

（出所）FTSE Russell

署名数の増加と相まってＥＳＧ評価の高い企業の株価が、そうでない企業の株価に比べて相対的にパフォーマンスが良くなっていることが確認されているのだ。

ＥＳＧに対し懐疑的な見方をする向きからは、良好なパフォーマンスを示しても大抵は「たまたまではないか」「テクノロジー等、ＥＳＧ評価とは無関係な要因によるもの」等といった批判がよく聞かれる。しかし、筆者が行ったFTSE Blossom 指数のパフォーマンス要因分析では同指数群のアウトパフォームは業種配分効果によるものではなく、専ら個別銘柄選択効果によるもの。また、伝統的なファクター分析（成長株・バリュー株、利益の質、株価の変動性・安定性、企業規模、市場のモメンタム等）も行ったところ、これらの伝統的ファクターでは同指数群のアウトパフォームは説明できないという結果を得た。FTSE Blossom Japan Index シリーズはＥＳＧ評価の良し悪しに基づいて組み入れ銘柄の比率を決定する極めて純粋なＥＳＧ株価指数だが、これがＴＯＰＩＸや日経平均等の伝統的な株価指数のパフォーマンスを上回り、かつその要因が業種配分効果やＥＳＧ以外のファクターでは説明がつかないという結果は、日本株市場においてもＥＳＧファクターの存在を確認するうえで重要な示唆を与えている。

第2章　停滞からの脱却：新たな価値観に基づく需要創造

1　資本主義はどこへ向かっていくのか？

◆大転換期を迎えたグローバル社会

米中対立に象徴される分断や新型コロナ感染による世界的なパンデミック、ロシア・ウクライナ紛争に伴うエネルギー・食料価格の高騰など、この数年で世界経済や社会の将来の不確実性を高めるショックが立て続けに生じた。世界中の人々は経済や社会の先行きに大きな不安を抱き始めているが、同時に、これまで経済成長や社会の発展を支えてきた資本主義の行方に対する不安も高まっているように思う。

しかし、経済社会に対する先行きの不安は、この数年に始まったことではない。過去半世紀を振り返ってみると、第2次世界大戦後、先進国は戦後の復興需要による成長を経て、貿易の拡大によって成長を続けてきた。ところが、日本を先頭とした世界的な高齢化の始まり、急激なデジタル化、金融市場の発展による所得・資産格差の拡大、環境問題などから、経済の成長や社会の発展の持続性に対する不安が徐々に蓄積されていた。

筆者は、これまでの資本主義がもたらしてきた経済成長と発展は、経済・政治の構造、人々の価値観が変化していくなかで大きな転換期にあると考えている。高齢化やサービス産業化の進展、地政学リスクの高まりなどにより、世界の経済成長率は構造的に鈍化していくだろう。エネルギーや食料の供給ショックや生産体制の分断化、人手不足などから、インフレ率は恒常的に高まりやすくなろう。国家間の対立や地域紛争、異常気象といった災害は、より頻繁に人々の生活や企業の活動にも大きな影響を与えるだろう。このような大きな変化のなか、経済成長、社会発展の持続性・安定性を高めていくことが、資本主義に求められるようになってきている。

ロシア・ウクライナ紛争や米中対立などの地政学のリスクについても、そもそもの根本的な問題は、アメリカの成長率が構造的に鈍化していることや所得・資産格差の拡大、そして中国の大国化・技術発展に対する保守的な反応などがその背景にあると考えている。アメリカが過去には中東の原油に依存してきたエネルギーを既に自国で供給できるようになるなか、中東の地政学情勢にも大きな変化をもたらしつつある。また、世界貿易の拡大により、製造業のサプライチェーンは多国間にまたがる複雑なものとなり、アジアの一部の工場が閉鎖するだけでもその影響は世界的に波及してしまうようになった。

◆「インクルーシブ」は、すべての人に機能する発想

インクルーシブ・キャピタリズムという言葉が注目を集め始めているのは、これまでの資本主義が環境問題や所得・金融格差の拡大、地政学リスクやインフレ率の急騰といった課題を生み出している、もしくは解決するには不十分で、資本主義のあり方を再考させられていることが背景にあるだろう。

インクルーシブという言葉は、日本語では「包み込むような」「包摂的な」などと訳されるが、様々な社会的課題に対応した「すべての人のために機能する」という発想と考えている。株主だけではなく、企業の労働者や取引先、地域社会や環境など、企業が関係するすべての利害関係者が持続的に発展していくことが求められる時代となっている。江戸時代から明治時代にかけての近江商人の経営理念に「三方よし」という言葉があったが、これは「売り手・買い手・世間の3つすべてにとってよい経営」を目指すべきという考え方である。売り手・買い手だけでなく、社会にとってもよいという発想は、インクルーシブ・キャピタリズムと通ずるところがある。

インクルーシブ・キャピタリズムは経済格差や環境問題などの社会的課題の解決を目指し、すべての人のために機能する経済社会をつくり上げていく考えである。しかし、このことは経済成長自体を否定するものではない。経済社会が持続的、安定的に成長、発展していくために必要な、

資本主義の修正、もしくは新しい方向性に変えていくことと考えている。例えば、企業や投資による利益の追求が短期的な目的であった際、それがもし中長期的な経済の持続性・安定性にとってマイナスであれば、制度や政策によって行動様式を変えさせていくことが必要となろう。

2 ― 拡大する先行き不安

◆グローバル規模で製造業の成長が止まる

世界経済の先行きに大きな不安が生じている背景には、製造業が成長のドライバーとしての力強さに欠けてきたという要因もある。図表2－1は世界貿易額のGDPに占める比率であるが、リーマンショック後の2010年頃より明確に拡大基調が止まっている。

製造業の成長ドライバーが、戦後の復興から自動車、そして家電、携帯電話・パソコンへとシフトしてきたが、これらの普及は既に大きく進むなか、買い替えの需要サイクルはあっても恒常的に拡大する余地は低下している。特にこの10年、20年で急成長してきた産業はIT・デジタルである。製造業であれば製品を組み立てる企業、部品を作る企業など産業のすそ野は広いが、IT・デジタルはそうではなく、一部の限られた企業・労働者が大きく収益を拡大させてきた。

さらに、高齢化は日本だけではなく、アメリカやヨーロッパ、中国でも始まっており、モノを買うよりもサービス消費の拡大が進んでいる。内閣府の高齢化社会白書によると、世界の高齢化

図表2-1　世界貿易の拡大はピークを迎えたか
（世界GDPに占める実質貿易の比率、％）

（出所）オランダ経済分析局、国際通貨基金（IMF）、UBS SuMi TRUSTウェルス・マネジメント

率（２０２０年の総人口に占める65歳以上の比率）は、日本は28・６％と主要国では最も高いが、欧米では20％程度と日本の２０００年頃の状況まで上昇しており、中国も12％と日本の１９９０年代前半の水準まで上昇、まさに日本の高齢化が始まった頃と同じ状況となっている。

もちろん、貿易量の低下の背景には、製造業の現地生産が拡大してきたことも影響しているだろう。現地生産の拡大は、人口の拡大余地があり、平均年齢が若い新興国の雇用拡大、経済成長をもたらすだろう。しかし、経済のサービス化が進む先進国では、中間層の所得や雇用の低下、ひいては潜在的な経済成長率の鈍化につながっている。

製造業の成長フロンティアが消失するなか、２００８年にアメリカ大統領に就任したバラク・オバマ氏は、「グリーン・ニューディール」として脱炭素を成長領域にしようと試みた。2016年にドナルド・トランプ氏が大統領に就任してからは、「中国から工場を取り戻す」ことを標榜し、生産拠点を国内に回帰させることで中間層の雇用や所得を回復させようとした。これらの動きは、アメリカの製造業に成長ドライバーを戻すことが目的であり、現在のジョー・バイデン大統領の政策にも引き継がれている。国内回帰でアメリカの製造業が継続的に成長していけるのか、脱炭素が次の成長ドライバーとなりうるのか、アメリカ経済の大きなテーマである。

◆IT化・デジタル化の功罪

デジタル化によるイノベーションの急進展は、経済成長を促す一方で、格差拡大や中間層の衰退につながっている負の側面があることも念頭に置く必要がある。

図表2−2は、各製品やサービスのユーザーが世界で5000万人に到達するまでにかかった期間を表示している。飛行機であれば68年、自動車は62年、電話50年と、その普及には多くの年数をかけている。その後、イノベーションの中心は家電やパソコンへと移っていくが、5000万ユーザー到達までの年数は相対的に短い。そして、インターネットや携帯などIT化やデジタル化のサービスの普及スピードはさらに速く、近年のイノベーションの牽引役となっているSNSや携帯アプリ・サービスなどの普及スピードは以前とは比較にならない。

重要なのは、イノベーションが普及する速度が急激に速くなっている点はもちろんであるが、

図表2-2　5,000万ユーザー到達までの年数

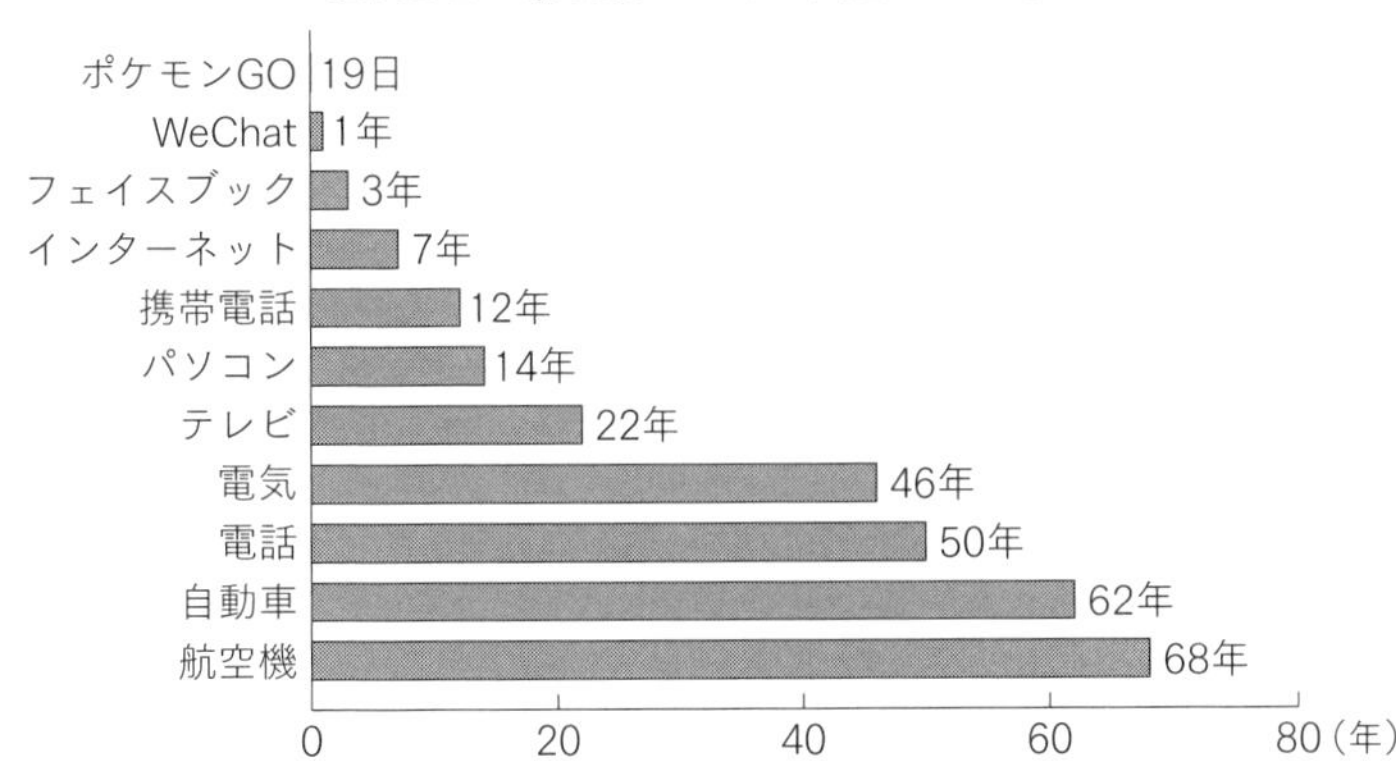

（出所）ブルームバーグ、IRENA、UBS SuMi TRUSTウェルス・マネジメント

イノベーションの中心が製造業からサービス業に移っていくことにより、経済や雇用への影響、波及が大きく異なってくることである。

飛行機や自動車などの重厚長大産業であれば、製品を形作る部品や組み立てなど、中堅企業・中小企業にも多くの波及効果が見込まれる。しかし、パソコンや携帯電話など軽薄短小産業になるにつれて、経済や雇用への波及は小さくなる。ＳＮＳや携帯アプリとなると、一部の企業は莫大な利益を得られるかもしれないが、部品や組み立てを必要としないなか、その莫大な利益の分配はＩＴ・デジタル業で働く一部の労働者に限られる。その結果、利益の分配が十分に行われず、格差の拡大や中間層の衰退につながっている側面がある。特にＩＴ化・デジタル化が経済成長を牽引してきたアメリカでは、日本以上の格差の拡大や製造業の衰退による中間層の消失への懸念が大きい。

◆日本のボトルネック

製造業の成長フロンティアの消失、世界的な中間層の衰退、ＩＴ・デジタル化による格差拡大は、地政学リスクにも波及し、経済社会の先行き不安を拡大させる要因となっている。このような背景から、様々な経済・社会的課題に対応した「すべての人のために機能する」ことを目的としたインクルーシブ・キャピタリズムの考えが注目されるようになってきているが、日本ではまだその意識が低いように思える。

日本はアメリカに比べれば金融・所得格差は少なく、インフレ率も抑えられていた。社会保障の待遇は厚い。犯罪率の低さなど安全性の観点からみれば非常に生活しやすい国といえるかもしれない。では日本経済は他国に比べてインクルーシブ・キャピタリズムを実現できているといえるだろうか。

ＧＤＰや国民所得などの指標から国の経済的な豊かさは測ることができるかもしれない。しかし、インクルーシブ・キャピタリズムにおいて国の豊かさを評価するには、環境や格差、労働、人権などの様々な指標から、一時点ではなく持続可能性、将来の安定性まで含めて考えていく必要がある。

日本は確かに低成長・低賃金が続くなか、インフレ率も抑えられてきた。しかし、日本の製造業の競争力が低下するなかで、中間層の所得は大きく低迷している。そして、日本の大きな課題は、エネルギーや食料の多くを海外に頼っている点である。図表２−３はエネルギーと食料につ

図表2-3　エネルギー・食料（カロリーベース）の自給率

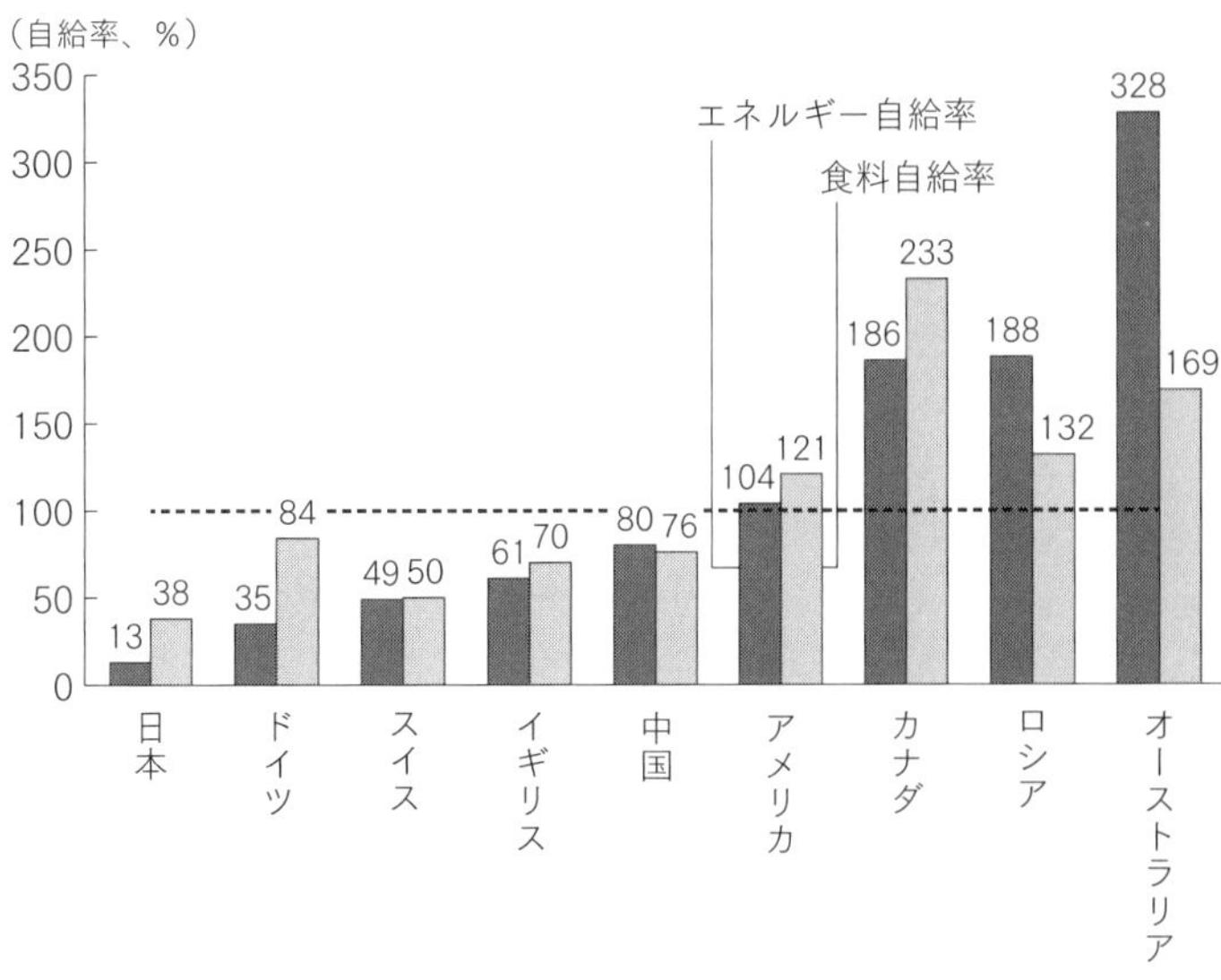

（出所）農林水産省、国連食糧農業機関（FAO）、UBS SuMi TRUSTウェルス・マネジメント

いて、各国の自給率をみたものである（食料はカロリーベース）。日本の自給率は非常に低い水準であり、資源価格の上昇に対して非常に脆い。

世界的なエネルギーや食料価格の上昇が続く場合、日本の企業や家計の負担は着実に大きくなっていく。事実、日本の家計の勤労世帯当たりの消費は1カ月平均23万円程度であるが、エネルギーと食料だけで8万円に上り、家計支出の30％超を占める。エネルギーと食料にここまでの割合で使っているのは、先進国では日本くらいである。

さらに、急速に深刻化する高齢化においては、年金や医療費など社会保障費の拡大を賄うだけの経済成長も必要となってくる。成長がなく、高齢者を支える若い世代による負担が拡大し続けてしまうことは、さらに成長を阻害しかねない。財政の拡大も持続的ではなくなるだろう。社会保障の給付費は2018年時点の将来推計では、2018年の121・3兆円から2025年には140・4兆円、2040年には189・1兆円まで拡大することが試算されている。既に「団塊世代」は年金を受給し始めているが、今後は医療費の拡大が全体の給付額を大きく押し上げていくことになる。

さらに地政学リスクの観点からみれば、高まる防衛費やサイバーなどの新しいセキュリティ対策の必要性なども負担の拡大要因となり、成長がなければ財政の持続可能性はますます乏しくなる。

つまり、日本でもこの20年超経験してきた低成長、低賃金、低インフレ率により、持続可能ですべての人に機能する、インクルーシブな資本主義(キャピタリズム)とは程遠いものとなっている。中間所得層の衰退、格差の拡大、社会保障の持続性の課題、地政学リスクなど、日本も他国と同様、抱えている諸問題を解決する資本主義のあり方を考えていく必要があるだろう。

次節以降、日本がなぜ低成長、低賃金、低インフレ率に陥ってしまったのか、そしてすべての人が機能して、持続的に成長・発展する経済社会に向けて何が必要となってくるのかを解説していく。

3 ― 日本の「失われた30年」

◆〝3低〟を招いた不動産バブル崩壊

日本経済は、長く続く低成長、低賃金、低インフレ率から「失われた20年」さらには「失われた30年」と呼ばれることがあるが、日本経済がこの〝3低〟に陥ったのは1990年代の半ばからである。1990年代初頭の不動産バブル崩壊後、不動産価格の下落や景気の低迷は金融機関の不良債権の拡大を通じて銀行システム全体の不安へとつながり、経済低成長の長期化と低賃金、低インフレ率を定着化させていった。

2000年代初頭にようやく不良債権の処理は進んだが、その間、製造業では中国や韓国、台湾などのアジア勢の企業が国際貿易の世界で台頭し始め、日本の製造業が直面する経済環境はますます厳しくなっていった。

バブル崩壊の影響やアジア企業との国際競争激化のなか、日本企業は生き残りの戦略として安全志向型の経営に舵を切っていく。製造業は国際貿易で市場シェアを維持していくことが精いっぱいとなり、将来の成長に向けたイノベーションにつながる大胆な投資は限られ、賃金も上がらずの状態となった。

そして、2008年のリーマンショック後に日本経済は急激な円高に見舞われる。企業は円安であれば、円建て価格は一定であってもドル建て輸出価格を引き下げることで、価格競争力を維持・強化することができる。しかし、円高が続くなかではそうもいかず、企業は国内での生産を諦め海外生産を拡大させていった。国内での投資や賃上げはますます保守的となっていったのである。

◆90年代後半にかけ進んだ企業の「貯蓄体質化」

しかし、この間の企業収益は決して伸びていないわけではない。日本企業の純利益をみると、コロナ前の2000年から2018年の間に1・5倍に拡大している。配当は同期間に4・4倍まで拡大した。ところが、この間の人件費はわずかに3％しか上昇していない。つまり、企業は海外生産の拡大を含めた収益の拡大を賃金には還元してこなかったのである。

図表2－4は、日本銀行の資金循環統計から企業の純金融資産の変化を名目GDPで除して企業の貯蓄率を求め、名目雇用者報酬の伸び率と比較したものである。企業の貯蓄率は1990年代後半からプラスが定着化しており、バブル崩壊やアジア企業との競争激化の下、企業による将来の不確実性や経営の安定志向を強めるスタンスが貯蓄率の拡大として表れている。そしてこの企業の貯蓄率は雇用者報酬との逆相関が長期にわたりみられ、賃金の低迷が企業の貯蓄体質化の裏返しであったことがわかる。

グラフからも明らかなように、1980年代後半でみると、1990年のマイナス9％が企業のマイナスの貯蓄率のピークであった。マイナスは、企業がそれだけ人件費や設備投資に資金を

図表2-4　日本の企業貯蓄率と名目雇用者報酬

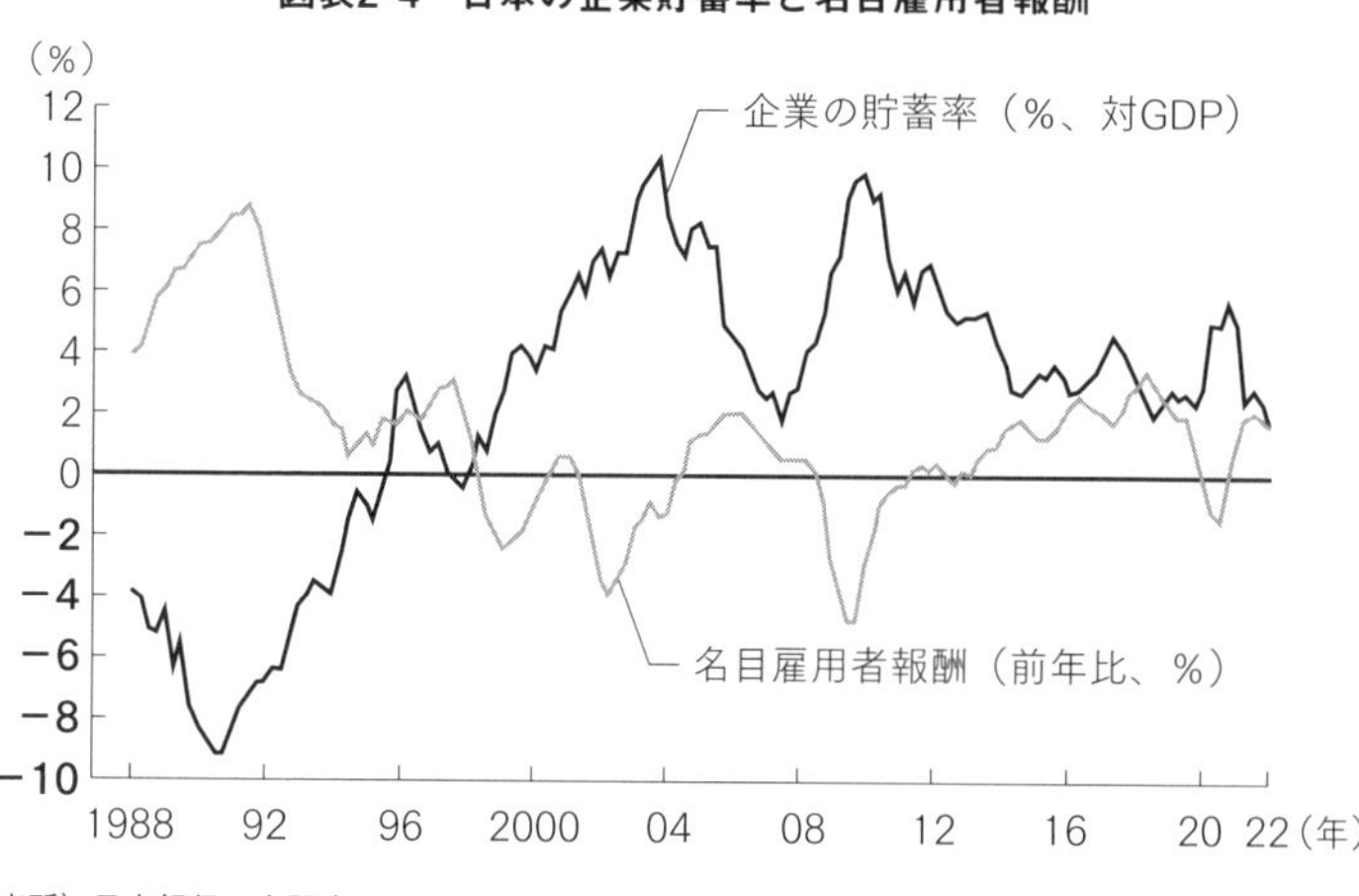

（出所）日本銀行、内閣府、UBS SuMi TRUSTウェルス・マネジメント

投じていたことの裏返しでもある。しかし、その後企業の貯蓄率はマイナス幅を徐々に縮小していき、１９９０年代後半にはプラスに転化、貯蓄超過となった。

２０００年代、リーマンショックの前までは、実質ＧＤＰ成長率は年平均１・５％で推移していた（２０００～２００７年の平均）が、企業の貯蓄率は２００４年までプラス幅を拡大、その後はプラス幅を縮小させたとはいえプラスを維持、企業の貯蓄体質は続いていた。

◆デフレ経済をもたらした企業の安全志向

２００８年のリーマンショックがなければ、景気の拡大が続くなかで企業は再びマイナスの貯蓄率となっていたかもしれない。しかし、リーマンショック後に貯蓄率は一気に10％まで拡大する。その後の円高基調の継続や２０１１年の東日本大震災も、一部の企業には貯蓄を減らして対外投資を拡大する機会となったかもしれないが、多くの国内企業にとって安定志向を強める結果となった。

その後、2012年に誕生した第2次安倍政権が掲げた「3本の矢」による政策運営によって企業の貯蓄率は減少し始め、名目雇用者報酬は1990年代後半以降でみれば最大となる3％半ばまでの拡大はみられた。しかし、企業の貯蓄率がマイナスとなるまではあと一歩いかなかった。

結局、1990年代後半以降でみて企業の貯蓄率がマイナスとなった年は一度もない。1990年代初頭のバブル崩壊以降の景気回復の遅れが、企業による将来の成長に向けた投資や賃上げを行うよりも、負債削減や貯蓄拡大といった安全志向を強めてしまい、物価が継続的に下落していくデフレ経済をもたらしてしまったと考えている。

4 — 日本の中間層の衰退と消費への影響

◆衰退する日本の中間層

前節では1990年代後半以降、企業が将来の成長に向けた投資や賃上げよりも安全志向を強めたことよって貯蓄体質化していった経緯をみてきた。ここでは、この企業の貯蓄体質化は、所得構造にどのような影響を与えたのかをみていきたい。

まず一般労働者の1人当たりの月額給与である現金給与額の変化（企業規模は労働者10人以

図表2-5　年齢別にみた現金給与額の伸び（2019年／2006年）

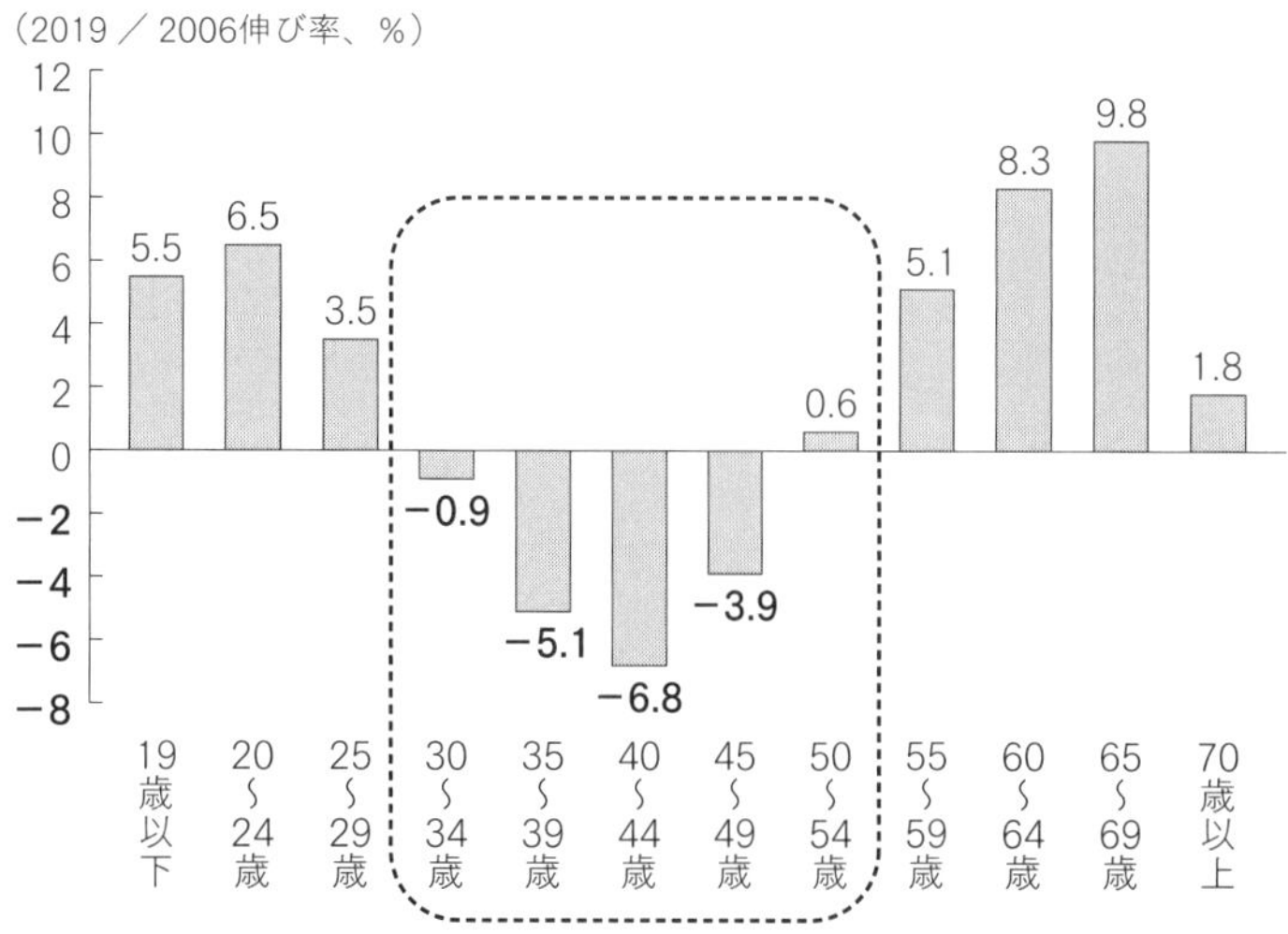

（注）賃金構造基本統計調査において、令和2年調査と同じ推計方法を用いた過去分の集計のうち、最も過去に当たる2006年とコロナショック前である2019年を比較している。
（出所）厚生労働省、UBS SuMi TRUSTウェルス・マネジメント

上）について、２００６年と新型コロナ禍前の２０１９年を比較したものを年齢別でみてみる。図表２－５の通り、若年層や60代高齢者の給与は拡大している一方、30～50代の所得の伸びは顕著に低迷している。

この歪な伸びには最低賃金の継続的な引き上げが影響しているだろう。最低賃金は２０００年代前半は０％台の伸び率であったが、２０００年代半ば以降は景気拡大や格差対策の方針もあって２％程度、そして２０１６年以降は３％超の伸び率となっている。また、２０１０年代半ばからは非正規社員の正規社員化が進むようになり、これも若年層を中心に恩恵を受けた可能性がある。

一方、企業においては、最低賃金引き上げによる負担増は30～50代の賃金、つまりは中間層の人件費を抑えることでバランスがとられた可能性がある。具体的には、定期昇給額の削減、残業時間の減少などによって、30～50代の中間所得を担うべき労働者の賃金が相対的に抑えられてきた可能性は否定できない。また、この年代は、バブル崩壊後や１９９０年代後半の金融システム不安後の「就職氷河期」に採用された労働者が多いとみられ、雇用環境が厳しいなかで適職ではない仕事に就いた人たちが十分に報われていなかった可能性もあろう。

中間所得層の停滞の要因は、産業別に雇用者数の変化をみることで、産業構造の変化の観点からも確認することができる。図表２－６は、産業別に２０００年から２０１９年にかけての労働者数の変化をみたものである。製造業や建設業ではこの20年間で１００万～２００万人もの減少がみられるのに対して、卸・小売業や飲食・宿泊業、医療・介護業では拡大している。医療・介護業では４００万人以上もの雇用が増えており、高齢化が進むなかでの産業構造の変化が表れている。そして重要な点は、製造業や建設業は相対的に賃金が高い職種であるのに対し、飲食・宿泊や医療・介護の賃金は低く、日本はこの20年間、相対的に賃金の高い産業の労働者を失い、賃金の低い産業の労働者が増えていたということだ。

アジア企業などとの競争が激化する製造業では、労働者数を減少させることで生産性を維持・改善させ、それが賃金の維持・上昇につながっていたかもしれない。しかし、労働者数を減らさずに生産性を上昇させることができれば、つまり製造業の生産量・付加価値額を増やすことがで

図表2-6　産業別にみた労働者数の変化（2019年／2000年）

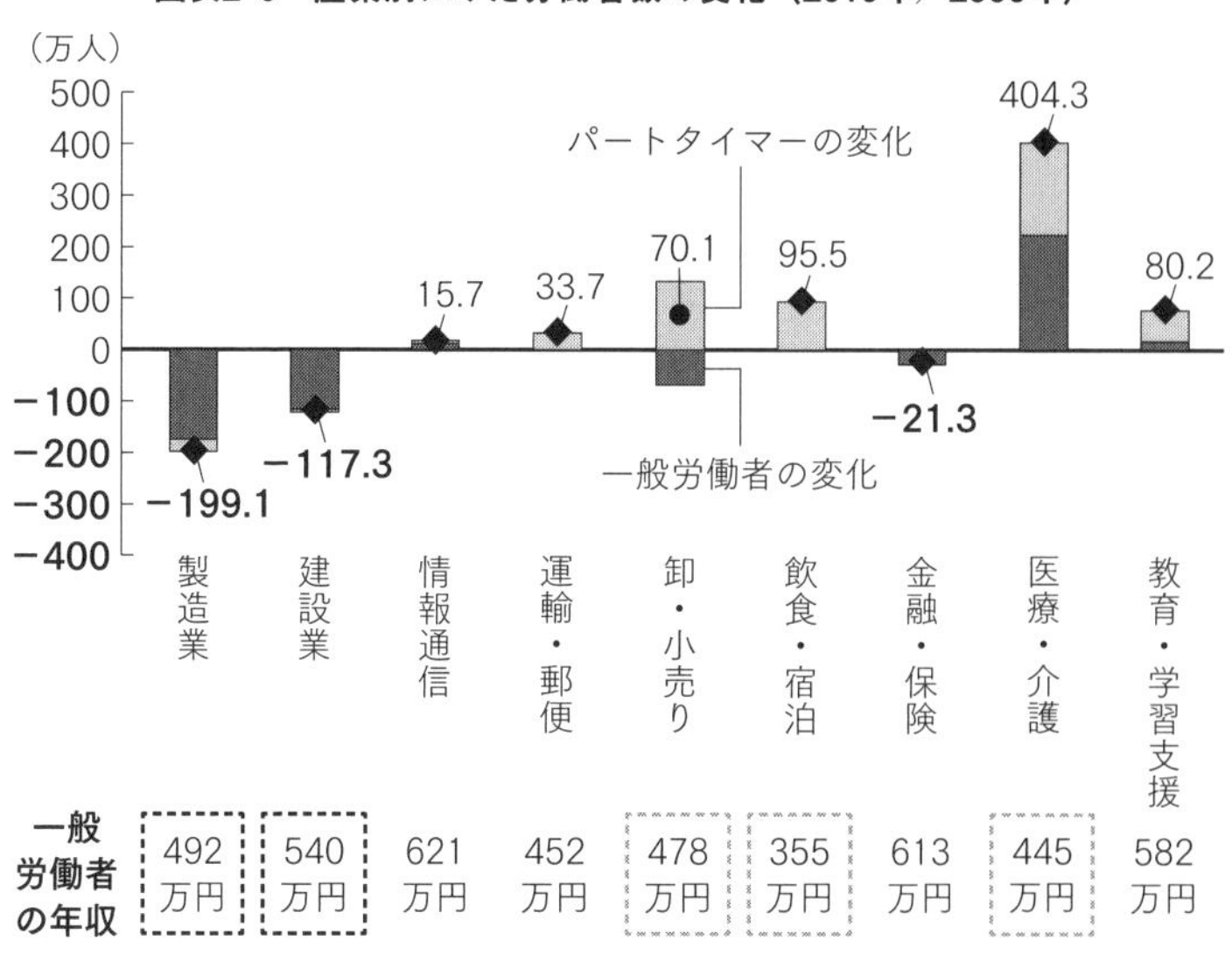

（出所）厚生労働省、UBS SuMi TRUSTウェルス・マネジメント

きていれば、日本全体の賃金低下にはつながらなかったであろう。

　また、飲食・宿泊や医療・介護といったサービス業の雇用は拡大しているものの、先に述べた通り、これらの産業の賃金は相対的に低い。これらの産業では、生産性の拡大に向けては労働者を減らすのではなく、生産量・付加価値額を増やしていくことが重要となってくる。

◆中間所得層ほど消費との相関が強い

　日本の消費は2000～2019年の間、年率で平均0・32％しか伸びておらず、実質でも0・68％の伸びにとどまっていた。この背景に企業の賃金上昇抑制が大きく影響していることは当然であるが、特に中間層の所得低迷による影響は小さくないだろう。

図表2－7の通り、年収階級別（5区分）の所得と消費の相関をみると、中間所得層ほど消費との相関が強い傾向にある。ここで最も低い所得階層（第1区分）は世帯所得が350万円未満、最も高い階層は同850万円以上（第5区分）であり、第2～4区分は中間層とみなすことができる。

低所得者層はエネルギーや食料など生活必需品の消費に占める割合が高いことから、所得との相関が相対的に低い可能性がある。また、高所得者層の消費は資産価格の変動による資産効果の影響などもあるため、所得だけの動きに依存しない可能性がある。

もうひとつ、所得階層別に、老後の心配が消費に影響を与えているかどうかをみていきたい。図表2－8の通り、年収別の消費と内閣府の「家計の金融行動に関する調査」にある老後の心配度合いとの相関をみると、低所得者層ほど老後の心配が消費に影響を与えている可能性がある。第4区分や第5区分などの高所得者層ほど、老後の心配と消費の相関が相対的に小さい。

これらの観点からは、中間層の所得拡大は消費につながる影響が大きいこと、安心できる社会保障の構築もまた、低中間所得層でみれば消費拡大のテーマであること——などがみえてくる。

図表2-7　所得階級別にみた消費支出と世帯収入との相関（2019年／2003年）

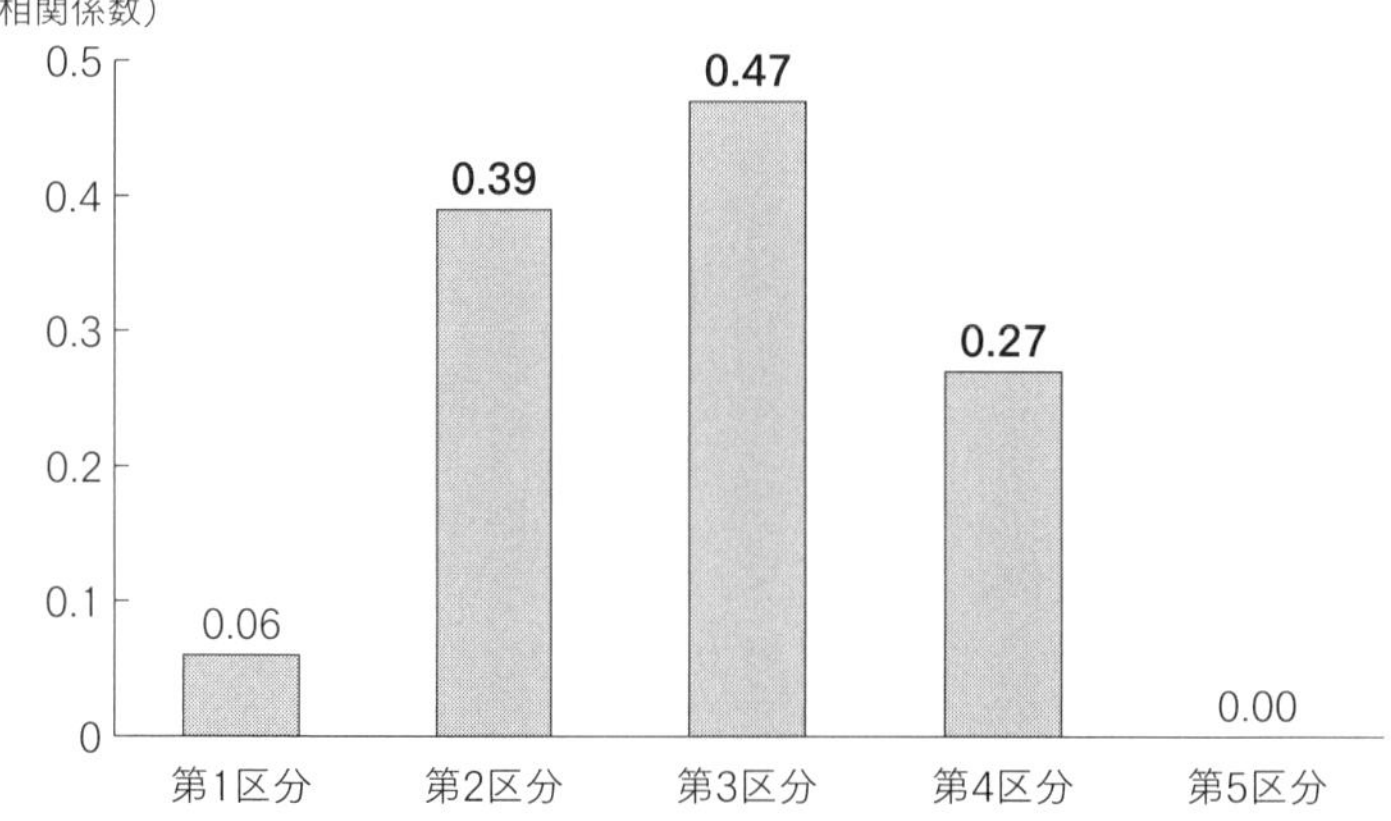

（注）各区分の消費支出の前年比と世帯収入の前年比の相関（2003年から2019年まで）
（出所）内閣府、総務省、UBS SuMi TRUSTウェルス・マネジメント

図表2-8　所得階級別にみた消費支出と「老後の心配」との相関（2019年／2003年）

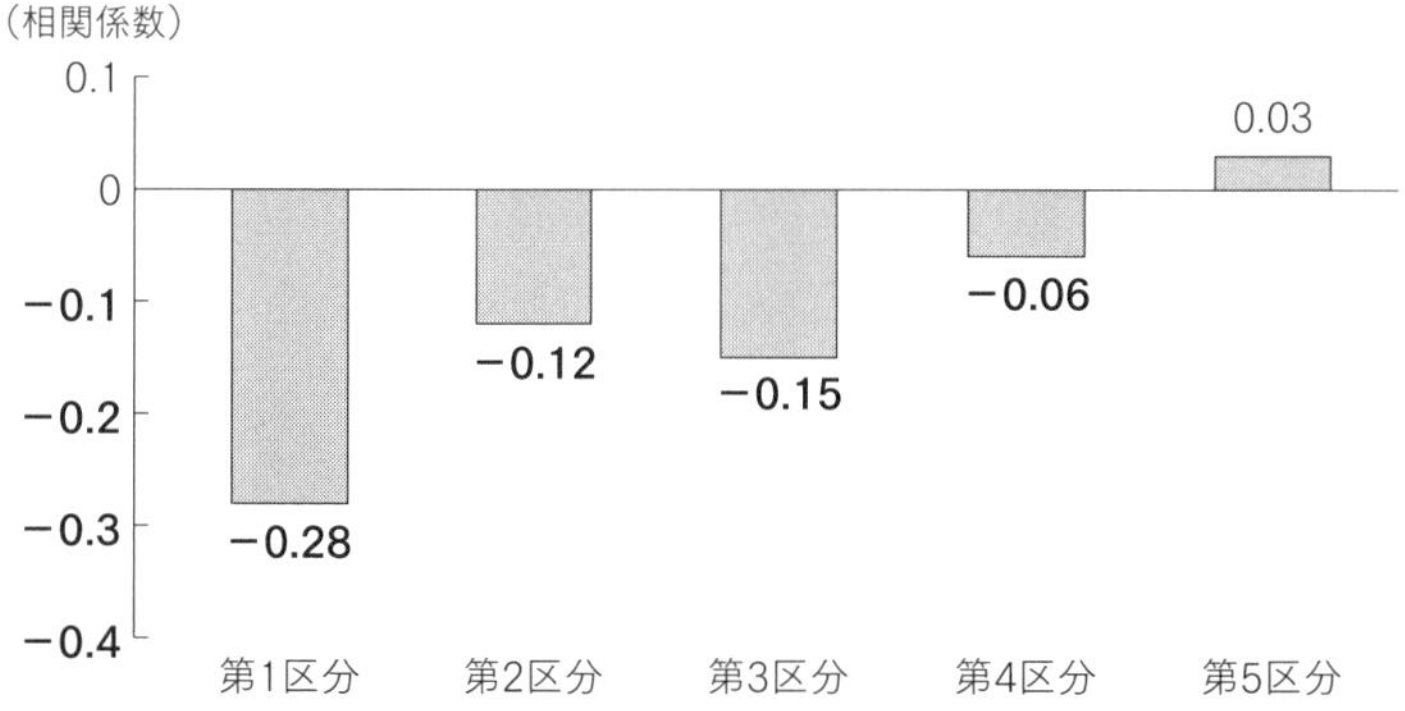

（注）各区分の消費支出の前年比と「老後が心配である」と回答している割合の前年差の相関（2003年から2019年まで）
（出所）内閣府、総務省、UBS SuMi TRUSTウェルス・マネジメント

5 ― 企業貯蓄拡大・賃金低下・消費低迷のスパイラル構造

◆日本の「失われた30年」の要因

前節までのところでは、賃金低下の背景として、企業が収益拡大を労働者に還元せず、貯蓄として蓄積してきたこと、そして賃金低下を構造的にみると、若年層は最低賃金の引き上げなどから上昇してきた一方で、中間層を担う年齢層が低下していることをみてきた。そして、賃金低下の要因として産業別に労働者の変化をみてみると、賃金が相対的に高い製造業の雇用は減少し、医療・介護といった相対的に賃金の低いサービス業の雇用が拡大している点をみてきた。

企業の安全志向型の経営、デフレマインドは企業の貯蓄を拡大させ、賃金の低下、特に中間層の所得衰退を招いてきた。そして、中間層の衰退は家計の将来や老後に対する不安につながり、消費の低迷・低成長をもたらし、企業マインドをますます保守的にさせていった。つまり、図表2－9のようなスパイラル構造が、日本の「失われた30年」の要因であると考えている。

ただしここで、高齢化や人口減少といった人口要因、技術革新の低迷といった構造要因は、低成長や、人々や企業の保守的なマインドの要因となり、企業貯蓄の拡大・賃金低下・消費低迷のスパイラル構造の補足的な要因となりうるが、決定的な要因とは考えていない。

確かに若い世代が多く人口が拡大している社会であれば、自然と需要が拡大していくため、企業も供給拡大に向けた投資・賃上げをしていきやすいだろう。技術革新も、日本でいえば戦後

図表2-9　企業貯蓄・所得低下・消費低迷のスパイラル構造

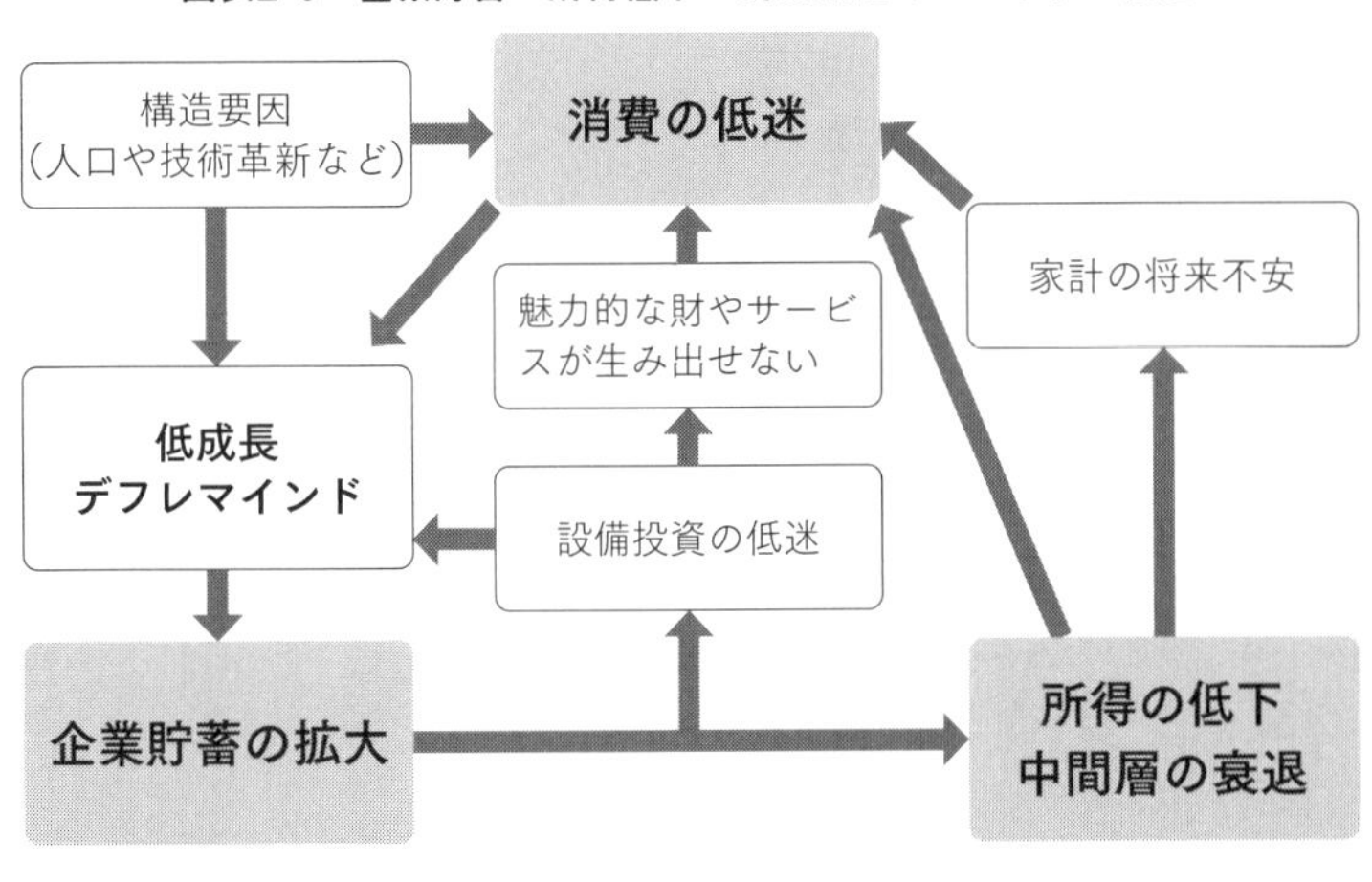

（出所）筆者作成

１９５０年代後半の「三種の神器（白黒テレビ、電気洗濯機、電気冷蔵庫）」が著しく普及・拡大し、その後１９６０年代半ば頃から「３Ｃ（新三種の神器：カラーテレビ、乗用車、クーラー）」が成長のドライバーとなった。

つまり技術革新は、それが人々にとって欲しい対象として需要の拡大につながるからこそ、企業はそこに投資を行い、賃上げにもつながっていく。高齢化や人口減少下であったとしても、新しい需要は作り出していくことはできるだろう。そして、新しい需要はさらなる技術革新につながってくる。

日本経済が「失われた30年」に陥ったスパイラル構造をどう抜け出していくか、筆者は、企業も政策もインクルーシブ・キャピタリズムの視点から考えていくことが重要となってくると考えている。

◆生産性の上昇は賃上げ問題の根本解決にはならない

また、「賃金を上昇させるためには生産性を上げるべきだ」とする議論があるが、気をつけるべき点がある。生産性は一単位当たりの資本や労働に対する生産量や付加価値額で計算されるため、生産量・付加価値額が同じでも、投入する資本や労働が減少すれば生産性は拡大する。実際、企業が安定志向型の経営を続けるなか、政府が生産性を上げようとしても、企業は投入する資本や労働の削減、コストカットに重点を置いていた可能性がある。

図表2－10は日本の生産性（全要素生産性、労働生産性）と名目GDPの水準を示しているが、1995年以降でみれば一定程度生産性を上昇させてきた。しかしながら名目GDPの上昇は非常に限定的にとどまっている。これは、効率化、コストカットを進める一方で生産量・付加価値額を十分に増加させてこなかった結果とみることができる。生産性を上げるべき、というのはその通りであるが、それはコストカットによる効率化ではなく、生産量・付加価値額を拡大させることで結果的に達成されるものと解釈されるべきであろう。

そしてマクロでみた生産性と賃金上昇率の関係は、アメリカなどでは強くみられるものの日本ではそこまで強くない。これは、日本では企業の貯蓄拡大が賃金上昇率と強い相関を持っており、業務効率化やコストカットが生産性の向上・企業の収益向上につながったとしても、その果実を設備投資や賃金に還元してこなかったためと考えている。

図表2－10をみる限り、生産性をさらに上昇させていったとしても、これまでと同じやり方で

図表2-10　日本の生産性と名目GDP

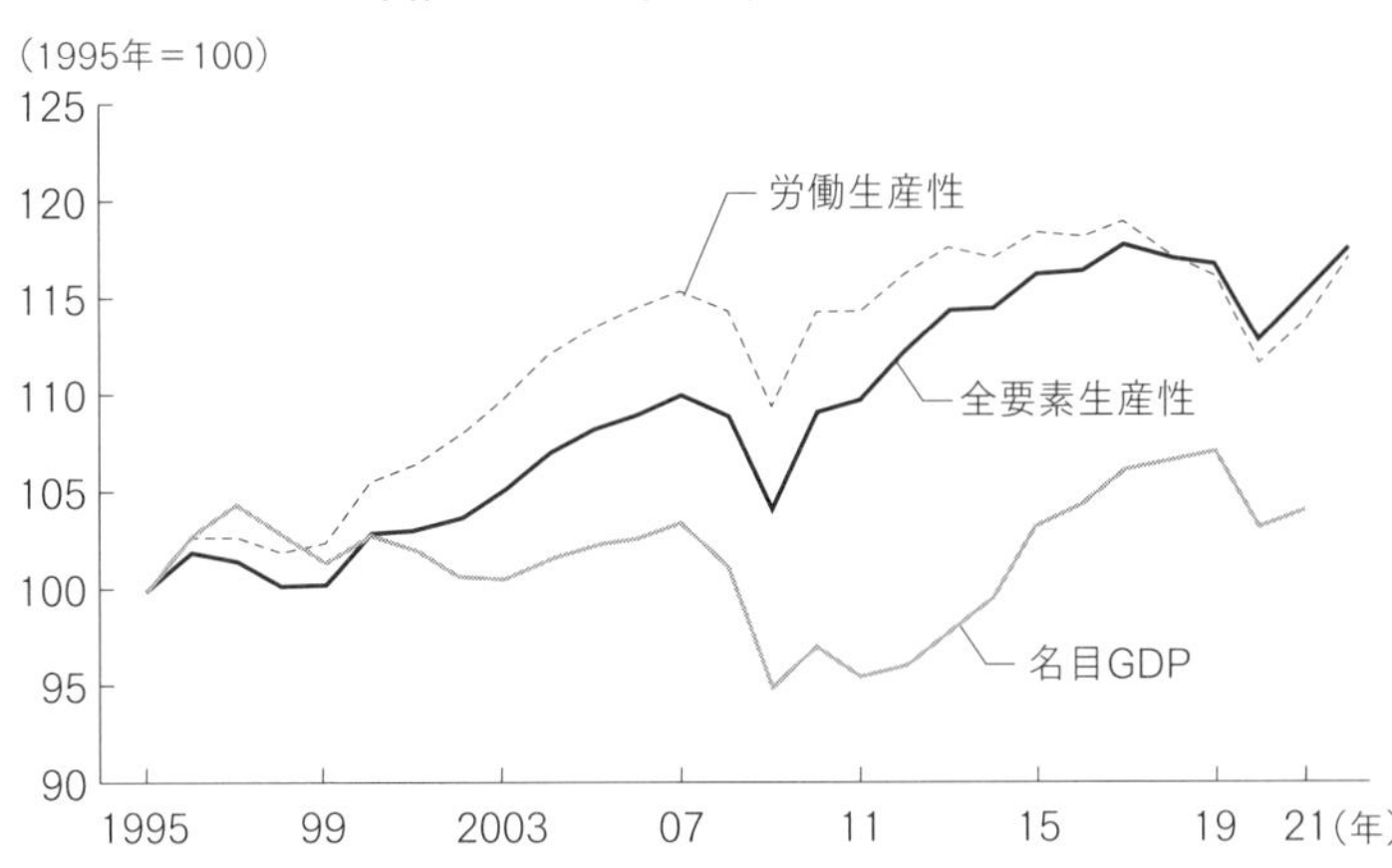

（出所）OECD、内閣府、UBS SuMi TRUSTウェルス・マネジメント

あれば名目ＧＤＰは上昇しないだろう。日本経済の「失われた30年」の問題は、生産性が上昇しても企業の貯蓄は拡大し続け、一方で賃金は上がらず、その結果消費が抑えられ、名目ＧＤＰは横ばい傾向となってしまったことなのである。

◆脱出のカギはインクルーシブ・キャピタリズム

このような状況で政治は何をすべきか。減税を行っても、それが需要につながらなければ企業の貯蓄となってしまうだけである。規制緩和を行っても、それが業務効率化やコストカットであれば需要創出とはならない。

筆者は、生産量や付加価値額を拡大させるべく、新しい需要をつくり出すための税制や規制改革、そして政府支出を経済政策として考えていくべきであると考えている。

そして、本書の主題であるインクルーシブ・キャピタリズムは、先にも触れた通り企業貯蓄拡大・賃金低下・消費低迷のスパイラルを抜け出すために重要な示唆をもたらすと考えている。「すべての人が機能する」経済に向けては、高齢社会であれば高齢者の需要をどう掘り起こすか、あるいは格差の拡大であれば是正に向けてすぐに増税による分配を考えるのではなくどのような経済成長の構造をつくっていくのか、環境や脱炭素をコスト増と捉えるのではなくどう需要創出につなげていくのか、などが考えられなければならない。

日本は戦後の高度経済成長を終えた後、新しい成長のあり方をいまだ模索し続けている。しかし、これはアメリカやヨーロッパ、中国も同様な状況に陥る可能性があるのだ。インクルーシブ・キャピタリズムは、成熟化した経済が持続的・安定的に成長・発展していくために必要となる新しい経済政策のあり方を提供するものと考えている。

◆もうひとつのリスク——日本の経常収支

日本が持続的・安定的に成長・発展できず、競争力の低下が継続する場合、通貨円の中長期的な価値にも大きな影響を与えかねない。つまり、これまで黒字が続いてきた日本の経常収支が赤字に転落し、そのまま恒常的に続いてしまうリスクである。

図表2－11は、1985年以降の日本の経常収支をみたものだ。1990年代中頃までは、国内の製造業の競争力を背景に貿易収支の大幅な黒字が継続していた。その後、生産コストの低い

図表2-11　日本の経常収支のリスクシナリオ

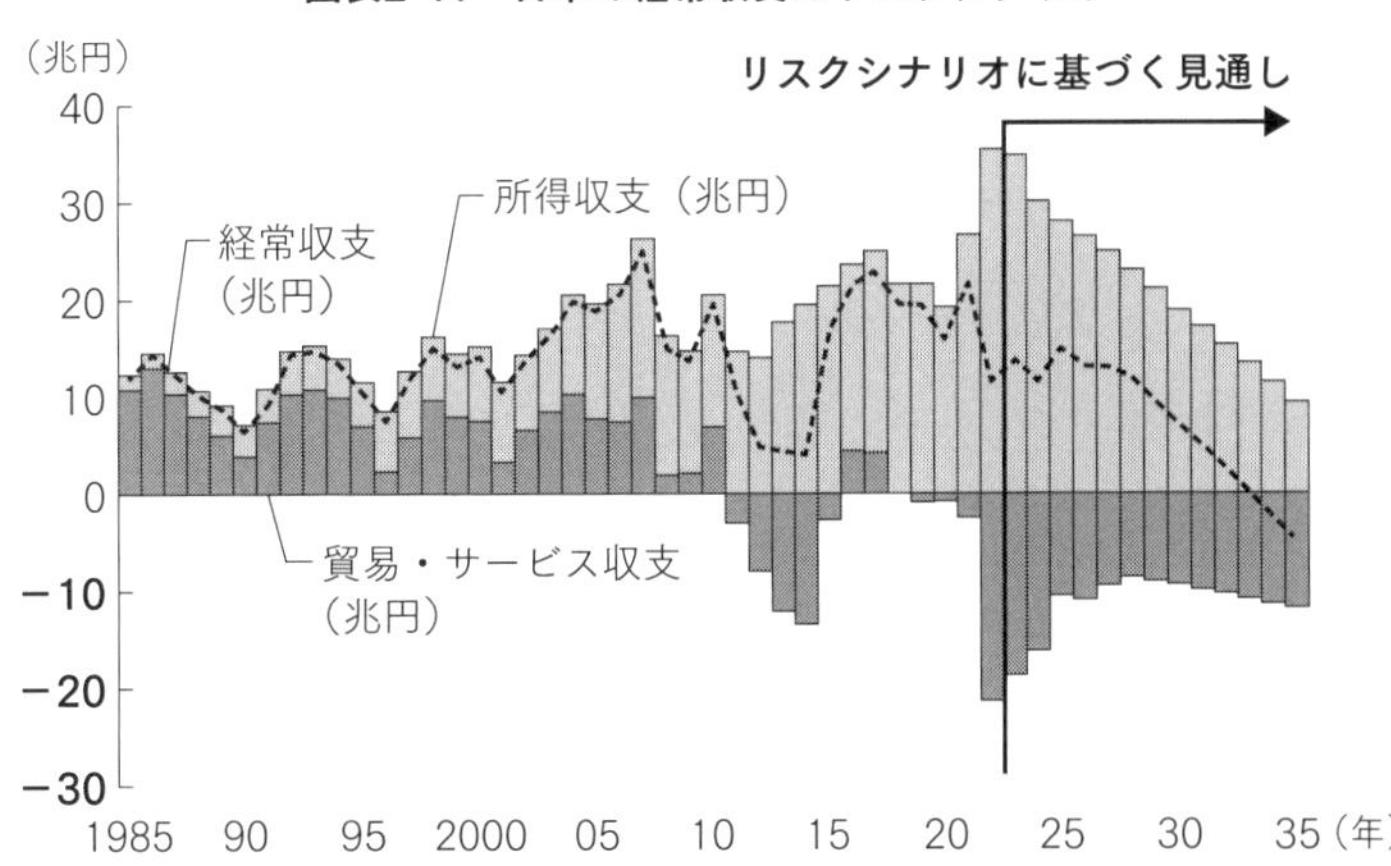

（出所）財務省、UBS SuMi TRUSTウェルス・マネジメント

アジアへの移転や現地生産へのシフトにより、貿易収支の黒字は低下していく。しかし、日本の稼ぐ力は失われていたわけではなかった。海外での直接投資の収益の拡大が経常収支の黒字を支えていたのである。アメリカでの自動車やアジアでの機械など、日本企業は海外での収益を拡大させてきた。

経常収支の推移をみると、東日本大震災のあった２０１１年からその後の数年は、エネルギー輸入の拡大から経常収支の低下（黒字の減少）がみられたが、その期間を除けば、基本的に経常収支の黒字は拡大基調が続いていた。日本は、国内で生産する力は失われたが、日本企業の稼ぐ力は失われたわけではなかったのである。

しかし、２０１６年頃より、経常収支の低下傾向が続くようになってきた。そして、新型コロナ禍に伴う収益の低下、ロシア・ウクライナ紛争に伴う円安や原油高下の輸入の拡大により、経常収支は大きく悪下する。

今後、海外経済の新型コロナ禍からの回復、アメリカのインフレ鎮静化に伴う過度な円安の修正などから、一定程度経常収支は回復するだろう。しかし、食料やエネルギー価格は構造的に高い水準が続くリスクがある。

また、米中対立が激化するなかで日本企業の中国におけるシェアが低下するリスクもあろう。アメリカでの日本企業による自動車生産についても、今後の脱炭素化の流れのなかでシェアを維持できるかどうかは不確実だ。そもそも、米中対立が長期化することで自由貿易が阻害されれば、アメリカも中国も潜在的な成長率を低下させてしまう懸念もある。

図表2－11の見通しは、あくまでリスクシナリオに基づく経常収支の展望である。アメリカや中国の成長率が10年後に半減する、さらに日本企業の販売シェアを相当程度失ってしまうという悲観シナリオを想定した場合、所得収支は黒字が続くものの拡大は止まり縮小し始めるだろう。一方、輸出の低下、食料・エネルギー価格の上昇により貿易収支の赤字は拡大が続く。その結果、2030年代半ばには経常収支は赤字化してしまうかもしれない。このことは、通貨円の観点からみれば、外貨を稼ぐよりも構造的に支払う金額が多くなることを意味し、円が構造的に売られ続けることを意味する。

6 ― 経済社会を変える新しい価値観

◆サプライサイド政策の有効性は低下している

サプライサイド経済学は、１９７０～80年代頃から盛んとなったもので、減税や規制改革によって企業に資金をまわし、企業にお金を使ってもらうことで経済を活性化すべきと主張した。その代表が、イギリスの首相であったマーガレット・サッチャー氏（在任期間：１９７９年５月～１９９０年11月）による改革や、アメリカ大統領であったロナルド・レーガン氏（在任期間：１９８１年１月～１９８９年１月）によるレーガノミックスである。この背景には、第２次世界大戦後の復興を経て世界貿易が拡大するなか、需要の拡大に資金や生産などの供給面が追い付かず、供給不足から高インフレ率が定着していたことが挙げられる。また、戦後の大きな政府による支出拡大は、社会保障費の肥大化や国有企業の既得権益の拡大により、労働意欲や企業のイノベーションの低下につながっていたという要因も挙げられるだろう。

しかしながら、現在の民間企業には潤沢な貯蓄がある。日本の「失われた30年」の要因は供給不足ではなく、需要の低迷による低インフレ率が慢性的となっていたことだ。こうした状況では、企業に減税によって資金を渡すよりも、資金を使いたいと思わせるような需要の創出が重要となってくる。規制改革も、企業の業務の効率化、コストカットを後押しするのではなく、新しい財やサービスの需要創出を促す視点が重要となろう。筆者は、これまでのような企業の資金活用に委ねていくサプライサイドの政策の有効性は低下していると考えている。

特に日本では、1990年代初頭のバブル崩壊以降、企業の安定志向、デフレマインドが定着するなか、規制緩和が行われても、企業にとっては新しいイノベーションに向けた投資拡大や賃上げを行うよりも、コスト削減に向かいやすかったとみている。したがって、減税や規制改革などのサプライサイド政策は、継続的な需要を生み出すように方向転換をしていく必要があろう。そして、継続的な需要の創出には、企業の積極的な資金の活用、貯蓄の減少が不可欠となる。そのため、インクルーシブ・キャピタリズムの考え方に立った、企業の投資や賃上げを促す経済政策と、経済や社会、人々の新しい価値観に基づく需要の創出が重要となると考えている。

◆経済社会に台頭する新しい価値観

2020年の新型コロナショック、2022年のロシア・ウクライナ紛争は、民間だけでは対応できない経済的・社会的課題を多く提示した。

新型コロナ感染によって人々の移動が制限されるなか、家計や企業に対する一時的な給付は経済社会が混乱に陥らないためには必要な支出であった。また、コロナ感染によるサプライチェーンの寸断がもたらした部品・部材の供給不足は、アジアなどに集中していた半導体工場などについて、国内回帰を含めた分散化を早期に進めるべく政府による支援が重要となってくる。ロシア・ウクライナ紛争に伴うエネルギーや食料価格の高騰は、特に資源の多くを海外に頼る日本などの国にとって、再生可能エネルギーを含めたエネルギー供給のあり方を考えるきっかけとなった。食料安全保障に関しても、国内の生産効率化や収穫量の改善に向けた投資、サプライチェーンの強化、農業テックの活用による効率性改善などが重要となろう。また、物理的な防衛力・軍事力ではなく、サイバー攻撃の脅威に対しても新しい取り組みの強化が求められている。

こういった新しい財やサービスの供給を支え、需要を創出し、生産性を改善させていくには、民間企業の努力や創意工夫によるイノベーションがカギとなろう。しかし、日本経済の「失われた30年」で定着してきた企業の安定経営志向、低賃金、低成長、低インフレ率の状況下では、民間企業によるイノベーションはなかなか生まれてこない。規制改革は、新しい需要の創出につながるよりも、政治的に実現のしやすい小粒なものにとどまり、企業のコストカットに向けた活用が目立っていた観がある。

インクルーシブ・キャピタリズムに向けては、こうした経済、社会の変化に対応した新しい価値観による財やサービスがきちんと供給されていくこと、そしてこれらの需要が経済成長を促し、中間層の所得向上を含めすべての主体が成長・発展していくための政策を考えていく必要があろう。

図表２－12に示すように、第２次世界大戦後、特に１９６０年以降のグローバル経済成長を支えてきた世界の貿易は大きな転換点にある。米中対立の長期化、ロシアによるウクライナ侵攻を契機としたサプライチェーンの転換など、世界経済の分断（デカップリング）、そして安全保障を

図表2-12　大きく変わる経済、政治、人々の価値観

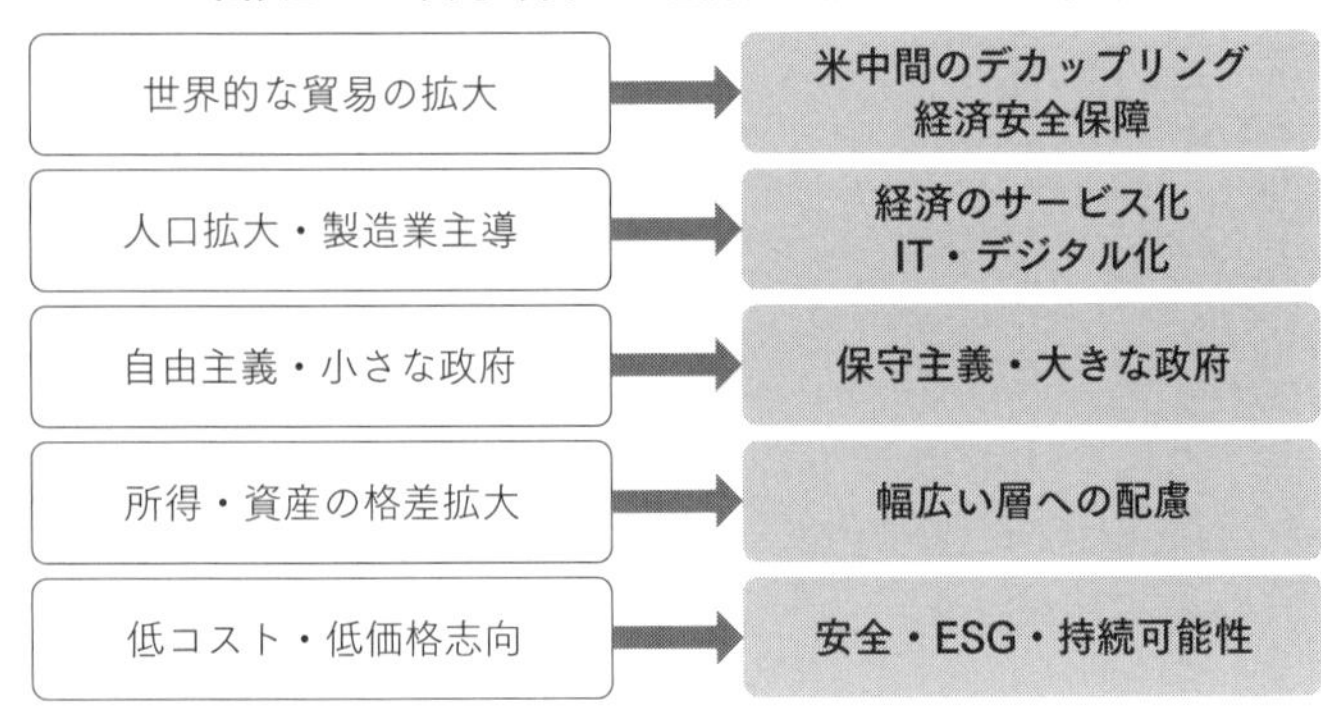

（出所）筆者作成

経済の視点まで考慮した経済安全保障に向けた対応が強く求められている。

また、これまでの人口増大を前提とした経済成長や製造業の拡大は、世界的な高齢化やモノ消費からサービス消費への嗜好の変化、IT化・デジタル化の急進展のなかで変質し、サービスの付加価値化や従来産業の急速なデジタル化など、経済構造の転換をもたらし、人々の新しい価値観を創り出している。

そして、世界経済の分断や急速なデジタル化のなか、政府の役割も大きく変化している。既に述べた経済安全保障の観点だけでなく、所得や資産格差の拡大に対処すべく幅広い層への政策的配慮が必要となること、また今回の新型コロナ感染のようなショックへの対応など、これまでの「自由主義・小さな政府」から「保守主義・大きな政府」への志向が高まることになる。

一方、企業の側も、サプライチェーンの安全性、環境、労働問題、経営の持続可能性への取り組みが求めら

れるようになることで、政治レベルの強いコミットメントや支援によらずとも、従来の低コスト・低価格志向からの意識・価値観の大きな変革が必要とされている。この点は、消費者についても同じであろう。

インクルーシブ・キャピタリズムの観点に立つことは、こうした経済社会や企業、人々の新しい価値観に基づく成長・発展を目指していくことにつながる。そして新しい価値観に基づく需要の創造には、個人や企業の取り組みや努力だけでは限界があろう。しかも、急速に進むデジタル化や経済安全保障に絡む分野、脱炭素など持続可能性に関わる分野は、求められる将来の実現に向けては多額な資金を必要とする。個別の努力だけでは、将来の不確実性が高いなかで急激に起こる変化のスピードについていけない可能性もあるだろう。

新しい価値観に基づく成長・発展に向けて、政府は従来の政策を根本的・構造的に変えていく必要もあるかもしれない。民間企業が安全志向の保守的な経営に陥ることなく、企業の貯蓄を低下させていくような需要創造に向けた創意工夫・イノベーションにより、継続的な雇用の創出、衰退した中間層を中心とした賃金の上昇につなげていかなければならない。

◆「デジタル化」×「経済安全保障」がもたらした変化

デジタル化は経済成長を牽引するイノベーションとして、今後も重要な役割を果たすであろう。しかし既に述べたように、デジタル化のイノベーションの速度は非常に速く、さらにその波及効果・分配効果を得られる者は一部の企業や人々に限られてしまっていた。したがって今後、デジタル化のイノベーションはさらに多くの産業で活用され、進化していくとみられるが、経済・社会の持続可能性を考慮した場合、民間企業の取り組みだけでは不十分かもしれない。

特に人工知能（AI）やビッグデータ、サイバーセキュリティの分野は、将来の先端テクノロジーの基幹技術として今後、様々な産業での活用が進むと考えられる。民間企業での取り組みも急速に進んでいるが、国レベルでも多くの政府が長期目標を掲げ、政策の中核分野に位置付け、支援を強化している。

米中対立といった世界経済の分断の観点からみれば、これらの技術は国防や安全保障強化の一環としての応用・活用が重要となってきている。それだけに、民間部門での商業的・経済的に実現が難しい研究や開発を育成するうえで、政府が目標を設定し支援することが欠かせない。例えば、マサチューセッツ工科大学（MIT）の科学者ニール・トンプソン氏らの研究チームによると、現在使われている機械学習と関連アルゴリズムの82％は、政府資金によるプロジェクトや大学発の研究開発から生まれたものだという。

図表2－13の通り、これら3つの技術を合計した市場規模は、グローバルでみて2020年の3860億ドルから2025年には6250億ドルまで成長すると予想される。このうち最も高い成長率が見込まれる分野は人工知能であり、年率20％の高い成長となりうる。ビッグデータやサイバーセキュリティの分野でも、年平均成長率は8～10％程度の高い伸びを見込んでいる。

図表2-13　AI、ビッグデータ、サイバーセキュリティの市場規模と予想成長率

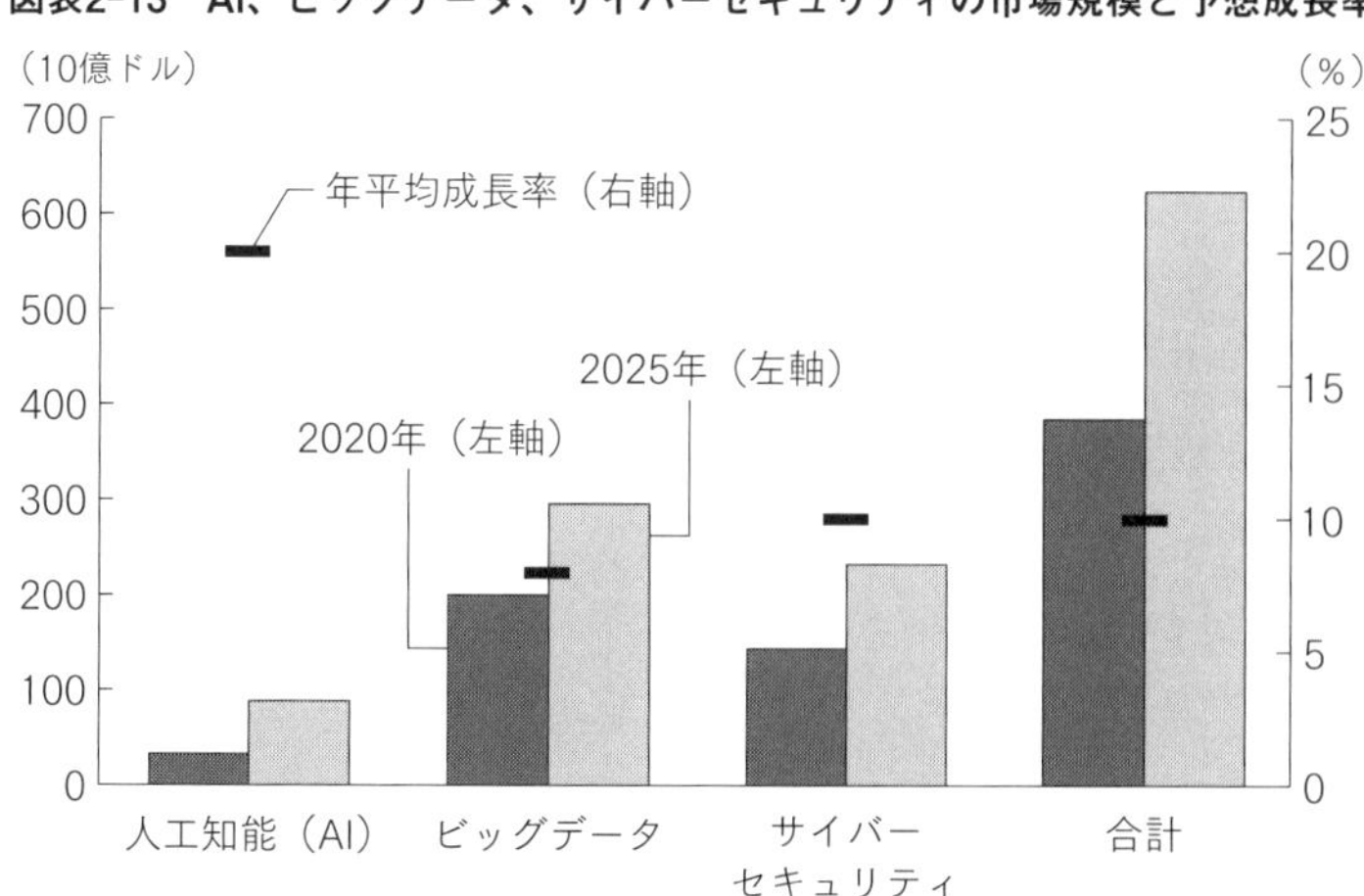

（出所）UBS SuMi TRUSTウェルス・マネジメント

とりわけサイバーセキュリティの分野は、２０２２年のロシア・ウクライナ紛争に伴うサイバー攻撃に対する防衛の重要性が注目された。「ノートンライフロック・サイバー犯罪調査レポート２０２１」によると、過去12カ月間に何らかのサイバー犯罪の被害を受けた人は10カ国で約３億３０００万人に上り、その対応に27億時間が費やされたとされている。サイバー犯罪は１年間だけで世界経済に数十億ドルの損失を与えており、その金額は増加傾向にある。

ＩＢＭセキュリティーがスポンサーとなり、ポネモン・インスティテュートが行った試算によると、サイバーセキュリティ違反による１件当たりの平均損失額はアメリカでは９１０万ドル、日本では４６０万ドル、世界平均でも４００万ドルを超えることが示されている。経済安全保障の観点から、サイバーセキュリティの強化は多くの産業で需要を創出する分野となろう。

経済安全保障の観点では、エネルギーや食料分野での注目も高まっている。ロシア・ウクライナ紛争を契機に食料安全保障は特に重要性が増している。ロシア・ウクライナは世界の小麦・大麦の輸出量の25%以上、トウモロコシの20%程度を担っている。また、ロシアやベラルーシは肥料の一大生産地であり、世界のカリウム生産のおよそ35%を占めている。今回の紛争により、農産物価格や肥料等の価格が高騰しており、サプライチェーンの多角化に向けた投資やデジタル技術の活用などにより、農産物生産の国産化比率を高める必要性を改めて認識させることとなろう。

食料に対する新しい価値観は、経済安全保障の観点にとどまらない。世界的な高齢化の進展や新興国における都市化の進行によるタンパク質需要の拡大、健康促進に向けた食需要の増大、若い世代にも拡がる低カロリー・低糖質・低脂質といった健康志向の高まりや、コロナショック後のオンラインデリバリーのような消費の方法にも、大きな変化がみられている。

◆高齢化が生み出す新しい価値観

人口の高齢化は、生産能力の低下という観点では経済成長率の低下要因となりうるが、余暇時間の拡大や資産ストックの活用という観点からは、需要拡大を通じた成長率の上昇要因にもなり

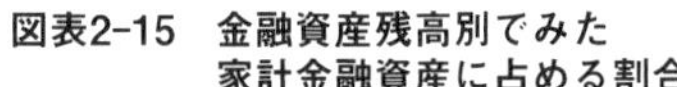
図表2-15　金融資産残高別でみた家計金融資産に占める割合

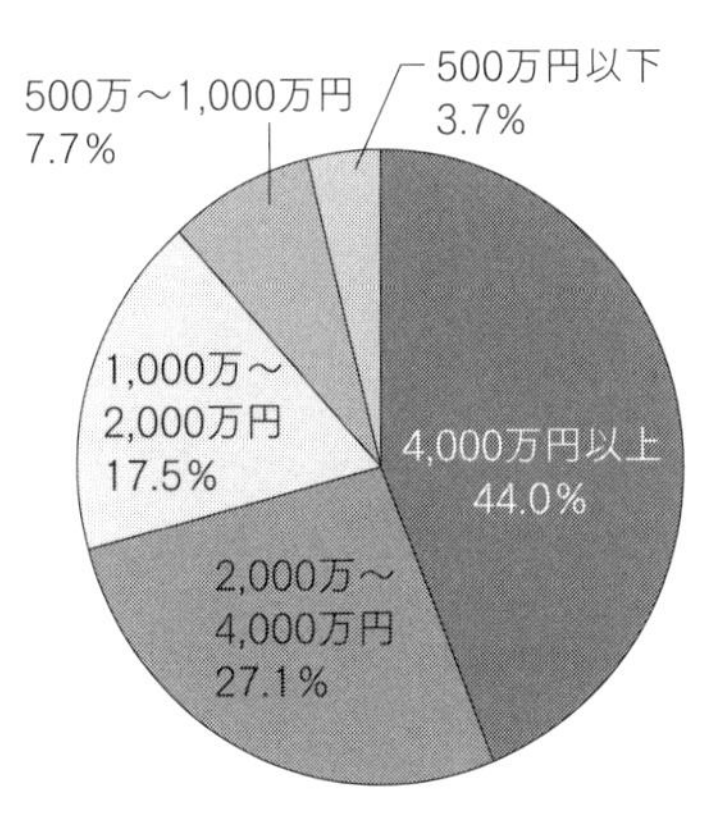

図表2-14　世帯主年齢別でみた家計金融資産保有割合

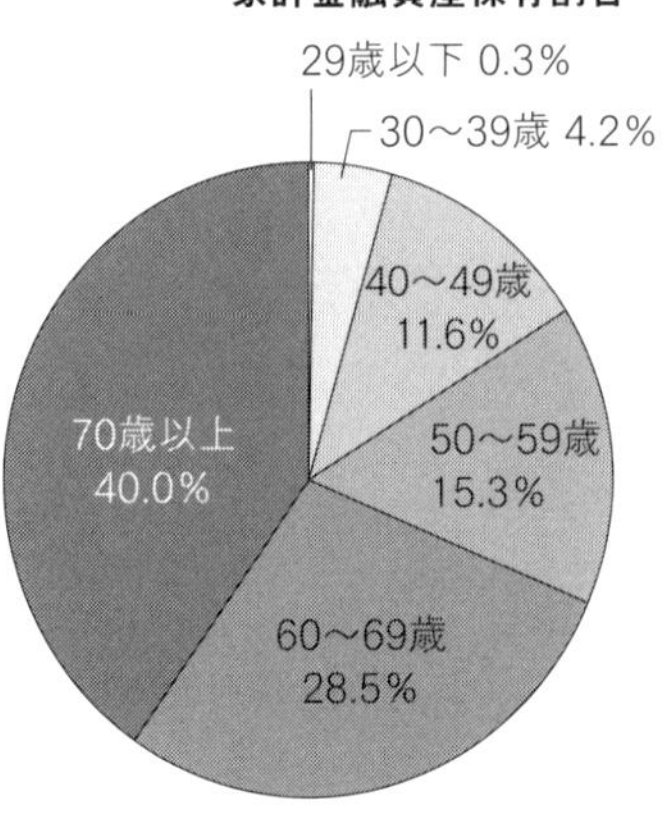

（出所）総務省、日本銀行、UBS SuMi TRUSTウェルス・マネジメント

うる。製造業大国であった日本は、高齢化＝生産能力の低下＝低成長・低インフレ化、という発想になりやすいかもしれないが、少子高齢化が進んだとしても、膨大な家計貯蓄は減少しない。その膨大な家計貯蓄を、高齢社会の観点から新しい価値観で継続的な需要創造につなげていくことは、持続可能な経済成長・社会発展に向けて重要な政策テーマである。

　家計の金融資産をみると、２０２２年9月末時点で約２０００兆円あり、ここから総務省の家計調査による年齢別の資産保有に基づき試算を行うと、図表２－14の通り60歳以上の世帯で家計の金融資産の約69％（約１３８０兆円）を保有していることになる（世帯数の割合は全世帯の53・２％）。

　また図表２－15の通り、金融資産残高別をみると、金融資産を２０００万円以上保有している世

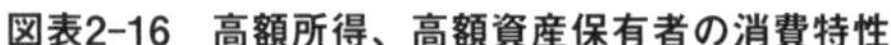
図表2-16　高額所得、高額資産保有者の消費特性

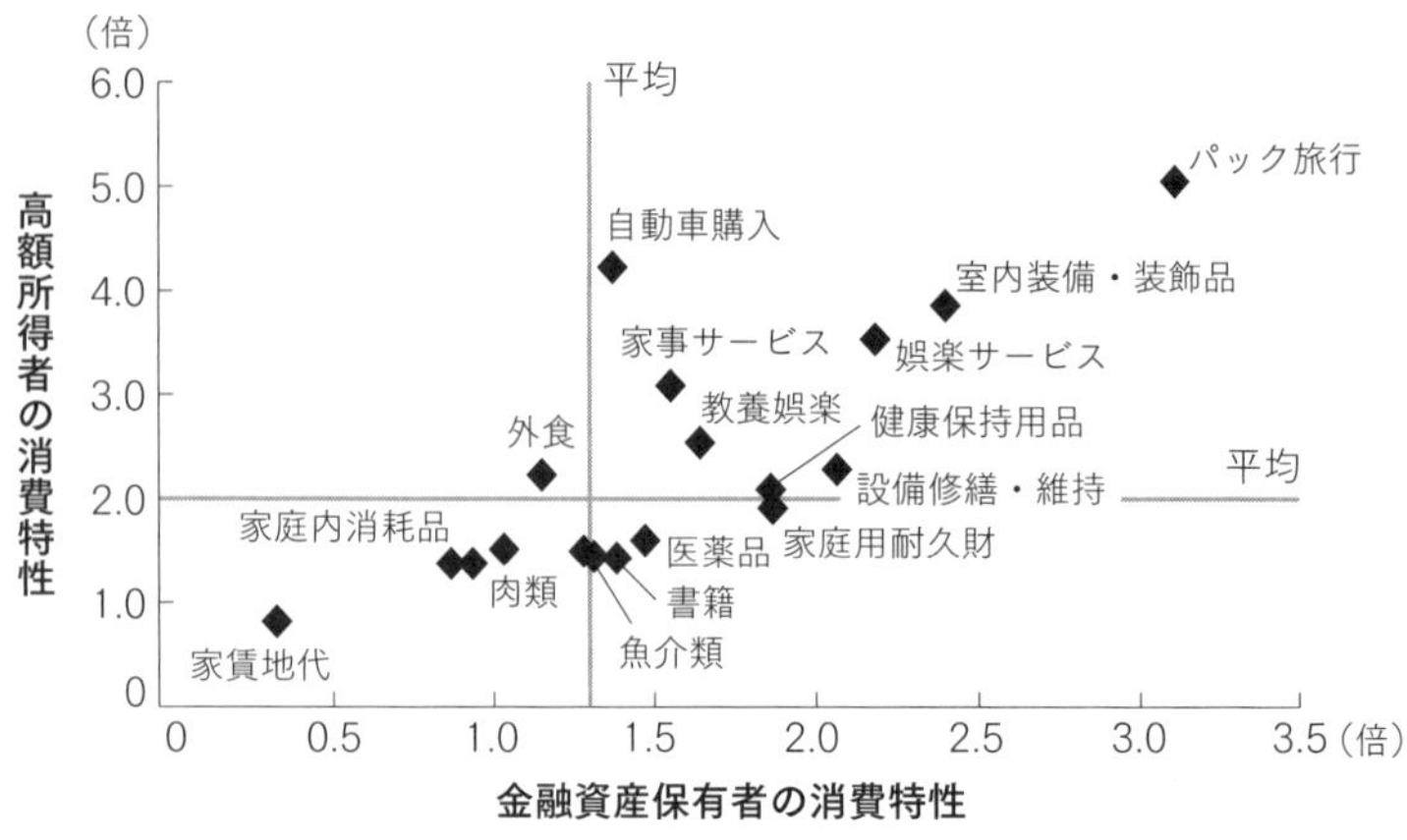

（出所）総務省、UBS SuMi TRUSTウェルス・マネジメント

帯数は全世帯の23％程度にすぎないが、その23％で家計資産全体の約70％（約１４２０兆円）を保有しており、さらに４０００万円以上保有している世帯は全世帯の12％程度であるが、これが家計金融資産の44％（約８８０兆円）を保有している。金融庁の金融審議会の報告書に基づく報道によると老後に必要な資金は２０００万円とされているが、これを大きく上回る４０００万円以上保有しているわずか12％の家計が、日本の金融資産の半分近くを保有しているのである。この資金を再びフローとして消費や投資にまわすことができれば、新しい需要創造につながるだろう。

図表２－16は、高額の金融資産を保有する消費者の消費特性をみたものである。具体的には、４０００万円以上の金融資産を保有する消費者が、それ未満の保有者と比較して、それぞれの財・サービスのどの程度（数字は倍率）を使って

いるのか、を示している。

いくつか特徴的な点をみてみよう。高額の金融資産保有者は、パック旅行であれば3倍程度、室内装備・装飾品には2・5倍程度、消費額が大きい傾向にある。一方、外食や医薬品には1・3～1・5倍程度支出する傾向にあるが、他の財・サービスと比較してそこまで大きいという感じではない。

そしてこれらの資金の多くは、使われることなく滞留してしまっている可能性も大きい。2020年時点の平均寿命は女性が87・74歳、男性が81・64歳であった。ここから相続人となる子どもの年齢を逆算すると、相続を受ける平均年齢は50～60歳と推察される。年間の相続資産額は、いくつかのシンクタンクの調査によれば50兆～85兆円程度とされているが、50～60歳になって数十兆もの相続をしたとしても、欲しいモノ・サービスがなければ需要・消費が生まれるはずはない。

家計資産の活用に向けては、相続をより早期に、ライフサイクル上でお金が必要となる中間層の中心年齢層とみられる30～50代での相続がしやすくなることは重要であろう。また、高齢化を持続的な需要につなげるという観点では、彼らの消費特性を把握した需要創造も必要となる。

家計の金融資産を新しい需要につなげていくためには、彼らの消費特性を理解したうえで、付加価値の高い財・サービスの提供を行っていく必要があろう。とりわけ高金融資産保有者は付加価値の高い旅行や住宅関連設備、医療・健康サービスに対する需要が高いと考えられる。

〈世界的な高付加価値消費の具体例〉

- 旅行：ホテルプレジデントウィルソン（スイス）　1泊900万円
- セカンドハウス：コンドミニアム（ハワイ）　数億円
- サービス付き高齢者向け住宅：パークウェルステイト西麻布　入居費1億円
- アンチエイジング：幹細胞治療による再生医療　1回300万円
　クリニック・ラ・プレリー滞在（スイス）　1週間200万～900万円
- 癌治療：光学免疫治療　600万円
　CAR－T細胞療法（アメリカ）　3000万～5000万円

世界的な高付加価値サービスの例をみると、当然ながら付加価値の高いサービスには高い金額が設定されている。日本であればそこまでの贅沢はしたくないという人もいるだろう。しかし、多くの資産を有する人たちの需要をどう創出していくかは、持続的な成長を目指すうえで重要な視点と考えている。

さらには日本国内だけでなく、海外の資産保有者を日本にひき付けていければ、訪日外国人の需要創造も期待できる。また、遺伝子治療など医療・介護の分野では新しい技術を用いた治療方法が多く開発されており、潜在的な需要は大きいとみる。自分のためではなくても、子どもや孫の娯楽や教育、健康などに関して付加価値の高いサービスを与えたいと考える資産保有者もいるだろう。

こうした分野では、民間企業のサービス分野におけるイノベーション、新しい需要を創造する創意工夫、努力は重要であるが、政府の果たす役割も非常に大きい。例えば、遺伝子治療の研究開発や臨床実験、実用化に向けたプロセスの整備などは、政府が支援する余地は大きい。アメリカ食品医薬品局（ＦＤＡ）は、２０２５年までに年間10～20の新しい細胞・遺伝子治療を承認する見通しを表明しており、企業の研究開発に向けたインセンティブを高めている。また、遺伝子治療の初期費用は非常に高く、ここでも政府支援の余地は大きい。例えば、スイス製薬大手の遺伝子治療薬である「ゾルゲンスマ」の薬価は２１３万ドル、米バイオ製薬の「ジンテグロ」は２８０万ドルとなっている。

今回の新型コロナ感染に対するワクチン・治療薬における欧米の開発の早さもまた、政府が積極的に支援する必要を示すよい例となろう。アメリカでは感染対策のワクチン支援として２０２０年に1兆円以上を計上したが、日本は２０００億円にとどまっていた。

遺伝子治療以外にも、医療・健康関連の分野におけるデジタル化進展の効果は大いに期待される。治療効果の改善だけでなく、新しい需要の創造も可能となろう。こうした分野はヘルステックと呼ばれるが、電子カルテの導入をさらに進めることによる医療サービスの効率化、また遠隔医療の導入やアルゴリズムを用いた医療技術（ＣＴ画像解析など）の発展などが期待できる。

旅行や高齢者向け住宅の分野でも、政府による大胆な規制改革や支出支援から、例えば医療・介護サービスと観光を組み合わせた医療ツーリズムの活性化、芸術やエンターテインメントとデジタル化を複合させた新しいサービスなど、経済社会の持続的な成長・発展に向けて、高齢化が生み出す新しい価値観に基づく需要の潜在力は大きい。

◆脱炭素や循環型経済に向けた新たな価値観

高齢化に伴う生産能力の低下、各産業で急激に進むデジタル化、世界経済の分断と経済安全保障の役割の拡大などの課題は、低成長が意識される世界経済において、脱炭素や循環型社会の構築、未来に向けた持続的な経済成長の必要性といった新しい価値観をもたらしている。

とりわけ日本の「失われた30年」のように、低成長、低インフレが定着してきた時代に生まれてきた若年層は、単純に高い経済成長を目指すよりも、脱炭素や循環型社会の構築といった経済社会の持続可能性を重視する傾向が強いとみられる。

UBSでは全国の1000名を対象に、環境や社会性に配慮した消費への意識調査を行った。その結果は、日本の消費者のESG消費に対する意識の高まりを示すものとなった。図表2－17では「環境に配慮した商品を購入するために、いくら支払いますか？」の問いに対して、65・3％が「高い価格を支払ってもよい」と回答している。特に18～24歳の若年層では70・3％が「高い価格を支払ってもよい」と回答しており、その16・2％が「11～20％高くても支払う」と回

図表2-17　日本の消費者意識－環境に配慮した商品にどれだけ高く払うか

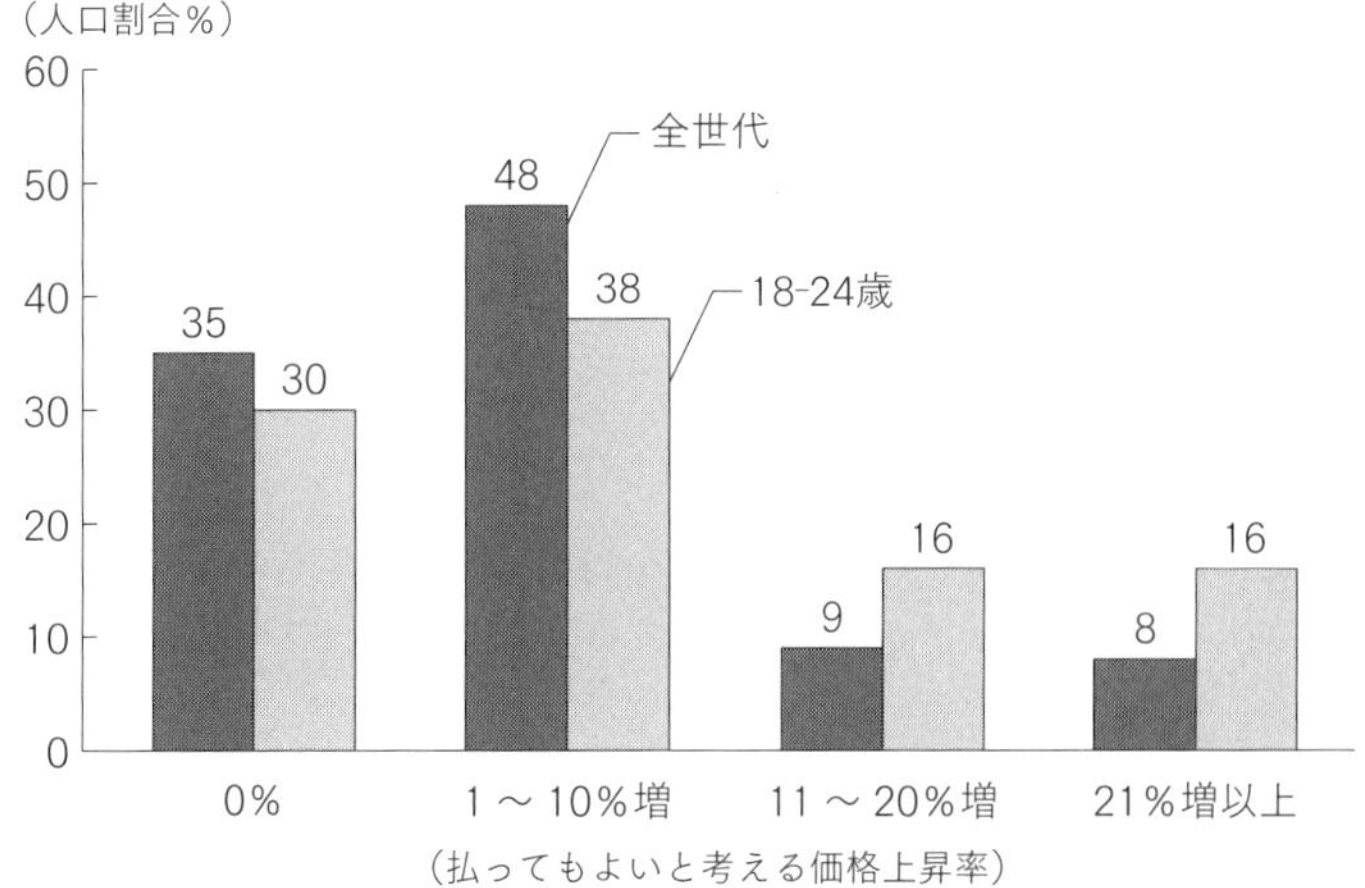

（注）日本の消費者1,000名を対象としたオンライン調査。調査期間は2020年8月19日から20日まで。人口調査に基づき、年齢、性別、居住地の分布が日本全土と同じになるように回答者が選定されている。
（出所）UBSエビデンス・ラボ調査

答している。

もちろん、実際に支払うかどうかは彼ら・彼女らの所得次第かもしれない。しかし、高い価格を支払ってもよいと考えている若年層が相当の割合でいることは、それだけ意識の変化が生じていることの証しと考えられる。彼ら・彼女らはいわゆる「Z世代」と呼ばれるデジタルネイティブであり、SNSでの結びつきが強いとされる。メディアに限らずネットを通じて世界中で起きている問題をみて、幅広い情報を集めてくることができる。未来の消費を担う、環境などの持続可能性に対する意識が非常に高い彼ら・彼女らの新しい価値観を需要につなげていくことは、日本経済の持続的・安定的な成長、発展に向けて重要なポイントとなろう。

また、新型コロナ感染のパンデミックにより、投資家においても人生や仕事、目的意識、お金の使い方などに対する価値観の変化がみられる。UBSが2021年5月に実施した、金融資産100万ドル以上を保有している富裕層を対象としたコロナ後の意識変化をみた調査によると、コロナ感染の影響により、68％が「世界経済・社会によりよい変化をもたらしたい」と回答している。また、90％が「資産運用と自身の価値観の方向性を一致させたい」と回答しており、59％が「コロナ危機を受けて持続可能性投資により強い関心を持つようになった」と回答している。これらの数字は世界全体でみたものではあるが、日本の高齢者や富裕層にも当てはまるだろう。前項でみた高齢者や高額資産保有者による新しい価値観への需要喚起として、脱炭素や持続可能性に向けた新しい価値観に基づく財やサービスの開発・提供が求められるだろう。

◆変化を促される国家政策

こうした消費者や投資家の価値観の変化に対して、国の政策も大きく変化し始めている。国による脱炭素、持続可能性に向けた取り組みは、人々の新しい価値観を反映した政策であると同時に、将来の持続的な経済成長、中間層の所得拡大に向けた重要なテーマでもある。オックスフォード大学が公表している「脱炭素トラッカー」によると、世界198カ国のうち136カ国が脱炭素の目標を掲げており、これは温室効果ガス排出の88％、GDPの90％、人口の85％を占める。

そして脱炭素、持続可能性投資は民間企業だけの投資では実現が難しい。国際エネルギー機関（ＩＥＡ）は２０２１年10月、脱炭素を実現するには２０１６～２０２０年の投資額の３倍超に当たる年間４兆ドルもの投資を２０３０年までに実現する必要があると分析している。このため、今後の投資対象分野として、再生可能エネルギー、エネルギー効率の改善、メタンガスの削減、鉄鋼・セメントなどでの技術革新、の４本柱を示している。

さらにＩＥＡは、脱炭素達成のための技術について、風力や太陽光など現存する技術によって２０３０年のCO_2削減目標は80％達成可能としているが、２０５０年に向けては現存する技術の活用では50％程度しか目標が達成できず、現在研究や開発が進められている新しい技術の活用が極めて重要になるとしている。民間企業での取り組みには、初期費用や普及、規制の観点など多くの課題があり、政府による積極的な支援が望まれるところだ。

◆脱炭素は製造業の持続的成長の機会

筆者は、脱炭素・持続可能性を重視する新たな価値観は、日本の製造業にも新しいフロンティアをもたらすと考えている。資源エネルギー庁の「エネルギー白書２０２１」では、洋上風力発電や水素、蓄電池など14の分野において知的財産権からみた脱炭素関連の国際競争力（知財競争力）を掲載している。知財競争力とは、特許に関して他社からの注目度（閲覧回数や情報提供回

図表2-18　知的財産権からみた脱炭素関連の国際競争力

国・地域	1 洋上風力発電	2 水素	3 自動車／蓄電池	4 半導体／情報通信	5 船舶
アメリカ	11.2	444.7	1788.8	812.6	23.1
日本	11.8	1040.8	4103.1	837.4	20.8
中国	39.6	718.9	1966.4	779.9	20.5
ヨーロッパ3カ国	19.4	375.4	1089.1	287.3	28.0

国・地域	6 物流／人流／土木インフラ	7 食料／農林水産	8 航空機	9 カーボンリサイクル	10 住宅次世代太陽光
アメリカ	177.2	14.1	15.5	172.7	40.2
日本	64.5	25.3	2.4	113.7	48.7
中国	414.6	10.8	3.9	173.0	141.8
ヨーロッパ3カ国	59.1	4.5	8.3	79.0	9.2

（注）他社からの注目度（他社閲覧回数、情報提供回数など）や他社への脅威度等を評価し、それを各特許の残存年数等と掛け合わせ、国・地域ごとに集計をした指標。過去2010年から2019年、日本、アメリカ、中国、韓国、台湾、イギリス、ドイツ、フランスの8カ国・地域に出願された特許を分析の対象としている。
（出所）経済産業省「エネルギー白書2021」を基にUBS SuMi TRUSTウェルス・マネジメント作成

数など）や他社への脅威度数を評価し、それを各特許の残存年数等と掛け合わせ、8カ国・地域ごとに集計した指標となっている。日本は「水素」や「自動車・蓄電池」「半導体・情報通信」など4つの分野で最も知財競争力が高まっている（図表2－18）。

この順位はあくまで知財競争力という観点からのものであり、知的財産権を商品化・ビジネス化し、市場規模シェアを拡大していくとなると別の力も必要となってくるだろう。それでも、経済の成長ドライバーが携帯やパソコンから脱炭素関連技術にシフトしてくれれば、知財競争力を持つ日本の産業にとっても大きな成長の機会となりうると考えている。

これまで携帯端末やパソコン、５Ｇインフラ向けを中心とした半導体市場では、日本企業のシェアは大きく低下してきた。経済産業省によると、市場規模53兆円とされる半導体市場での日本企業の売上シェアは、１９８８年の50・３％から新型コロナ禍前の２０１９年には10％程度まで低下していた。しかし今後は、新しい価値観による需要が脱炭素関連でも生まれるなかで、次世代自動車やスマートシティの活用などが予想される。そうなれば、パワー半導体や半導体製造装置、素材といった分野が日本の製造業の成長力の源となるだろう。経済産業省では、２０３０年までに省エネ50％以上の次世代パワー半導体の実用化・普及拡大を進め、日本企業が世界市場シェア４割（１・７兆円）を獲得することを目指すとしている。

◆構造的インフレのリスク

いま一度世界に目を向けると、２０２２年は世界的なインフレショックの1年であった。新型コロナ感染の拡大は、モノを中心とした需要を高める一方で、半導体を中心とした部品の供給網が混乱することにより需給バランスを大きく崩した。また、ロシア・ウクライナ紛争に伴うエネルギーや食料価格の高騰により、世界経済の２％程度しか占めない国が、世界のインフレ率に大きな影響をもたらした。

アメリカのインフレ率はピークで前年比９・１％と１９７０年代以来の高さとなり、日本でもインフレ率は4％超まで上昇した。ただし、新型コロナ感染による需給バランスの悪化やロシア・ウクライナ紛争に伴う価格高騰などは一時的な要因にすぎないだろう。物価水準が下がらないとしても、それだけでは伸び率は徐々に収束していくはずだ。

問題は、より構造的な側面である。経済安全保障の重要性の高まりから、これまでコストの観点から進められていた中国での生産は、コストが上がったとしても自国への回帰を含めたサプライチェーンの再構築につながるだろう。特に2000年以降の中国での生産拡大がインフレ率抑制に寄与した影響は非常に大きいと考えているが、エネルギーや食料も含めたコストの上昇となったとしても、自国や友好国間での安定供給が優先されるようになる。

高齢化の進展もインフレ率を構造的に高めるだろう。特にアメリカでは顕著であるが、高齢者の労働参加率は2020年以降低迷が続いており、深刻な人手不足をもたらしている。日本でもアクティブシニアによるサービス消費は話題となることがあるが、アメリカでも元気な高齢者が労働市場から退出し、旺盛に消費を行っている。日本では医療や介護などは公的サービスが充実していることもありサービス価格全体の上昇は抑えられるが、アメリカの場合、アクティブシニアの消費はサービス価格の上昇を通じて全体のインフレ率を押し上げていくだろう。

脱炭素についても、再生可能エネルギーやエネルギー効率を高める投資など、コスト上昇要因となろう。政府は家計負担を増やさないような財政支援を続けるかもしれず、脱炭素による価格上昇は財政拡大と併せると広い範囲に及ぶかもしれない。

本来、構造的な経済成長の鈍化はインフレ率を抑える要因となる。しかし、ここでみたような経済安全保障や高齢化の進展、脱炭素への取り組みなどは、構造的にインフレ率を高める要因にもなりかねない。インフレ率の高まりは、賃金の上昇や資産価格の上昇など恩恵を受ける層とそうでない層との格差の拡大につながりやすい。新しい価値観を需要創造につなげ、持続的な経済成長を実現させていくインクルーシブ・キャピタリズムを進めていくなかで、インフレ率の構造的な高まりへの対処も重要な論点となろう。

７―インクルーシブ・キャピタリズムに向けた戦略的計画の策定

インクルーシブ・キャピタリズムの実現に向けては、経済社会の構造が変化するなかでの持続的・安定的な経済成長のために、人々の新しい価値観を需要創造に変えていくことが重要と考えている。しかし、中長期的な観点、かつ大きな初期投資が必要となる分野では、民間企業の取り組みだけでは実現は難しいかもしれない。国の政策として、新しい価値観による需要創造に向けた大胆な規制改革や財政支出を中長期の戦略的な計画とともに提示し、企業による貯蓄を積極的に投資にまわさせるインセンティブを与えていく必要があると考えている。

世界的な高齢化の進展による経済のサービス産業化、そしてＩＴ化・デジタル化の急激な進展により、一部の企業が膨大な利益を上げる一方で、従来の製造業である家電や自動車への恩恵は少なく、経済成長や雇用拡大の源泉ではなくなっている。また、中間層の衰退は日本だけの問題ではなくなっており、ヨーロッパ先進国やアメリカ、中国でも同様な問題が指摘され始めている。

トランプ前大統領はアメリカの製造業の国内回帰とともに雇用を取り戻すため、これまでの生産の拠点となっていた中国に対する輸出・投資規制を強化していった。また、バイデン大統領は脱炭素などのグリーン化戦略を経済成長、雇用創出の重要な手段として位置付け、財政支出を拡大させようとしている。ユーロ圏でも、原材料・電池・有効医薬成分・水素・半導体・クラウドエッジ技術などを戦略分野として位置付け、特定国への高い依存への対処として、これらの産業の自立化、産業支援を掲げている。

日本も、「新しい価値観を持続的な需要創造につなげる戦略的投資」として、2030年に向けた中長期の大規模な官民投資計画を策定すべきだろう。そのなかで、世界経済の分断や地政学リスクの高まりのなか、エネルギーや食の安全保障の強化、サイバー攻撃に対する耐性強化（サイバーセキュリティ）を大きく進めていく必要がある。また、国内での重要製造部品や次世代半導体の産業育成、半導体部品の生産拠点誘致とそれを活かした製品開発支援は、製造業の自立化と持続的な成長を実現するため、政府として主導すべき分野であろう。

気候変動や災害に対する強靭性を高めるインフラ整備、次世代自動車の普及促進に向けた家計に対する既存のガソリン車よりも優位な条件で購入できる規模の補助などが必要となろう。また、クリーンエネルギーの拡大に向けた発電・送電能力の強化、エネルギー依存度の低下、自立化を目指した大規模な投資が求められる。

高齢化を新しい需要につなげていくには、中間所得を担う年齢層に対する早期相続や贈与のインセンティブを高める政策や、資産保有者や高額所得者の需要喚起に向けた、サービス業の付加価値を高める抜本的な規制緩和が求められる。そのためには、付加価値の高いサービスを提供できる人材育成や、家計資産による投資を通じて経済成長を促すための投資教育、またデジタル化を継続的なイノベーションにつなげるＩＴ教育などの教育支援も重要である。こうした付加価値創造、投資促進、デジタル化に向けた教育には、政府による財政支援・規制緩和が欠かせない。

また、医療・介護領域では、遺伝子治療や医療機器のイノベーションに向けた最先端医療の開発・導入支援や、医療機関や法人が新しい技術や付加価値の高いサービスを行っていくインセンティブを持たせていく政策が求められる。

新しい価値観に基づく需要創造を行っていくことは、経済が持続的・安定的に成長、発展していくためのカギとなるもので、政府は従来の政策を根本的・構造的に変えていく必要があろう。従来の減税や規制改革を中心としたサプライサイド政策を見直し、新しい需要創造に向けた戦略投資の視点をより重視していくべきと考える。そして、政府による支援により、民間企業が安全志向の経営姿勢に陥ることなく、新しい需要創造に向けた発想・創意工夫、イノベーションに取り組むことで、企業の貯蓄率を低下させ、継続的な雇用の創出、賃金の上昇につなげていくことが可能となろう。

〈参考文献〉

玄田有史『人手不足なのになぜ賃金が上がらないのか』（慶応義塾大学出版会、２０１７年）
経済産業省「半導体戦略」（２０２１年６月）
内閣府「令和４年版高齢化社会白書」（２０２２年６月）
国際エネルギー機関「Net Zero by 2050：A Roadmap for the Global Eenrgy Sector」（２０２１年５月）
原田泰・青木大樹・居林通『学ばなかった日本の成長戦略』（中央経済社、２０２２年）
21世紀政策研究所『中間層復活に向けた経済政策運営の大転換』（21世紀政策研究所報告書、２０２２年）
経済産業省資源エネルギー庁「令和２年度エネルギーに関する年次報告」（２０２２年６月）
ＩＢＭセキュリティー・ポネモンインスティテュート「データ侵害のコストに関する調査」（２０２１年７月）
米人工知能国家安全保障委員会（ＮＳＣＡＩ）「人工知能国家安全保障に関する最終報告書」（２０２１年３月）
ノートンライフロック「サイバー犯罪調査レポート２０２１」（２０２２年３月）

第3章 私たちは、上がらない賃金にさらに30年間耐え続けられるのか？

1 ─ 30年間上がらなかった日本の賃金

◆ミクロの賃金上昇で満足してきた

日本人の賃金は、バブル崩壊以降、いわゆる「失われた30年」において上がることはなかった。これがマクロでみたときの厳然たる事実である。

厚生労働省の統計でみれば、所定内給与は今より1997〜1998年のほうが5〜6％高い。一方、個々人の給与でみると、毎年定期昇給分だけ上がってきたことも事実である。30年前と比べれば自分の給与は十分に上がったと思う50代は多いだろう。そのため、ミクロ（個人）でみたときには、むしろ給与が上がっていると錯覚してしまうのである。

図表3-1　日本人の賃金――所定内給与の推移

所定内給与（2020年＝100、年次）

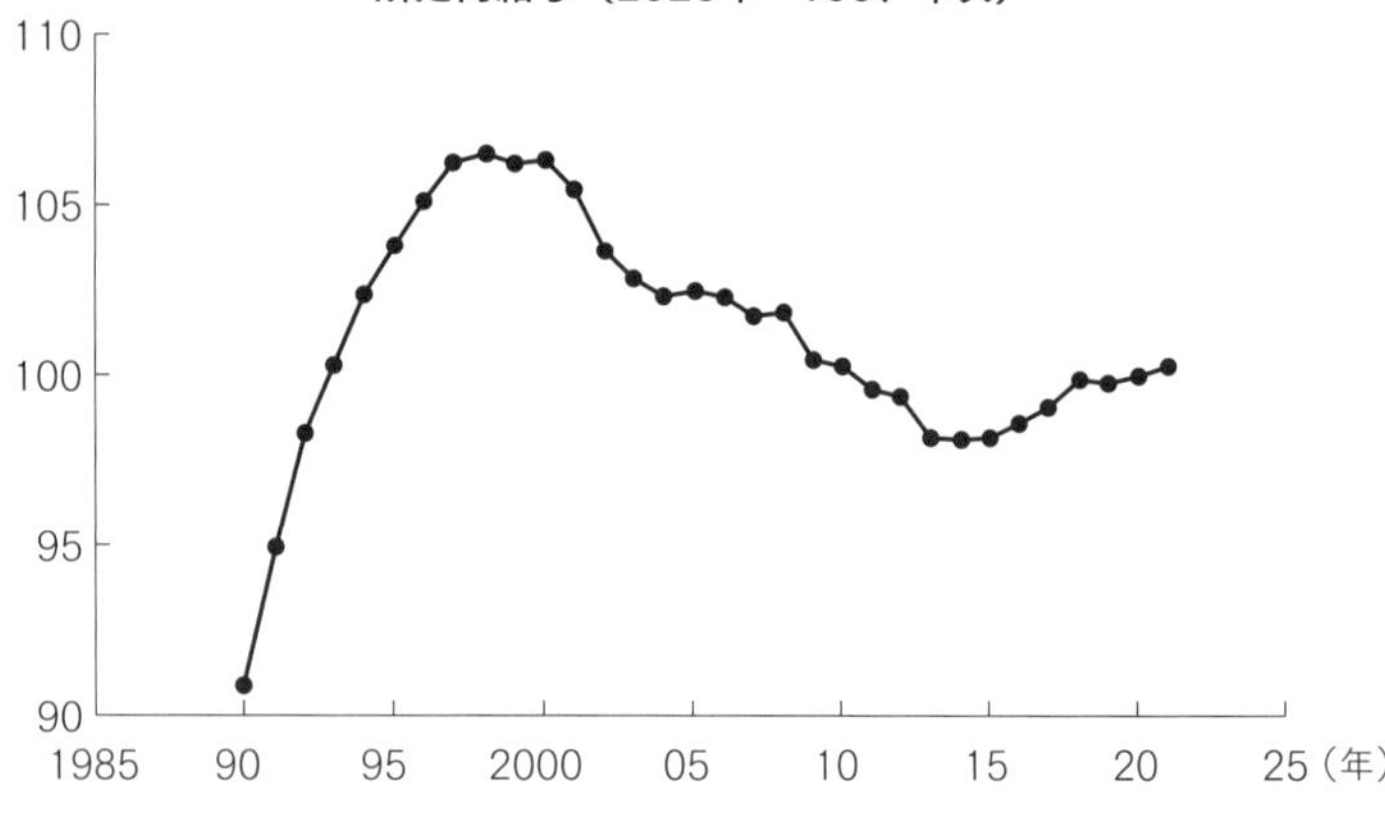

（注）「所定内給与」とは、「きまって支給する給与」から残業手当、深夜手当などの手当を除いたもの。
（出所）厚生労働省「毎月勤労統計調査」所定内給与（規模5人以上）

あるいは、給与水準が上がらないことが格差の拡大や少子化など社会の問題を引き起こすことにまでは思いが至らず、マクロ（日本全体）でみたときの給与が上がっていないという問題が長年手つかずのままとなってきた。

しかし、２０２２年に進行した世界的なインフレは、急激に進んだ円安と相まって、日本人から購買力を剝ぎ取ってしまった。このことで、ようやく、賃上げの重要性を経営者が広く認知するようになった。実際、日本経済団体連合会（経団連）の十倉雅和会長は、「物価を重視して賃上げに取り組むことは企業の責務である」と２０２３年の年頭会見で述べている。

これまで、なぜ、マクロでの賃上げ（ベースアップ）が見過ごされ、労使ともにミクロでの賃金上昇（定期昇給）で満足してしまっていたのか？　このことを詳しくみておきたい。

◆賃金上昇率：マクロとミクロの混同

賃金上昇率の見方には、大きく2通りある。ひとつは自分の賃金の上がり方（ミクロ）、もうひとつが全体の賃金の上がり方（マクロ）である。全体の賃金（マクロ）が伸びなくても、自分の賃金（ミクロ）は年功序列の賃金カーブに沿って伸びていく。これが日本型賃金、年功序列型雇用における特徴である。

例えば、公務員において、3級1号（23万4400円）だった者が翌年3級2号（23万6000円）となることで、1600円の賃金上昇を得る。これを賃金上昇率に換算すれば、0.7％となる。つまり、0.7％の賃金上昇を得たと錯覚してしまう。しかし実際には、これは予め定まっていた定期昇給にすぎない。マクロでの賃金上昇というときには、3級2号の給与が23万6000円より上がってはじめて認識できるものだ。去年の先輩がもらっていた賃金水準を自分が引き継いだだけでは、日本全体での伸び率はゼロなのである。

このように、日本型システムの下では、定期昇給により自動的に賃金が上昇することで、ミクロ面の賃金上昇をマクロ面の賃金上昇と混同しやすく、賃金が上昇しないことの問題がなかなか顕在化せずにいた。なお、経団連などが公表する春闘の結果は定期昇給を含んだ計算結果となっている。そのために、ミクロ面の給与の上昇率をマクロ面の賃金上昇と積極的に誤解していた面があるかもしれない。

2―国際的にみても日本の賃金水準は低い

◆賃金低迷の問題が顕在化した2つのきっかけ

このようにベースアップゼロがほぼ20年にわたって続いてきたことこそが、ここ10年で日本病（Japanification）とも呼ばれ始めた日本の低成長の病根である。しかしながら、マクロの賃金凍結がミクロの定期昇給に覆い隠されることで、社会で認知されずにきた。

しかし今回、いよいよ問題が顕在化してきた。そこには2つの理由がある。

第1には、国際比較になるが、日本の給与水準が韓国に抜かれた、あるいは台湾にもうすぐ抜かれるということが報道されるに至り、いよいよ「それはおかしいのではないか」と気づくようになったことだ。2000年から2021年までの21年間で、OECD諸国の平均賃金は19％上昇しているのに対して、日本の賃金は2％しか上昇していない。上昇ペースは先進国クラブといわれるOECD平均のおよそ10分の1である。この間に、韓国、ニュージーランド、スウェーデンが日本を抜き去ったことが確認できる。

第2に、ロシアによるウクライナ侵攻に端を発した世界的な物価高騰により、日本人の生活が目にみえて苦しくなったことである。農林水産省による「食品価格動向調査」[1]によれば、

図表3-2　国別平均賃金（2000年、2021年）

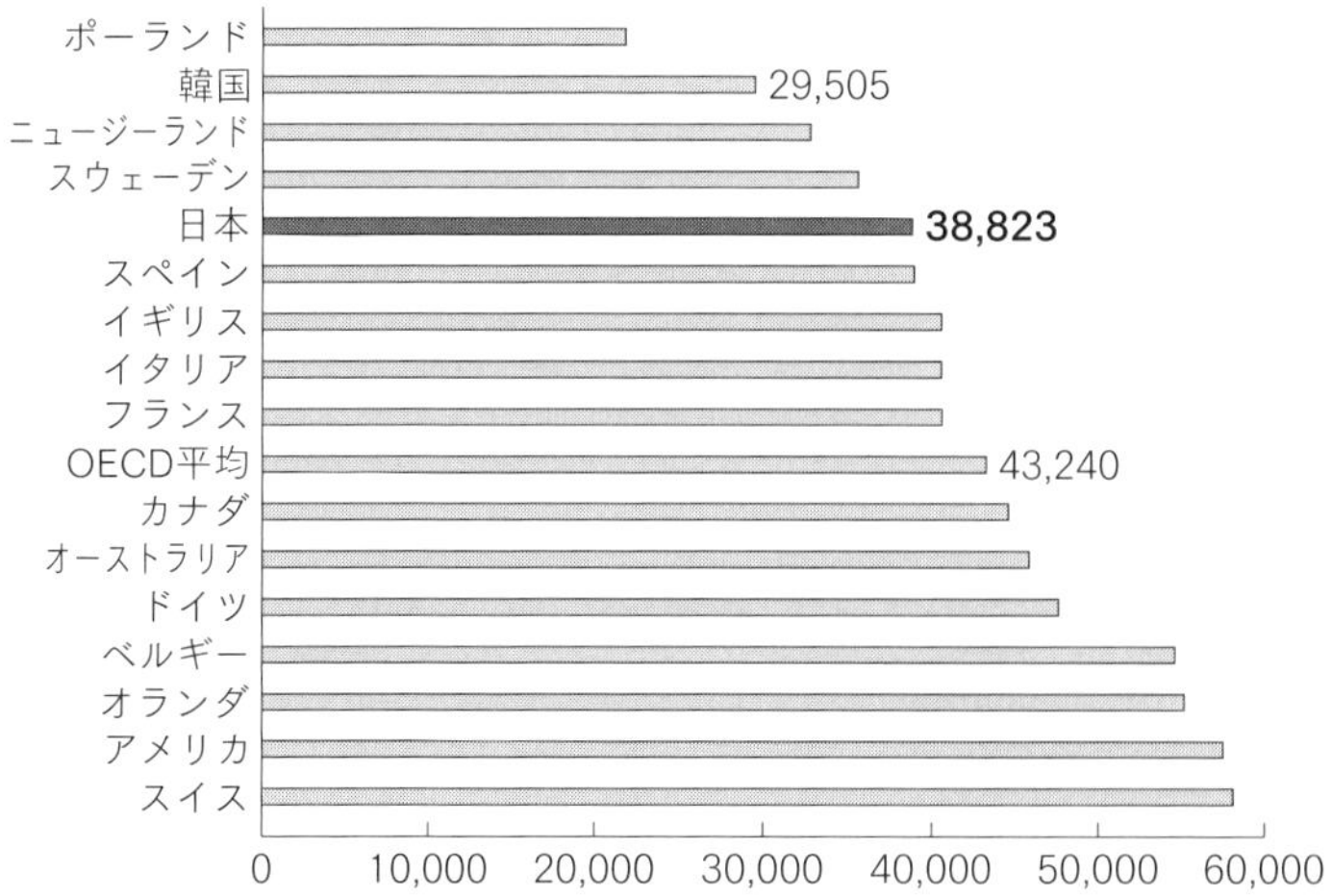

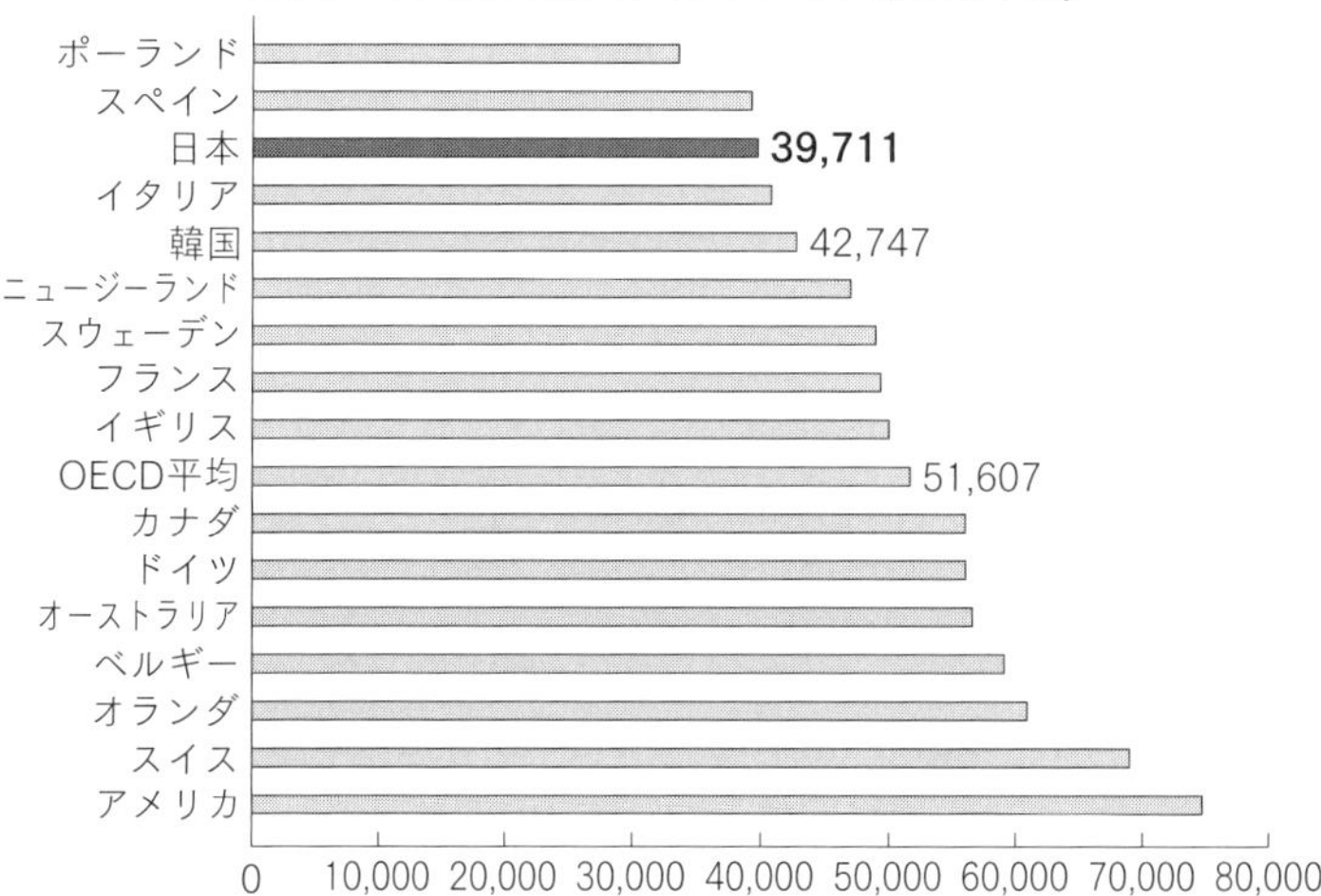

（出所）OECD

図表3-3　食品価格動向調査（加工食品）の調査結果

◆令和4年12月（12月12日～12月14日）の調査結果（全国平均）

- 調査対象16品目の価格の前月比は－3.9%～＋1.4%、平年比は－1.0%～＋55.2%の範囲内。
- 指数については、各品目の令和2年の価格を100として、調査時点の価格を指数化したものを表記。

品目	食パン	即席めん	ゆでうどん	小麦粉	牛乳	チーズ	豆腐	食用油（キャノーラ油）	食用油（サラダ油）	マーガリン
単位	円／kg	円／個	円／100g	円／kg	円／1L	円／100g	円／100g	円／1,000g	円／1,000g	円／100g
12月（12/12~12/14）	521	181	34.9	324	286	224	24.8	509	502	96.2
指数	112.2	110.6	112.0	121.1	107.6	110.9	107.6	161.2	146.5	125.0
前月比（%）	＋0.8	＋0.0	＋0.8	＋0.3	＋0.7	▲3.9	＋0.4	＋0.0	＋1.4	＋0.1
平年比（%）	＋12.6	＋14.0	＋12.0	＋23.8	＋9.7	＋12.8	＋7.2	＋55.2	＋43.3	＋23.3

品目	マヨネーズ	しょう油	みそ	かまぼこ	まぐろ缶詰	バター
単位	円／500g	円／1L	円／kg	円／100g	円／個（80g）	円／200g
12月（12/12~12/14）	373	307	493	188	170	440
指数	128.3	106.7	102.7	113.0	104.9	98.6
前月比（%）	▲0.5	▲0.3	＋0.0	＋1.1	＋0.0	＋0.0
平年比（%）	＋26.4	＋7.7	＋4.2	＋14.3	＋7.3	▲1.0

（注1）通常店頭価格は消費税込みの価格である。
（注2）価格は特売価格等を含まない消費税込み価格で、全調査店舗の単純平均（小売価格の全国平均値）である。
（注3）平成30年10月から調査頻度を月1回に変更するとともに、指数に加えて価格を公表している。
（注4）平成30年9月までの調査結果と10月以降の調査結果は、特売品の価格の調査方法が異なることから接続しない。
（注5）平年比は、平成29年～令和3年度の食品価格動向調査業務による当該月の調査価格の5ヵ年平均価格と比較したもの。
（出所）農林水産省

2022年12月の食用油は平年比プラス55・2％の値上がりであった。ほかにも、小麦粉が同23・8％、かまぼこが同14・3％と著しく値上がりした。そのため2023年正月のおせち料理が、前年に比べて値上がりしたという声が聞かれた。つまり、生活が苦しくなったのである。

バブル崩壊の後処理として始まった賃金上昇の凍結を氷解させて、アベノミクスでわずかながら始まったベースアップをさらに高い水準で持続的に進めていかなければならない。さもなければ、消費者の購買力は世界水準と比べてますます押し下げられ、将来への不安が解消せず、明るい未来が展望しづらい若者は子どもを育むことを躊躇してしまう、という少子化の病根も断つことができない。未来の日本をつくっていく、育んでいくという意味でも、2023年、2024年の春闘でのベースアップを物価上昇に見合った水準で進めていくことは非常に重要であり、将来を左右する分岐点にあるといっても過言ではない。

◆2023年春闘に向けた賃上げ水準

2023年の年始に伊勢神宮への参拝を終え年頭の記者会見に臨んだ岸田文雄総理は、「物価上昇以上の給与の上昇」を経済界に要請した。物価の上昇率は前年比プラス4％に迫っていた（2022年12月時点）ため、4％以上ということになろう。[2] 日本労働組合総連合会（連合）が要求水準とする5％以上には届かないが、それに近い水準だ。

ただしここでも、先に述べたように、ミクロ面の定期昇給とマクロ面のベースアップの区別が明確になされずに語られている。個々人の生活という文脈では、その区別に意味はなく、合計でいくら給与が上がるかのほうが死活的に重要であるから、仕方のないことではある。しかし、国としての力（購買力）を伸ばしていくためには、マクロ面の昇給（ベースアップ）こそが重要なのである。

概して、春闘における賃上げにおいては、定期昇給の効果が約2％あるといわれている。そのため、連合のいう5％の賃上げは3％（5％－2％）のベースアップを意味している。他方、岸田総理のいう物価上昇以上の賃上げは2％（4％－2％）のベースアップを意味していることになる。

繰り返しになるが、ミクロ面の定期昇給はマクロ面での購買力の拡大にはつながらない。むしろ、若い世代のほうが少ない人口ピラミッドを考慮に入れると、相対的に給与の高い定年退職者がより少ないかつ相対的に給与の低い新卒の社会人に入れ替わることで、マクロ全体での購買力は年々低下していることになる。人口ピラミッドが逆三角形になっていること、そして、若者の賃金が抑制されていること、これらのことこそが、年々元気がなくなり、停滞・衰退していくように感じてしまう原因なのだ。

なお、どちらの問題も賃金のモーメンタムが解決の糸口となる。日本の法人として企業が稼いだ国富が消費者の国富に連動していくような仕組み、システム、社会を、我々は再び構築していかなければならない。1997年のあたりで経済システムは断絶してしまっているのだが、あれから四半世紀が経った。戦後にたとえれば、１９４５＋25＝１９７０年（昭和45年）であり、ちょうど千里丘陵で大阪万博が開かれた年に当たる。やはり、次の時代を切り開いていくタイミングにさしかかっているのではなかろうか。

3―日本の賃金水準の異常さ

◆２０２３年、アメリカの年金や賃金の上昇率と平均的な年収

アメリカでは２０２２年のインフレが最大９・１％に到達したことに鑑み、「ソーシャルセキュリティ」と呼ばれる公的年金の支給額は、２０２３年から前年比８・７％引き上げられた。賃金については、各州が定める最低賃金について、全米50州のうち23州が２０２２年末から２０２３年初にかけて引き上げることを決めた。上げ幅が最も大きかったのは中西部ネブラスカ州で、１・５ドル引き上げ時給10・５ドルとした（＋16・６％）。東部ニューヨーク州はニューヨーク市など一部を除き最低賃金を時給14・２ドルに１ドル引き上げた（＋７・５％）。いずれも物価動向を踏まえた対応といえよう。この間、物価に見合った賃金を求め、ニューヨーク市では１万人の看護師が１月にストライキに入る構えをみせるなど、新年入りのタイミングで賃金交渉が本格化した。

なお、アメリカの平均給与は、米労働統計局による全労働者の平均的な水準を示す中央値でみ

ると、5万8260ドル（2021年）であり、1ドル＝130円で換算すると、およそ757万円となる。あくまで2021年の水準であるため、2023年については、21年のインフレ率4％、22年のインフレ率8％を踏まえ、インフレに連動したと仮定して計算すると850万円となる。アメリカではインフレ分は賃金を引き上げる慣行があるため、彼我の給与水準におよそ2倍の開きが出てしまっている。

◆日本の給与水準

ひるがえって日本では、1997年をピークになだらかに現金給与総額は減り続けた。リーマンショック以降2010年頃からは下げ止まったものの、増えるわけではなく横ばいで推移した。アベノミクスが始まっても、消費税率や社会保険料が引き上げられたため、給与が上がったという実感はなく、可処分所得はほとんど横ばいで推移したといってよい。厚生労働省の「2021年国民生活基礎調査」によれば、2021年の所得の中央値は440万円となっている。

子育て世代でもある働き盛りの30代、40代の世帯当たりの平均所得は、それぞれ636万円、721万円となっており、「児童のいる世帯」の年収中央値は722万円である。全世帯の年収中央値に比して、児童のいる世帯の年収中央値が282万円高くなっている。「末子の年齢別にみた母の仕事の状況の年次推移」をみると、専業主婦（仕事なし）の割合は2016年の32・8％から2021年には24・1％まで低下している。わずか5年で8・7％の低下である。

図表3-4　所得金額階級別世帯数の相対度数分布

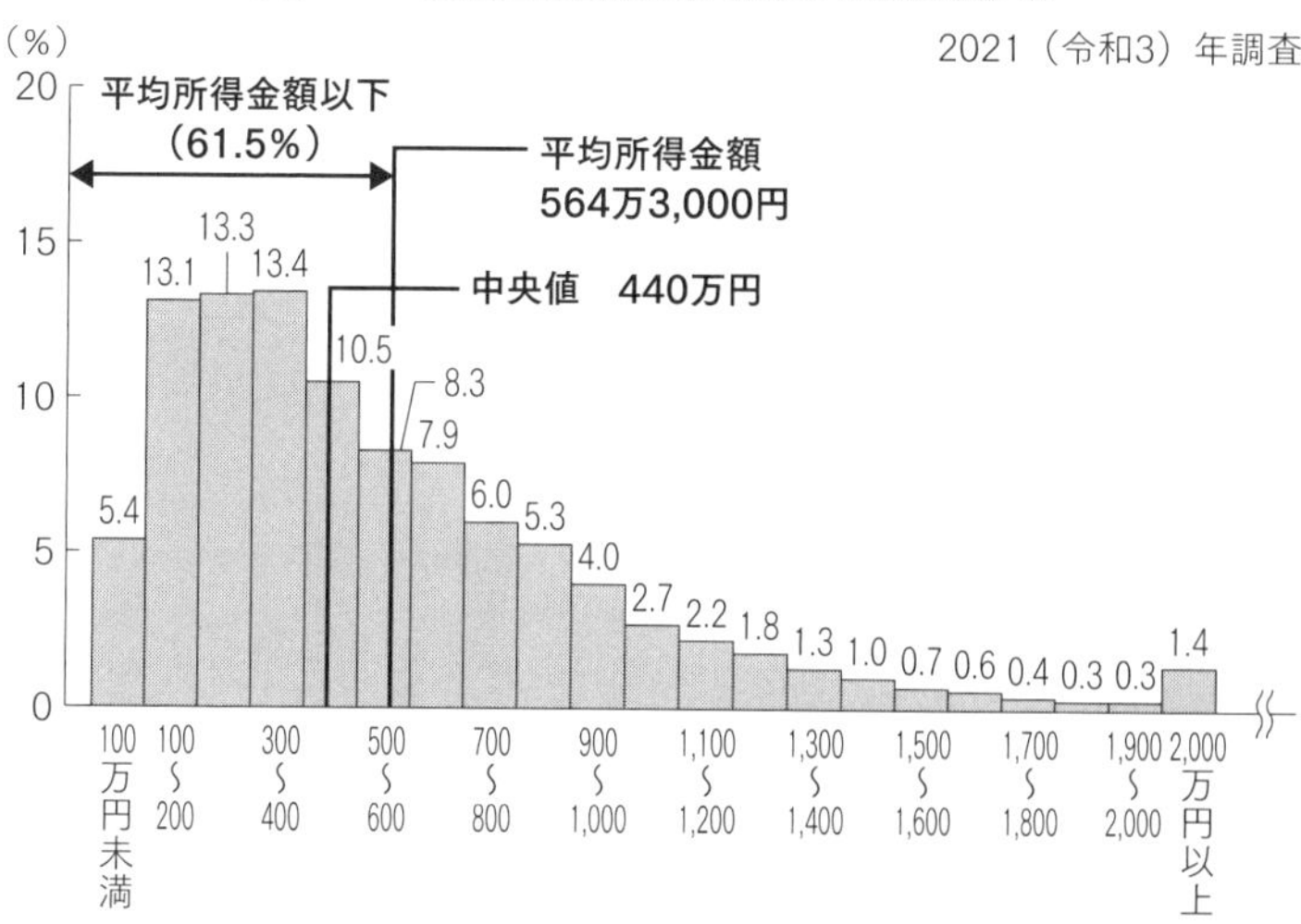

（出所）厚生労働省「国民生活基礎調査（2021）」

女性活躍など、これからは女性の視点も加えて社会の意思決定をしていかなくてはならないという時代の要請があって、日本における女性の就労率がアメリカを上回るまでに上昇したという面があるものの、経済実態としては、日本における給与水準があまりにも長い間伸びずに放置された結果、お父さんが働き、お母さんが家を守るというスタイルでは家計をまわしていくことが容易ではなくなったという側面が強いのではないか。

実際に、筆者の実感としても、夫婦２人で働いて収入を得ないと生活をまわしていくことが簡単ではない。つまり共働きが普及している背景に、賃金が抑制されてきた問題があるはずだ。それでも、ミクロ面では定期昇給があり、給与が上がっていると

図表3-5　世帯主の年齢階級別にみた1世帯当たり―世帯人員1人当たり平均所得金額

2021（令和3）年調査

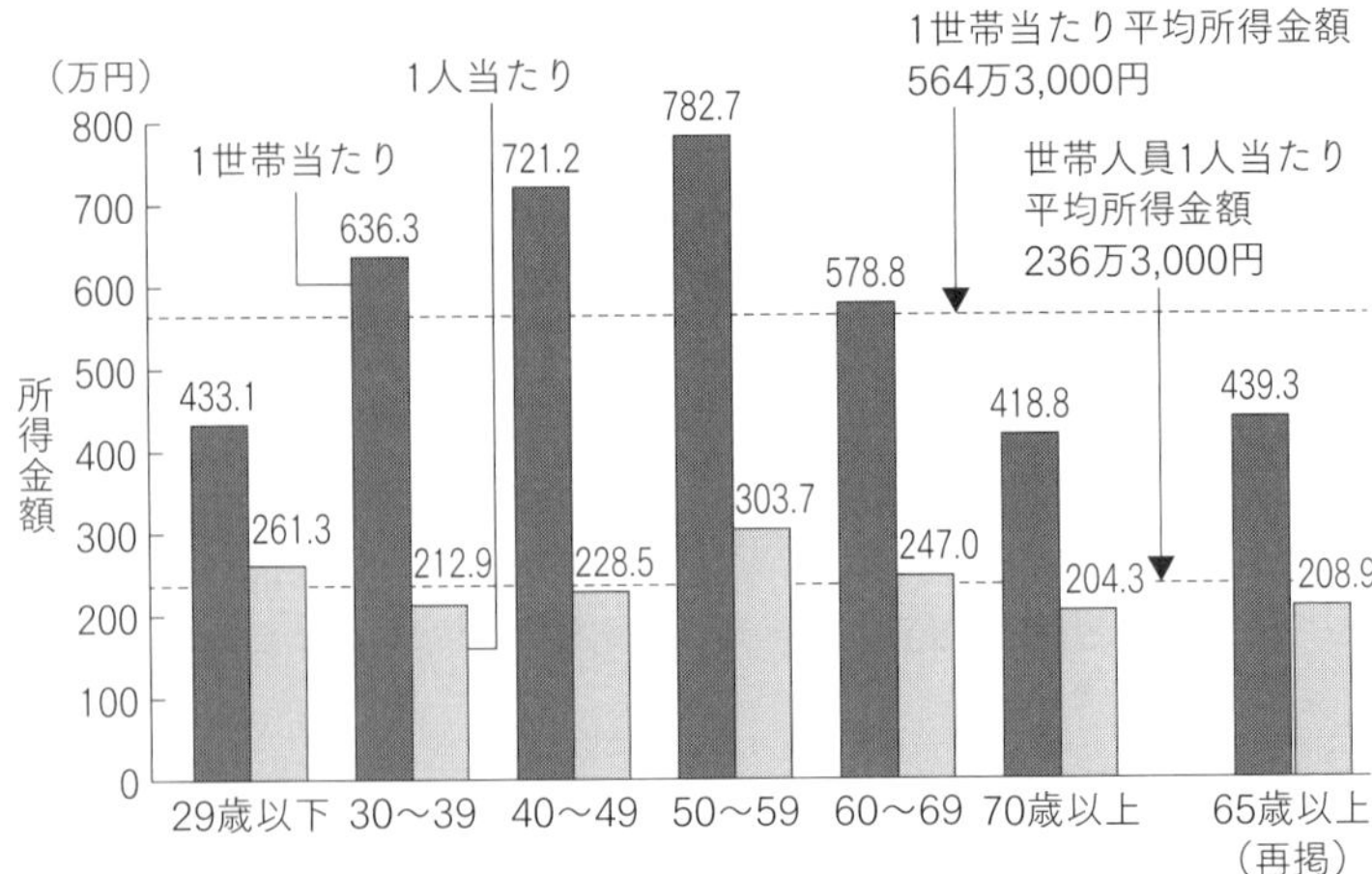

（出所）厚生労働省「国民生活基礎調査（2021）」

錯覚していたため、大きな不満にはならなかったのかもしれない。ただし、2023年においては物価上昇が強すぎるため、給与が上がらないことが社会問題となりつつある。OECDの伸び率にも連動しない日本の給与水準は、世界からみれば、やはりどこか異常といわざるを得ない。

◆あるべき給与の水準

では、あるべき給与の水準とはどの程度なのか。

毎月勤労統計の「きまって支給する給与」のデータを用いて、いわゆる「失われた30年」がなく、1997年以降もそれ以前のトレンドが維持されていたと仮定して計算してみた。累乗近似により、重回帰決定係数が0・99という信頼性の高い計算

図表3-6　各種世帯別にみた所得金額階級別世帯数の分布および中央値　2021（令和3）年調査

所得金額階級	全世帯		高齢者世帯		高齢者世帯以外の世帯		児童のいる世帯		65歳以上の者のいる世帯	
	累積度数分布(%)	相対度数分布(%)	累積度数分布(%)	相対度数分布(%)	累積度数分布(%)	相対度数分布(%)	累積度数分布(%)	相対度数分布(%)	累積度数分布(%)	相対度数分布(%)
総数	.	100.0	.	100.0	.	100.0	.	100.0	.	100.0
50万円未満	0.7	0.7	1.1	1.1	0.6	0.6	0.1	0.1	0.6	0.6
50～100	5.4	4.7	11.0	9.9	2.5	2.0	0.9	0.8	7.1	6.4
100～150	11.6	6.2	22.1	11.1	6.1	3.6	2.3	1.4	15.3	8.3
150～200	18.6	7.0	34.6	12.5	10.2	4.1	3.5	1.2	24.5	9.1
200～250	25.2	6.7	45.7	11.1	14.5	4.3	5.3	1.8	32.8	8.4
250～300	31.9	6.7	56.1	10.4	19.2	4.7	7.2	1.8	41.5	8.7
300～350	39.0	7.1	66.5	10.4	24.5	5.3	9.2	2.1	50.3	8.8
350～400	45.4	6.4	74.9	8.4	29.8	5.3	12.6	3.4	57.7	7.4
400～450	50.8	5.5	80.0	5.1	35.5	5.7	17.6	5.0	62.9	5.3
450～500	55.8	5.0	84.2	4.2	40.9	5.4	22.2	4.6	67.7	4.8
500～600	64.1	8.3	89.3	5.1	50.9	10.0	33.9	11.8	74.7	7.0
600～700	72.1	7.9	93.5	4.1	60.8	9.9	47.6	13.6	80.9	6.3
700～800	78.0	6.0	95.5	2.0	68.9	8.0	59.0	11.4	85.0	4.1
800～900	83.4	5.3	96.8	1.3	76.3	7.5	68.4	9.5	88.8	3.8
900～1,000	87.3	4.0	97.7	0.9	81.9	5.6	75.2	6.7	91.4	2.6
1,000万円以上	100.0	12.7	100.0	2.3	100.0	18.1	100.0	24.8	100.0	8.6
平均所得金額(564万3,000円)以下の割合（%）	61.5		87.9		47.6		29.8		72.6	
中央値（万円）	440		271		590		722		348	

（出所）厚生労働省「国民生活基礎調査（2021）」

図表3-7　末子の年齢階級別にみた母の仕事の状況の年次推移

（単位：％）

末子の年齢階級	正規の職員・従業員			非正規の職員・従業員			仕事なし		
	2016年（平成28年）	2019年（令和元年）	2021年（令和3年）	2016年（平成28年）	2019年（令和元年）	2021年（令和3年）	2016年（平成28年）	2019年（令和元年）	2021年（令和3年）
総数	22.0	26.2	29.6	36.3	37.8	37.3	32.8	27.6	24.1
0歳	25.7	33.6	41.4	9.0	11.0	12.7	60.7	50.1	39.8
1	25.7	33.2	35.3	18.0	19.3	21.6	49.9	41.6	35.1
2	22.9	28.9	32.6	23.4	27.7	25.0	46.1	36.9	35.6
3	22.0	27.8	34.5	30.1	30.5	31.8	40.3	34.1	27.0
4	20.8	27.7	31.0	35.7	34.0	35.1	35.9	29.5	26.0
5	20.2	23.5	27.0	34.5	38.0	38.3	35.4	29.5	22.7
6	21.6	25.1	29.0	36.2	39.9	38.2	32.8	27.1	24.3
7〜8	19.4	22.8	26.7	43.1	44.2	43.3	28.7	23.8	20.5
9〜11	19.9	23.0	27.1	45.9	46.2	43.4	24.2	20.9	18.7
12〜14	22.3	24.3	27.6	44.3	46.0	44.0	23.0	20.2	18.1
15〜17	22.3	25.6	25.2	45.3	45.9	47.3	21.5	19.3	19.4

（注1）2016（平成28）年の数値は、熊本県を除いたものである。
（注2）母の「仕事の有無不詳」を含まない総数に対する割合である。
（出所）厚生労働省「国民生活基礎調査（2021）」

式を得た。すると、2020年には1995年の1・5倍の給与水準に到達しているはずであったことがわかった。現在の「きまって支給される給与の水準」が1995年とほぼ同一で、現在の所得の中央値が440万円なので、1997年に日本型システムが壊れていなければ、現在の所得中央値は1・5倍の660万円となっていたはずであった。

　ミクロの定期昇給だけでなく、マクロのベースアップが伴っていれば、現在、ここまで到達できていたということだ。つまり、この25年間ベースアップが凍結されていたために220万円も年間の所得が少なくなっているのである。そして、おそらく、これは給与だけが凍結されてきたのではなく、研究開発、設備投資、新規開拓といったあらゆる前向きな投資に対して、慎重な姿勢がとられてきたことを表す氷山のほんの一角にすぎない。

4―賃金からみた「失われた30年」の実像

◆日本全体で失われた購買力はＧＤＰの３年分？

そこで、給与が抑制されてきたことで、どれだけ購買力が押し下げられたのか、簡単に計算してみたい。

現在の日本の正規雇用で働く人がおよそ3500万人、非正規雇用者がおよそ2000万人である。あわせておよそ5500万人がおよそ220万円分所得が低くなっていることになる。これを日本全体への影響として計算してみると、結果的に、2021年の1年間で121兆円（5500万人×220万円）分、給与が抑えられていることになる。これだけ購買力が抑えられていれば、低成長になってしまうのもうなずけるところだ。

2021年の1年間分で121兆円のロスになっているが、累積的にどれだけの給与が抑制されてきたのか簡便な方法で計算してみると、1997年以降の25年間で失われた給与の累計は、

図表3-8　きまって支給する給与

「失われた30年」がなければ……

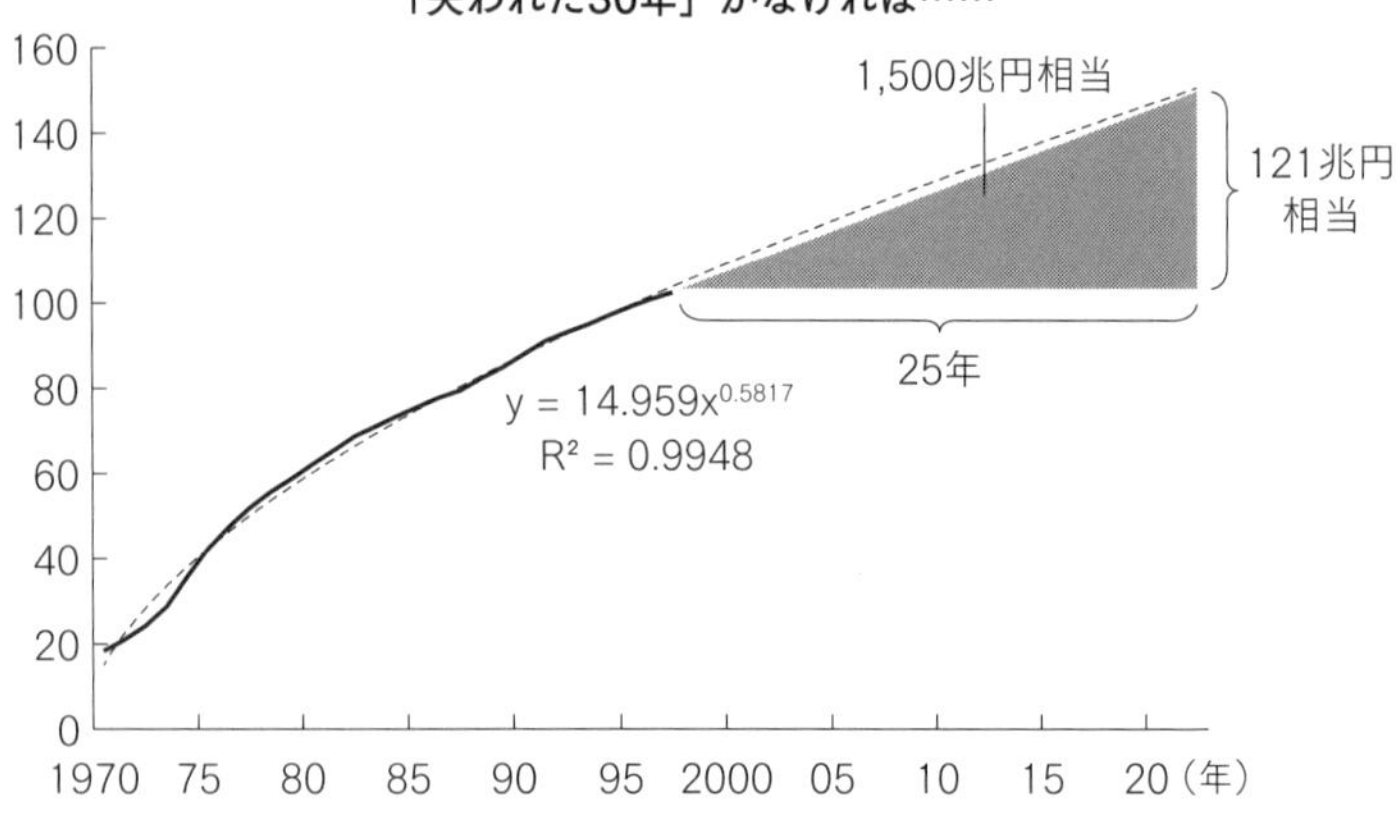

25年間凍結されたベースアップ

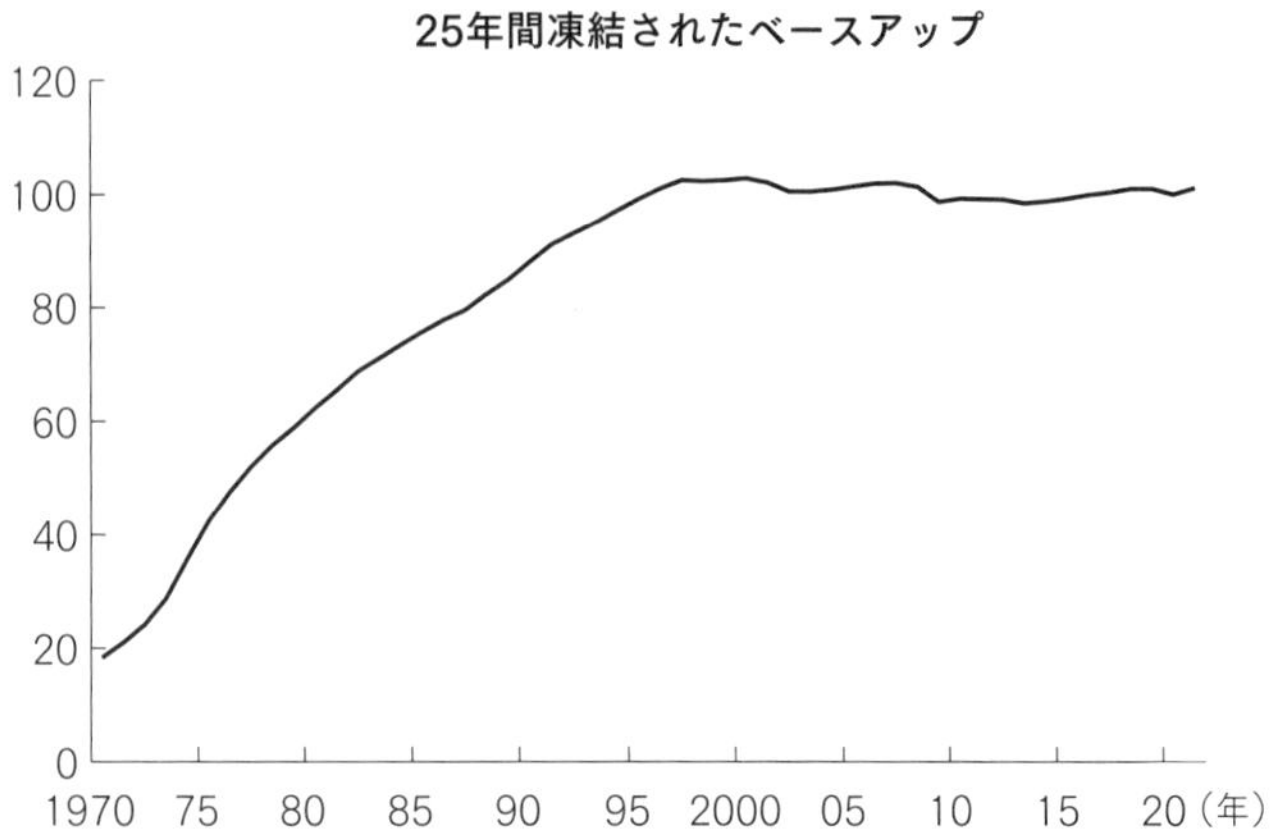

（出所）厚生労働省「毎月勤労統計（従業員30人以上）」
（注）2020年平均を100とした指数

なんと1512兆円（小数点以下切り捨て）となる。ここでは、底辺25年、高さ121兆円の直角三角形の面積を求める形で算出した（25×121兆円×1／2）。およそ1500兆円といえば、GDPにして3年分に相当する。

このようにベースアップの効果は小さくなく、たとえ1年や2年で年収を倍増することはできなくても、1世代といわれる30年から40年程度の時間をかければ、マクロ面での賃上げ（ベースアップ）を導入することで年収の倍増を達成することができる。岸田総理が呼びかける賃金上昇が2％以上のベースアップを意味するのであれば、35年ほどで年収の倍増が可能だ。

◆一方で増えた企業の内部留保

この間、企業の内部留保は拡大した。

2021年度末の内部留保ははじめて500兆円を突破し、516兆円となった。前年度比プラス6・6％の伸びであった。単純に比較できるものではないが、失われた賃金が1500兆円ある一方で、企業には500兆円の内部留保が積み上がったことになる。そしてこの間、労働分配率は低下した。労働分配率は、1999年第2四半期の72・7％がピークで、新型コロナ禍前の2017年度末には63・3％まで低下している。

財務省の法人企業統計調査で付加価値の構成をみると、2017年度において、付加価値311兆円に対して、人件費が206兆円となっている。ベースアップを3％とすると、6兆

図表3-9　労働分配率の推移

●2013年以降の景気拡大局面では、全ての資本金規模において労働分配率は低下傾向で推移している。

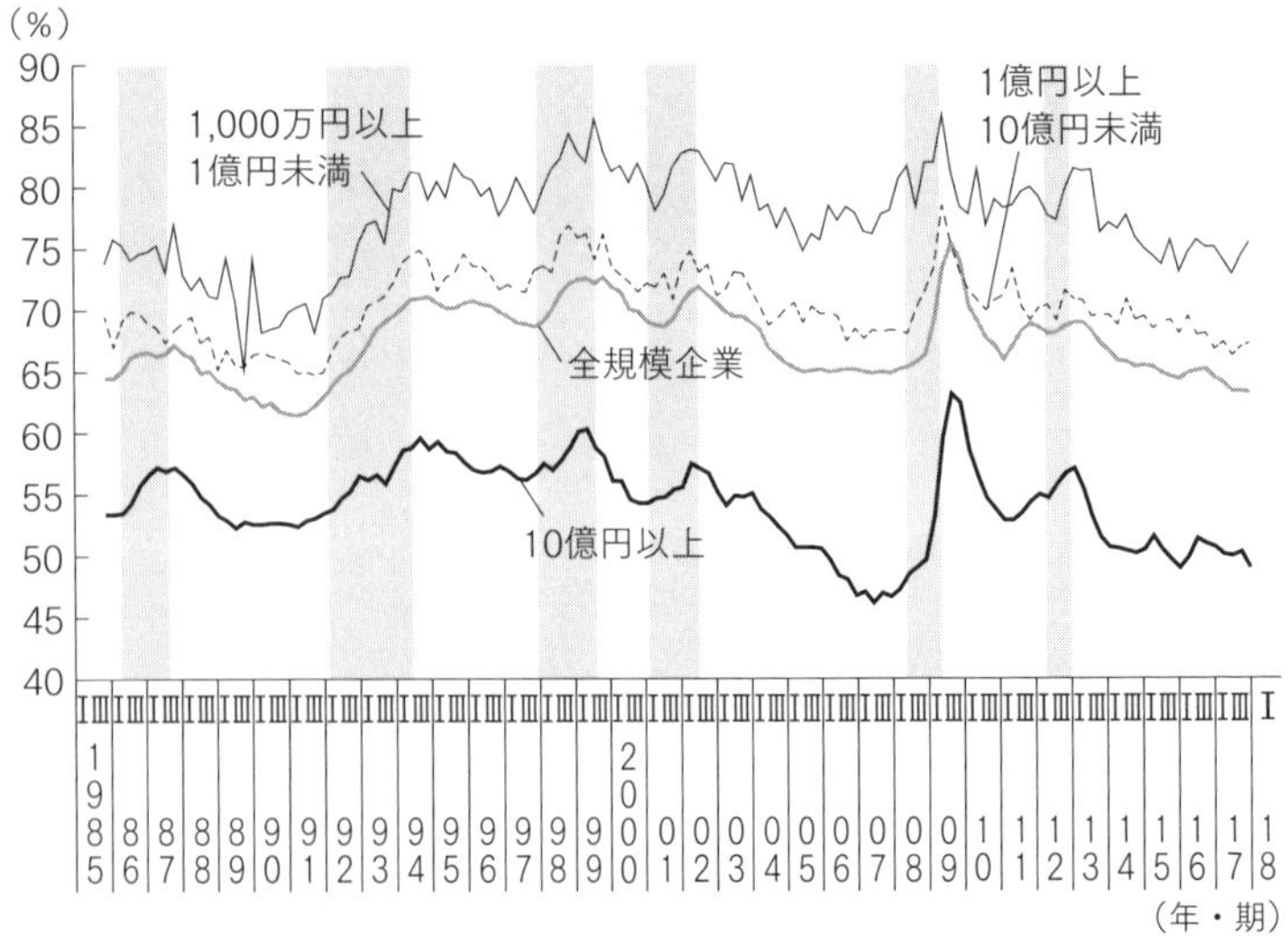

（注1）データは独自で作成した季節調整値（後方3四半期移動平均）を使用している。
（注2）労働分配率＝人件費÷付加価値額、人件費＝役員給与＋役員賞与＋従業員給与＋従業員賞与＋福利厚生費、付加価値額＝営業利益＋人件費＋減価償却額
（注3）グラフのシャドー部分は景気後退期を示している。
（出所）財務省「法人企業統計調査」をもとに厚生労働省労働政策担当参事官室にて作成
https://www.mhlw.go.jp/wp/hakusyo/roudou/18/backdata/1-1-05.html

円、人件費への配分を増やすことになる。簡単な金額ではない。ただ、ここで賃上げに踏み切らずに横ばいで推移してしまうと、円安も進んでいるため、国際比較したときの日本の給与水準はさらに順位を下げていくことになる。

また、購買力が拡大しなければ、インフレが進んでいることから、家計の購入数量は落ちてしまう。そのため、企業の売上数量も全体では落ちることになる。となると、まさにじり貧となり、負のスパイラルに入ってしまう。既に、インフレを加味した実質賃金は下落に転じており、現在の日本は、再度デフレスパイラルの入り口にあるといっても過言ではないだろう。

◆唯一の解決策は本当の賃上げ

デフレを防ぐためにも、企業による労働分配率の引き上げが求められている。賃金カーブの形状を考慮に入れると、子育て世代、婚活世代といった20～40代の賃金を引き上げていくことが現実的な解に映るだろうが、インフレは全ての人の負担となっていることを考慮すると、今回は全世代的な賃上げが必要なのかもしれない。

「失われた25年」がなければ、今頃、年収中央値は６６０万円になっていたはずであると述べた。今から毎年３％のベースアップに取り組めば、25年後には８５８万円まで引き上げることができる。少なくとも現在のアメリカの給与水準並みまで引き上げることができるのだ。これが仮に毎年２％であれば、25年後に６７２万円となる。もちろん、ベースアップが０のままであれば、25

図表3-10　付加価値の構成

（単位：億円、％）

区分＼年度	2017(平成29)	構成比	2018(平成30)	構成比	2019(令和元)	構成比	2020(令和2)	構成比	2021(令和3)	構成比
付加価値	3,117,130	100.0	3,144,822	100.0	2,946,721	100.0	2,733,287	100.0	3,000,025	100.0
人件費	2,064,805	66.2	2,086,088	66.3	2,022,743	68.6	1,954,072	71.5	2,065,953	68.9
支払利息等	61,994	2.0	64,966	2.1	56,291	1.9	60,123	2.2	69,229	2.3
動産・不動産賃借料	276,195	8.9	273,143	8.7	266,095	9.1	261,616	9.6	289,542	9.6
租税公課	101,690	3.3	108,295	3.4	106,257	3.6	101,279	3.7	102,375	3.4
営業純益	612,446	19.6	612,329	19.5	495,336	16.8	356,197	13.0	472,927	15.8
付加価値率	20.2		20.5		19.9		20.1		20.7	
労働生産性(万円)	739		730		715		688		722	

（注1）付加価値＝人件費＋支払利息等＋動産・不動産賃借料＋租税公課＋営業純益
（注2）人件費＝役員給与＋役員賞与＋従業員給与＋従業員賞与＋福利厚生費
（注3）営業純益＝営業利益－支払利息等
（注4）付加価値率＝（付加価値／売上高）×100
（注5）労働生産性＝付加価値／従業員数
（注6）上記計数には金融業、保険業は含まれていない。
（出所）財務省「法人企業統計調査」

年後も所得の中央値は４４０万円のままである。

いうまでもなく、現役世代の給与水準がベースアップにより3％のペースで上昇を続ければ、マクロスライドなどの調整が済めば、年金給付額もそれに連動して上昇していくこととなる（基本的には現役世代の賃金に連動するよう設計されているため）。このように、賃金上昇率のなかでもベースアップこそが国の姿をつくっていくのである。

5 ― 克服すべき課題

◆非正規雇用をこのまま増やしてよいのか

ここでひとつ問題になるのが、非正規雇用の増加だ。１９９０年に2割だった非正規雇用が今では4割近くになり、さらに増加基調が続いている。このトレンドが続けば、２０３０年には非正規雇用が5割に達する見込みだ。

非正規雇用者には様々な不利があるが、なかでもミクロ面での定期昇給が今のところ観察されていない。そもそも非正規労働者には、マクロ面のベースアップも反映されるのかは定かではない。格差拡大を放置しないため、非正規雇用にベースアップ（マクロ）を反映する、定期昇給（ミクロ）を適用するといったマクロとミクロの両面の取り組みが今日求められているのである。

最高裁判所においても、日本郵便の契約社員と正社員との間で較差のある、扶養手当、年末年始の勤務手当、夏期休暇、冬期休暇、病気休暇については、手当の不支給や休暇を与えないことが不合理であるとの判決が２０２０年10月に示された。また、３年経つ頃に非正規雇用者とは契約を延長しない慣行が根付きつつあることも、正社員になる機会、賃金が上がる機会を奪っているという点で問題であろう。

将来に希望を描けないので結婚しない、あるいは出産を控えるという声がアンケート調査で示されているが、非正規雇用が拡大してしまっていることが原因のひとつと考えられる。今回の賃上げは、社会の様々な問題を解決していく一歩となるため重要であり、各方面からの期待が高いといえよう。

◆求められる人への投資

最後に、教育訓練費の重要性に触れておきたい。

生産性を維持していく、高めていくためには、やはり学び続けることが欠かせない。各国における労働費用総額に占める教育訓練費の割合を調べてみると、日本は約０・２％と低く、オランダ、スウェーデン、ドイツ、韓国の半分以下の割合となっている。時系列でみても、１９９８年には０・３％あったものが年々低下し、２０１１年に０・２％まで落ち込んでいることがわかる。

労働分配率の低下、非正規雇用の増加と軌を一にした動きである。稼ぐ力をつけていくためには、人への投資も増やしていく必要があることは論をまたない。将来を見晴らした経営が求められる。

６ まとめ

年功序列型の賃金カーブの下、ミクロ面の定期昇給が毎年あるために、マクロ面のベースアップがゼロであっても人々は給与が増加していると錯覚していた可能性がある。実際には、今の給与水準は１９９７年より低い。抑制された給与は累積で１５００兆円に達すると推定され、ＧＤＰ３年分に相当する。しかし、これから毎年物価上昇を考慮に入れたベースアップが継続されるのであれば、徐々に日本は購買力を取り戻していくことが可能になる。２０２３年、２０２４年の春闘が日本経済の未来へつながる一歩となることを願ってやまない。

インクルーシブ・キャピタリズムが世界の潮流になるのであれば、国民の購買力を守り、育て、ともに成長していく、そんな未来を日本もつくっていくことが望まれる。

注

１　農林水産省「食品価格動向調査」
https://www.maff.go.jp/j/zyukyu/anpo/kouri/attach/pdf/gaiyou-7.pdf

２　実際、都区部の物価上昇率は１月に入り前年比＋４・３％と４％を超えてきた。

図表3-11　（参考）アメリカの職種別賃金（ドル建て、円換算）

職種	平均的な賃金（中央値、ドル建て）	円換算の中央値（1ドル＝130円）
全労働者	58,260	7,573,800
救命外科医	310,640	40,383,200
内科医	242,190	31,484,700
CEO	213,020	27,692,600
パイロット	198,190	25,764,700
歯科医	179,400	23,322,000
マーケティング	153,440	19,947,200
広告、広報	142,860	18,571,800
人事部長	136,590	17,756,700
コンピューターエンジニア	136,230	17,709,900
管制官	127,920	16,629,600
データサイエンティスト	108,660	14,125,800
エンジニア全般	107,800	14,014,000
プロデューサー	101,950	13,253,500
不動産仲介	86,490	11,243,700
外国語教師	82,990	10,788,700
コンプライアンス担当者	75,810	9,855,300
デザイナー	73,480	9,552,400
消防点検	69,680	9,058,400
保険販売員	69,340	9,014,200
建設機械オペレーター	55,890	7,265,700
大工	55,190	7,174,700
郵便配達員	54,370	7,068,100
図書館員	49,650	6,454,500

（出所）米BLS（労働統計局）

第4章 インクルーシブ・キャピタリズムにおけるファイナンス手段

1 SDGsとの関わり

資本主義の一形態であるインクルーシブ・キャピタリズムはひとつの制度にすぎず、この実現自体が目的ではない。目的は、前章までで議論したような様々な問題を解決してよりインクルーシブな世界を実現することであり、それを主に金融面からサポートするのがインクルーシブ・キャピタリズムと位置付けることができよう。

2015年に国連全加盟国で採択された持続可能な開発目標（SDGs）は、「誰一人取り残さない」というスローガンに表現されているように明らかに「インクルーシブ」であることから、インクルーシブ・キャピタリズムの目標は、より望ましい形の資本主義を通じてSDGsを達成

図表4-1　インクルーシブ・キャピタリズムにおけるファイナンス手段

	公的	民間
国内	税収	民間投資
	公的資源のレンタル料・ロイヤリティ	民間貯蓄
	長期公的債務	民間国内債務
	公的貯蓄	国内のフィランソロフィー
	SWF	国内送金
		Sustainable impact investing（SII）
海外	ODA	証券投資
	その他公的フロー	その他投資
	長期公的債務（海外）	海外送金
	公的保証（海外）	クロスボーダー貸出
	南南・三角協力	国際フィランソロフィー
	Climate Finance	ブレンデッド・ファイナンス
		SII

（出所）OECD（2020）より筆者作成

することとも解釈できよう。これは、前章までで議論したように様々な弊害が目立ってきた現行の資本主義の下では、ＳＤＧｓの達成が困難になってきていることを暗に意味している。

ＳＤＧｓの達成には巨額の資金が必要である。ＵＮＣＴＡＤ（２０１４）の試算では、２０１５年から２０３０年の間にＳＤＧｓをファイナンスするために毎年５兆〜７兆ドルが必要であり、このうち３・５兆〜４・５兆ドルは新興国で必要となる。

図表４－１が示すように、ＳＤＧｓのファイナンス手段には様々なものがある。本章ではこのうち、民間の証券投資と銀行貸出（図表中の「民間貯蓄」）にフォーカスする。インクルーシブ・キャ

ピタリズムの実現には、ファイナンス手段以外にも社会制度や法制度、金融・資本市場システムなど様々な要因が関わってくるが、これらは本書の範囲を超えるため、ここでは取り上げない。

インクルーシブ・キャピタリズムにおけるファイナンス手段として真っ先に挙げられるのは、近年急激に拡大している「ＥＳＧ投資」であろう。後述するように、ＥＳＧ投資はその成り立ちからして、ＳＤＧｓを達成する手段として位置付けられてきた経緯がある。

ＥＳＧ投資は、基本的に証券投資、つまり直接金融の世界の話であるが、近年では間接金融、具体的には銀行による融資においてもＥＳＧ要素を考慮する動きが活発化している。その象徴的な動きとして、２００６年の責任投資原則（ＰＲＩ）に遅れること13年、２０１９年に署名された責任銀行原則（ＰＲＢ）や、２０２１年4月に設立された「ネットゼロのためのグラスゴー金融同盟（ＧＦＡＮＺ）」傘下の「ネットゼロ銀行同盟（ＮＺＢＡ）」などが挙げられよう。

２０１９年6月にフェイスブック（現メタ）が公表した「リブラ構想」は大きな驚きをもって迎えられた。リブラ構想は各国金融当局の激しい抵抗に遭い勢いを失ったが、リブラのホワイトペーパーに謳われた「もっと多くの人が金融サービスや安価な資本を利用できるようにする」「グローバルに、オープンに、瞬時に、かつ低コストで資金を移動できるようになれば、世界中で多大な経済機会が生まれ、商取引が増える」「全体として、金融包摂を推進し、倫理的な行為者を支援し、エコシステムを絶え間なく擁護する」といった理念とインクルーシブ・キャピタリズムとの間には、明確な親和性が存在しているように思われる。

フェイスブックによるリブラ構想発表後に各国中銀による中銀デジタル通貨（ＣＢＤＣ）実現に向けた動きが加速したが、当初リブラが目指した右記の目標は、中銀デジタル通貨によってもかなりの部分共有されているものと考えられる。したがって、中銀デジタル通貨とインクルーシブ・キャピタリズムの間にも親和性があるといえよう（ただし、中銀デジタル通貨は、「ファイナンスの手段」というよりは、インクルーシブ・キャピタリズムを支える金融インフラという位置付けがより妥当かもしれない）。

本章では、右に挙げたインクルーシブ・キャピタリズムにおけるファイナンス手段の概要を示す。また、ＳＤＧｓを達成するうえで大きな課題となっている新興国におけるインフラ・ファイナンスについても取り上げる。

2　ＥＳＧ投資

◆ＥＳＧ投資とは？

経済産業省によれば、「ＥＳＧ投資は、従来の財務情報だけでなく、環境（Environment）・社会（Social）・ガバナンス（Governance）要素も考慮した投資のことを指し」「特に、年金基金など大きな資産を超長期で運用する機関投資家を中心に、企業経営のサステナビリティを評価するという概念が普及し、気候変動などを念頭においた長期的なリスクマネジメントや、企業の新たな収益創出の機会（オポチュニティ）を評価するベンチマークとして、国連持続可能な開発目標（ＳＤＧｓ）と合わせて注目されて」いる。

よく知られているように、ＥＳＧは「Environment」「Social」「Governance」の頭文字をとったものであり、経済産業省の定義にもあるように、これらを考慮した投資がＥＳＧ投資である。もっともこれだけでは、ＥＳＧはいつ、何を目的に生み出されたコンセプトなのか、ＥＳＧの各々にカテゴライズされる様々な問題が以前から個別に存在していたにもかかわらず、近年「ＥＳＧ」という形でひとまとめに扱われるようになった背景にはどのような経緯が存在するのか、ＳＤＧｓやＣＳＲ（Corporate Social Responsibility）といった類似のコンセプトとどのように異なるのか（経産省の定義ではＥＳＧとＳＤＧｓは異なるように読めるが、どのように異なるかはわからない）といった疑問には答えられない。以下、これらの点について簡単に述べる。

環境問題、社会問題、コーポレートガバナンスなどは、ＥＳＧという言葉が市民権を得るはるか以前から、国や企業、個人が取り組むべき重要課題として認識されていた。ＥＳＧの起源について定説はないが、以前から存在していた問題がＥＳＧとしてひとまとめに語られるようになったきっかけとして、１９９９年の「国連グローバルコンパクト（ＵＮＧＣ）」が重要であった可能性がある。ＵＮＧＣは１９９９年の世界経済フォーラム（ダボス会議）でコフィ・アナン国連事務総長（当時）が提唱した、持続可能な社会を実現するためのイニシアチブであり、「人権」「労働」「環境」「腐敗防止」の４分野に関する10原則を定めた。ＥＳＧという用語こそ使われていないものの、10原則の内容は明らかにESGと重なる。

桑島・田中・保田（2022）によれば、最初にESGという言葉が使われたのは、国連環境計画・金融イニシアティブ（UNEP FI）による「The Materiality of Social, Environmental and Corporate Governance Issues to Equity Pricing」（下線部筆者）というレポート（UNEP FI〈2004〉）においてであった。これは、世界各国の12の金融機関が組織したワーキンググループによる、ESGファクターが長期的な株主価値に与える影響を分析したレポートであり、長期的な株主価値向上のためにESGファクターを考慮すべきと結論付けた。

こうした流れを受けて、2006年4月にUNEP FIとUNGCが主導して、アナン事務総長が機関投資家、金融機関に対して提唱した「国連責任投資原則」（PRI：Principles of Responsible Investment）が、「ESG投資」というコンセプトが広く認知されるきっかけとなった。PRIは発足にあたってESG投資に関する6つの原則（左記）を公表、その後のESG投資の発展に対して道筋をつけることとなった。UNGCがコンセプトを示し、UNEP FIが「ESG」という用語を発明（?）し、UNGCとUNEP FIが提唱したPRIでESG投資のコンセプトが確立されたとの経緯からも明らかなように、ESGおよびESG投資は国連主導で形成されたコンセプトであり、特に当時のアナン事務総長の貢献が大きかったといえよう。

〈PRIの6原則〉

□私たちは、投資分析と意思決定のプロセスにＥＳＧの課題を組み込みます
□私たちは、活動的な所有者となり、所有方針と所有習慣にＥＳＧの課題を組み入れます
□私たちは、投資対象の主体に対してＥＳＧの課題について適切な開示を求めます
□私たちは、資産運用業界において本原則が受け入れられ、実行に移されるように働きかけを行います
□私たちは、本原則を実行する際の効果を高めるために、協働します
□私たちは、本原則の実行に関する活動状況や進捗状況に関して報告します

ＰＲＩは当初、50の運用機関、ＡＵＭ（Asset Under Management）2兆ドルという規模でスタートしたが、その後署名機関とＡＵＭは大きく拡大。２０２１年時点では、ＰＲＩに署名した金融機関は３９１６社、ＡＵＭは１２１兆ドルにものぼっている。日本では、２０１５年にＧＰＩＦ（年金積立金管理運用独立行政法人）がＰＲＩに署名したことが、国内におけるＥＳＧ投資の拡大加速の契機になったといわれている。

◆ＥＳＧとＳＤＧｓ

以上、ＥＳＧ投資というコンセプトが投資家の共通言語となるまでの経緯を概観したが、ＥＳＧはその成り立ちからして明らかなように、すぐれて金融的なコンセプトである。例えば、

アナン事務総長はＰＲＩを提唱した際に「世界共通の理念と市場の力を結びつける力を探りましょう」と呼びかけたが、これは「世界共通の理念」を、市場を通じてファイナンスするのがＥＳＧ投資であるとも読める。

ＥＳＧの金融的な性質は、２０１５年に採択された「持続可能な開発目標（ＳＤＧｓ）」と対比すると理解しやすいかもしれない。例えばＧＰＩＦは、「ＥＳＧ投資において考慮されるＥＳＧ課題とＳＤＧｓのゴールやターゲットは共通点も多く、ＥＳＧ投資が結果として、ＳＤＧｓ達成に大きく貢献することになる」と述べている。つまり、ＳＤＧｓが企業が取り組むべき課題であるのに対して、ＥＳＧ投資は企業によるＳＤＧｓ課題への取り組みをファイナンスする手段であるとの整理である。ＥＳＧとＳＤＧｓは混同されやすいが、ＧＰＩＦの整理では、ＥＳＧとＳＤＧｓという、似たようなコンセプトが別々に存在しており、それをファイナンスするツールとしてＥＳＧ投資とＳＤＧｓ投資が各々存在するという姿にはなっていない。

また、桑島・田中・保田（２０２１）によれば、ＥＳＧとＣＳＲは根本的に異なる。ＣＳＲは企業が社会や環境に負荷をかけていることに対する、いわばペナルティとして行われるため、ＣＳＲを熱心に行えば行うほど、企業の利益は圧迫される。一方で、ＥＳＧは本業のビジネスを通じて環境・社会問題に対処し、課題解決と利益を両立させる点に特徴がある。

ＥＳＧと似たコンセプトとして、ＣＳＲ以外にＳＲＩ（Socially Responsible Investment）があるが、これもＥＳＧとは明確に異なる。湯山（２０２０）によれば、ＳＲＩではより倫理的な側面が重視され、典型的には、軍需、たばこ、ギャンブル、人種差別に関連する企業を投資先から除外するといったアクションがとられる。これは、ＥＳＧ投資戦略でいうところの「ネガティブ・スクリーニング」に該当すると考えられる。

これに対して、ＥＳＧ、あるいはＥＳＧ投資によってファイナンスされるＳＤＧｓは、特定産業ではなくすべての企業にとっての課題であり、カバレッジがはるかに広い。この意味で、ＳＲＩはＥＳＧ投資の一分野と捉えることができるかもしれない。

◆ＥＳＧ課題の概要

ＥＳＧ投資に関する議論に入る前に、以下ではその前提知識として、ＥＳＧの各々について、具体的にどのようなイシューが問題になっているのかおよび、それらの問題に対する国際社会の一連の取り組み等を概観する。

①Ｅ（Environment）

ＥＳＧのなかでも「Ｅ」は、⑴あらゆる経済活動の基盤であること、⑵その重要性が科学的根拠に基づいて定量的に規定されており、科学的な根拠に基づいた目標について国際的な合意が存在することから、「Ｓ」「Ｇ」とはやや位置付けを異にしている感がある。

前者に関して、Rockstroem and Klum（2015）は、経済は法律や教育といった社会資本によって支えられており、社会資本を自然資本が支えているという三層構造を提示した。この構造を前提とすると、自然資本に対するリスクはシステミックリスクであり、いかに分散投資を行ってもそれに由来するリスクは回避できないことになる。

後者に関して、水口（２０１７）によれば、気候変動問題に対する知見は主として、１９８８年に創設された「気候変動に関する政府間パネル（ＩＰＣＣ：Intergovernmental Panel on Climate Change）」によって蓄積されてきた。ＩＰＣＣは１９９０年に最初の報告書を出して以降、５〜6年ごとに評価結果を更新してきた。

最初の報告書が出された後、１９９2年6月にブラジル・リオデジャネイロで開催された国連環境開発会議（地球サミット）では、「アジェンダ21」[1]「国連気候変動枠組条約」[2]「生物多様性条約」[3]といった重要なグローバル・アジェンダが採択されたことに加え、ＳＤＧｓの基になる「持続的な開発」（Sustainable Development）という言葉がはじめて用いられた。

２０１３〜２０１4年のＩＰＣＣ第5次評価報告書では「気候システムの温暖化に疑う余地はない」「人間の影響が20世紀半ば以降に観測された温暖化の支配的な要因であった可能性が極めて高い」と結論付けた。また、ＩＰＣＣは同報告書で、二酸化炭素排出量によって異なる21世紀末の気温に関する4つのシナリオを示した（「ベースラインシナリオ」では2・6℃〜4・8℃の気温上昇が見込まれている）。

ＩＰＣＣの報告等をもとに、１９９7年の第3回気候変動枠組条約締結国会議（ＣＯＰ３）で京都議定書が採択された。これは、２００８年から２０１２年までの間に二酸化炭素、メタンなど6種類の温室効果ガスの排出量を、１９９０年を基準として先進国全体で５％削減することを定めたもので、日本の削減義務は６％とされた。もっとも、新興国である中国やインドは削減義務を負わず、アメリカも批准しなかった。

その後紆余曲折を経て、２０１５年12月にパリで開催されたＣＯＰ21で、平均気温の上昇を2℃未満に抑えるという世界共通の長期目標を明記し、１・５℃に抑える努力を追求すること等を定めた、パリ協定が採択された（２０１６年11月発効）。パリ協定の概要は以下の通りである（出所：外務省[4]）。

〈パリ協定の概要〉
□世界共通の長期目標として2℃目標の設定。１・５℃に抑える努力を追求すること
□主要排出国を含むすべての国が削減目標を5年ごとに提出・更新すること
□すべての国が共通かつ柔軟な方法で実施状況を報告し、レビューを受けること
□適応の長期目標の設定、各国の適応計画プロセスや行動の実施、適応報告書の提出と定期的更新
□イノベーションの重要性の位置付け
□5年ごとに世界全体としての実施状況を検討する仕組み（グローバル・ストックテイク）

□先進国による資金の提供。これに加えて、途上国も自主的に資金を提供すること
□二国間クレジット制度（ＪＣＭ）も含めた市場メカニズムの活用

また、「気候変動の財務情報開示に関するタスクフォース（ＴＣＦＤ：Task Force on Climate-related Financial Disclosure)」は２０１６年12月、気候変動リスクが正しく理解されていないことが金融システムの不安定化につながるリスクに対する懸念を表明、主要な財務報告における気候変動関連情報の開示強化を提言した。これを受けてＴＣＦＤを設置したＦＳＢ（Financial Stability Board）は２０１７年6月、ＴＣＦＤの提言を大筋で採択した。これは、世界の金融当局が気候変動を金融上のリスクとして公式に認めたことを意味する（水口〈２０１７〉）。

地球温暖化の問題は、「負の外部性」の問題として解釈可能である。これまでは、ある企業が目先の利益を追って二酸化炭素を大量に排出して地球温暖化を加速させることによるコストをそのほかの誰かが負担してきたが、地球温暖化が全人類にとって喫緊の課題であり、これを解決しないと多大な犠牲を払うことになるとの認識がコンセンサスとなりつつある現在においては、既述のような形でのコストの移転は許されず、コストは社会全体で負担することになる。これは、それまでは外生的な要因だった二酸化炭素排出→地球温暖化が、すべての企業にとっての内生要因に変化したことを意味している。

②Ｓ（Social）

気候変動や地球環境の問題や、パリ協定など気候変動問題に関連する国際的な動向は、一般的にもかなりの程度認知されていると考えられる。他方、「Ｓ」にどのような内容が含まれるのか、また、国際社会がそれに対してどのように対応してきたかは、「Ｅ」と比較して具体的にはイメージしづらいのではないだろうか。

しかし、以下で挙げるような「Ｓ」の問題は、まさしく本書のテーマであるインクルーシブ・キャピタリズムが直接解決を図ろうとしている社会的課題である。したがって、インクルーシブ・キャピタリズムとの関連でＥＳＧ投資を考えるうえでは、「Ｓ」を避けて通ることはできない。

②－１　経済的不平等の問題

「Ｓ」の代表的なイシューとして挙げられるのは経済的不平等の問題であり、ＳＤＧｓでは10番目の目標として「不平等の是正」が掲げられている。また、「１　貧困の撲滅」および「２　飢餓の根絶」も、同様の文脈で捉えることが可能だろう。

経済的不平等では何が問題なのか。少なくともＳＤＧｓやＥＳＧの観点から、社会主義的な「結果の平等」を提唱する向きは皆無であり、「機会の平等」が担保されたうえでの「結果の不平等」は、現実問題として容認せざるを得ないとの見方が大勢である。したがって、問題視されているのは「結果の不平等」の行き過ぎであるが、行き過ぎの閾値についてコンセンサスは存在せず、行き過ぎの何が問題かについても意見が分かれている。

結果の不平等の行き過ぎを問題視するひとつの考え方は、ロールズの『正義論』に代表される立場である。ロールズは、最も不幸な人がますます貧しくなるような形での極端な不平等は正義に反すると主張した。他方、不平等が拡大すると犯罪の増加など社会の不安定化を招くといった、不平等の弊害や副作用に着目した功利主義的な見方もある。「E」への取り組みは負の外部性を内生化するものと解釈可能と前述したが、「S」に対する功利主義的な考え方はこれに近く、PRI（2016）も基本的に同様の立場をとっているものと考えられる。

②－2 「責任あるサプライチェーン」

経済的不平等のほかに「S」の代表的な問題として挙げられるのは、「責任あるサプライチェーン」の問題である。経済的不平等や責任あるサプライチェーンの問題は、SDGs前文の有名な一節「誰一人取り残さない」（これはインクルーシブ・キャピタリズムの理念とも合致する）に表現された、世界中のすべての人の人権を尊重するために取り組むべき課題である。

「責任あるサプライチェーン」は、一般的にはあまり馴染みがない言葉かもしれない。これは、具体的には以下のような問題である。経済のグローバル化が進展するのに伴い、世界各国の企業（主に大企業）はなるべく安いコストで自社製品を生産すべく世界中に進出し、サプライチェーンは大規模化・複雑化した。こうしたなか、サプライチェーンの末端の工場での労働環境を親会社が把握していないことから生じるネガティブな影響が注目されるようになった。孫請けの下請けのそのまた下請けといった本社の監視の目が及ばないところで、児童労働や強制労働[5]が行われているケースが多く存在していることが明るみに出たのである。従来、人権を尊重するのは国家の義務であることから、外国企業のこの問題に対する関心は、必ずしも高くなかった可能性がある。

こうした状況を受けて、２０１１年に国連人権委員会は「ビジネスと人権に関する国連指導原則」（以下「指導原則」）を全会一致で採択した。指導原則では、人権尊重をトップ・コミットメントとして表明すること、人権デューディリジェンス（ＤＤ）の実施および人権に対する負の影響が発生した際の救済・是正プロセスを整備すること、人権ＤＤの実施にあたってステークホルダーと直接対話することなどが推奨されている。２０１５年６月のＧ７エルマウ・サミット首脳宣言では、民間部門が指導原則に則って人権ＤＤを実施することが要請され、責任あるサプライチェーンがハイ・レベルな政策課題として認識されることとなった。

③Ｇ（Governance）

「Ｇ」は、コーポレートガバナンスに関連する問題である。梅内（２０２１）によると、投資家および投資対象である企業がＥＳＧファクターのなかで最も重視しているのは「Ｇ」である[6]。多くのＥＳＧスコアではＧのウエイトが最も高くなっているが、これはこうした投資家の要請を反映したものとも捉えられる。梅内（２０２１）はコーポレートガバナンスが重視される理由として、コーポレートガバナンスがあらゆる企業に例外なく認識される課題であるのに対してEやSは企業によって重要性が異なることと、ガバナンスがEやSの課題に取り組むうえでの大前提として認識されていることを挙げている。

梅内（２０２１）は、コーポレートガバナンスの分野でESG評価機関の関心が特に高いテーマとして「取締役会の独立性」と「役員報酬の有効性」を挙げている。

◆ESG投資の現状

近年のESG投資の拡大ペースはすさまじいものがあり、投資の現場における感覚としては、ESGを考慮しない資産運用はもはやあり得ないというところまできている。ESG投資はなぜ、これほどまでに急激に拡大したのであろうか。

前述したように、ESG各々のイシューはESG投資が盛り上がるはるか以前から存在しており、その源流は必ずしも同一ではない。最初は別々の小さな動きだったESGの各々が、様々な時代的背景もあってその重要性を高め、それぞれ大きなうねりとなっていたところに、超国家的な組織である国連が提唱したPRIやSDGsが合流して巨大な一本の流れとなり、一気に加速したというイメージである。また、環境問題が全人類の取り組むべき喫緊の課題であり、最早見て見ぬふりや先送りは許されないとの認識が強まったことなど、ESG課題に対する一般的な認識が大きく変化したことも、こうした流れが加速するのを後押ししたと考えられる。

ESG投資の定義と規模

ＥＳＧ投資の定義としてよく参照されるのは、ＧＳＩＡ（Global Sustainable Investment Alliance）[7]による定義である（ＧＳＩＡは「サステナブル投資」という用語を用いているが、これはＥＳＧ投資とほぼ同義と考えられる）。ＧＳＩＡの定義では、ＥＳＧ投資は以下の７つに分類される。[8]

①ＥＳＧインテグレーション：運用機関がＥＳＧ要因を財務分析に体系的かつ明示的に組み込むこと。

②コーポレートエンゲージメントと議決権行使：企業行動に影響を与えるために株主の権利を用いること。具体的には、経営陣や取締役会とのコミュニケーション、株主議案提出、議決権行使などがある。

③国際規範に基づくスクリーニング：国連、ＩＬＯ、ＯＥＣＤ、ＮＧＯが公表する国際的規範に基づいて、企業の事業や発行体の活動を最低限の基準と照らし合わせてスクリーニングすること。

④ネガティブ／除外スクリーニング：投資対象外と考える活動に基づいて、特定のセクター、企業、国、その他の発行体をファンドやポートフォリオから除外すること。（規範や価値観に

基づく）除外基準には、製品カテゴリー（武器、たばこなど）、企業活動（動物実験、人権侵害、汚職など）、問題ある事業行為などが該当する。

⑤ポジティブ／ベストクラス・スクリーニング：同業他社対比でESGパフォーマンスに優れており、定められた閾値以上の評価を達成したセクター、企業、プロジェクトに対する投資。

⑥サステナビリティ・テーマ型投資：環境・社会での持続可能な解決策に具体的に貢献するテーマや資産への投資。

⑦インパクト投資／コミュニティ投資

インパクト投資：社会・環境にポジティブなインパクトを与えるための投資。

コミュニティ投資：十分なサービスを受けていない個人やコミュニティに資金を提供する、あるいは社会・環境について明確な目的を持った事業に資金を提供する投資。

ESG投資の規模としては、GSIAが公表している、前出の7つのESG戦略に基づいて投資されている資産の残高がよく引用される。GSIA（2020）によると、2020年時点のESG投資の運用資産残高は35・3兆ドルで、2018年からは15%、2016年からは54%それぞれ増加した。また、運用資産全体に占めるESG投資の残高は2018年の33・4%から35・9%に増加した（2016年は27・9%）。BISのデータによると、2022年3月末時点の世界の債券発行残高は127兆ドルであった。また、ブルームバーグのデータによると、2022年11月末時点の世界の株式時価総額は98兆ドルであった。このうち35・9%がESG投

図表4-2　PRIの署名機関数とPRI署名機関による運用資産残高の推移

PRI署名機関数は2020〜2021年に拡大

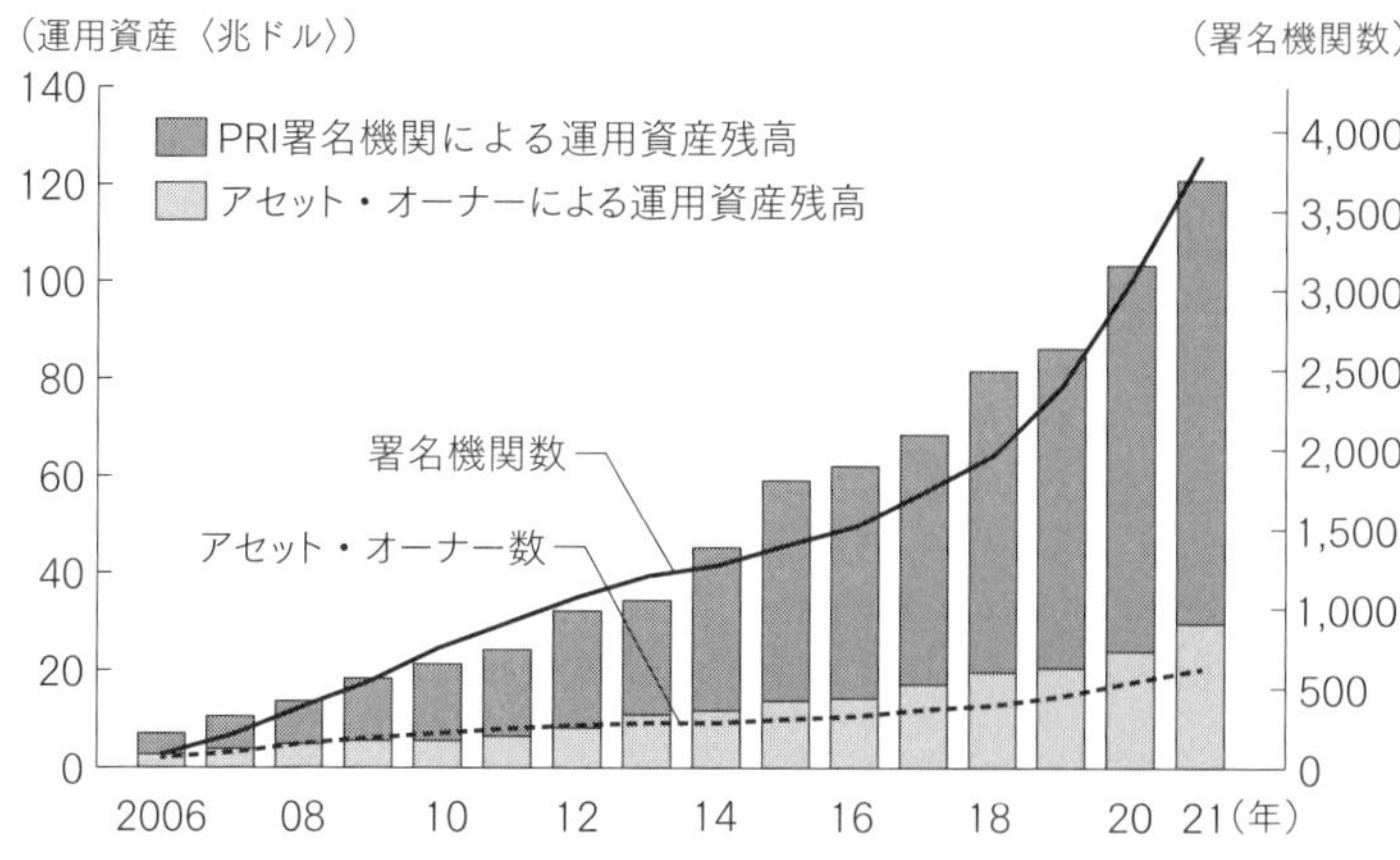

（出所）UN PRI（2021）

資であると仮定すると、その残高は81兆ドルとなる。

その他、ＥＳＧ投資の残高に関するデータとしてよく参照されるのは、ＰＲＩのデータである。図表４－２はＰＲＩの署名機関数と署名機関による運用資産残高をみたものである。２００６年の発足当初、ＰＲＩの署名機関は50社、運用資産残高は2兆ドルだったものが、２０２１年3月末時点では、署名機関が３８２６社、運用資産残高は１２１兆ドルに上っている。当然のことながら、ＰＲＩ署名機関によって運用される資産の大部分ではＥＳＧファクターが考慮されている。[9] 前出の債券発行残高と株式時価総額の合計を債券・株式市場全体の残高とすると、ＰＲＩ署名機関の運用残高は既にその半数を超えている計算になる。これは、前出のＧＳＩＡの定義に基づく試算よりもやや大きい。

◆ESGレーティング（ESGスコア）

以下ではESG投資の具体的な内容についてみていくが、本節ではその前提知識として、ESGレーティング（ESGスコア）について説明する。

ESGという非財務情報は、決算書や有価証券報告書といった資料からは把握しづらく、あまり開示されていない情報であった。また、かつてはESGへの対応はすぐに利益に直結しないコストとしてネガティブに考えられていた側面もあった。

しかし昨今では、企業のESGへの対応はその企業の長期持続性を左右するという認識が広がっている。例えば、将来の気候変動が自社に及ぼすリスク、低炭素経済への移行におけるビジネス展開と機会、サプライチェーンにおける人権問題への対応や訴訟リスク、適正な労働条件と人材の確保、社外取締役設置によるガバナンス強化など、投資家は、企業を分析するうえで、利益や配当、資産状況といった財務情報だけでなく、ESG情報が企業、そして株価に大きく影響することを理解し、投資判断において重要視するようになってきた。株主総会においても、気候変動への対応といったESG関連の質問が増えており、企業としてもESGに関する対応と情報開示は実質的に必須となった。

2021年6月、東京証券取引所が発表したコーポレートガバナンス・コードでは、サステナ

図表4-3　コーポレートガバナンス・コードの主な改訂内容

1. 取締役会の機能発揮
- 独立社外取締役を3分の1以上選任（プライム企業）
- 指名委員会・報酬委員会の設置
- 各取締役のスキルとの対応関係の公表
- 他社で経験ある人材の独立社外取締役への選任

2. 企業の中核人材における多様性の確保
- 管理職における多様性の確保と目標の設定
- 多様性の確保に向けた方針と実施状況の公表

3. サステナビリティを巡る課題への取組
- TCFD（又は同等の枠組み）に基づく気候変動開示
- サステナビリティ基本方針策定と取組開示

4. 上記以外の主課題

（出所）日本取引所グループ「改訂コーポレートガバナンス・コード」をもとに筆者作成

ビリティ基本方針の策定と取組開示、および気候関連財務情報開示タスクフォース（ＴＣＦＤ）に基づく気候変動リスクに対する開示を、２０２２年４月からスタートしたプライム市場に属する企業に、実質的に義務付けた（図表４－３）。これにより、多くの上場企業は気候変動を中心に自社のＥＳＧに関する情報を、世界のスタンダードに準拠して開示する対応に迫られている。

こうした状況における投資の意思決定に際して、財務情報に比べて定性的な側面が多く企業によってまちまちな非財務情報であるＥＳＧを可視化することが必要となり、この点で大きな役割を果たしているのがＥＳＧレーティング（ＥＳＧスコア）である。

ＥＳＧレーティングは企業や公的部門におけるＥＳＧの要因を数値化したものであり、株式、債券の双方でＥＳＧ投資の意思決定に用いられている。また、ＥＳＧ要素の投資パフォーマンスへの影響に関する実証分析でも、ＥＳＧ要素のプロキシーとして、ＥＳＧスコアが用いられることが多いようである。ＥＳＧ投資は、投資の意思決定に際して考慮される一般的なファクターに加えてＥＳＧ要素を考慮したものと捉えることができるが、こうした見方に立てば、ＥＳＧスコアは株式、債券などのアセットクラスに関係なく、すべてのＥＳＧ投資の意思決定の基盤をなすものとも考えられる。例えば、ムーディーズやスタンダード＆プアーズが提供する信用格付け情報は、投資対象の信用リスクの指標として広く参照されている。信用格付けの影響力は、投資判断に用いられる一指標の域を超え、多様な投資家による投資活動をサポートするうえで不可欠なインフラとなっているといっても過言ではないだろう。

一方で、これらの信用格付け情報とは対照的に、ＥＳＧレーティングの場合は、現状各社が独自のメソドロジーの下に算出したＥＳＧレーティング、スコアが乱立しており、市場でスタンダードとして広く受け入れられているレーティングが存在しているとはいいがたい（したがって、ＥＳＧレーティングはまだ金融のインフラと呼べる存在ではない）。ＥＳＧレーティングは構成ファクターの選択やウエイト付けによって様々なものになり得るが、レーティング算出に用いられるファクターにはある程度の共通性が認められる。図表４－４は、代表的なＥＳＧレーティングのひとつであるＭＳＣＩのレーティングの算出に用いられるファクターを示している。

投資に適用できるＥＳＧレーティングにまず必要なものは、ＥＳＧに関する質の高いデータで

図表4-4　MSCIによるESGレーティングの内容

3つの柱	10のテーマ	37の主要課題	
環境	気候変動	●温室効果ガスの排出 ●製品のカーボンフットプリント	●環境的なインパクトへの資金提供 ●気候変動への脆弱性
	自然資本	●水資源不足 ●生物多様性・土地利用	●原材料の調達
	汚染・廃棄	●有害物の排出・廃棄 ●包装材・廃棄	●電子機器の廃棄
	環境面での機会	●グリーンテクノロジーにおける機会 ●グリーンビルにおける機会	●再生可能エネルギーにおける機会
社会	人的資本	●労働管理	●人的資本の開発 ●サプライチェーンでの労働基準
	製造物責任	●健康・安全 ●製品の安全・品質 ●化学物質の安全 ●金融商品の安全	●プライバシー・情報セキュリティ ●責任投資 ●健康・人口動態のリスク
	ステークホルダーの反対	●疑義のある仕入	
	社会面での機会	●コミュニケーションへの機会提供 ●金融への機会提供	●医療への機会提供 ●食生活・健康における機会
ガバナンス	コーポレートガバナンス	●取締役会 ●報酬	●所有 ●会計
	企業行動	●企業倫理 ●反競争的な慣行 ●税の透明性	●汚職・政情不安 ●金融システム不安

（出所）MSCI ESG Rating Methodology

ある。質の高さの具体的な内容としては、企業の公開情報がベースとなっていること、マテリアリティによる評価、評価対象企業のカバレッジ数、定量的な評価（スコア化）、評価適用項目の妥当性、評価の継続性、規則や国際的なイニシアチブの適用、知見を備えた評価アナリストの確保、データガバナンス体制、企業へのエンゲージメントの実施などが挙げられる。

ＥＳＧレーティングの具体的手法（FTSE Russell）

以下では、ＥＳＧレーティングとは具体的にどのようなものかを、FTSE Russell のＥＳＧスコアを例に説明する。

FTSE Russell ではＥＳＧという3つの柱の下に14のテーマがあり、その下に約３００を超える指標（インディケーター）と呼ばれる具体的な評価項目がある（図表４－５）。

この14のテーマについて、各企業が行っている事業内容から判断される業種分類、そして事業を行っている地域（活動国）および収益構造によって、３００超ある指標のうちいずれかが適用され、適用される評価項目のウエイト（エクスポージャー）が高・中・低のいずれかに分類される。これによって、その企業のＥＳＧを、より企業実態に沿って評価することが可能になる。つまりそのテーマが高エクスポージャーと判定される場合には、適用される指標の数が多くなり、高評価を得るために求められる指標正答率も高くなる。

FTSE Russell の評価は企業の開示資料を使って行われ、また評価方法はルールベース、すな

図表4-5　FTSE Russell ESGスコアの概要

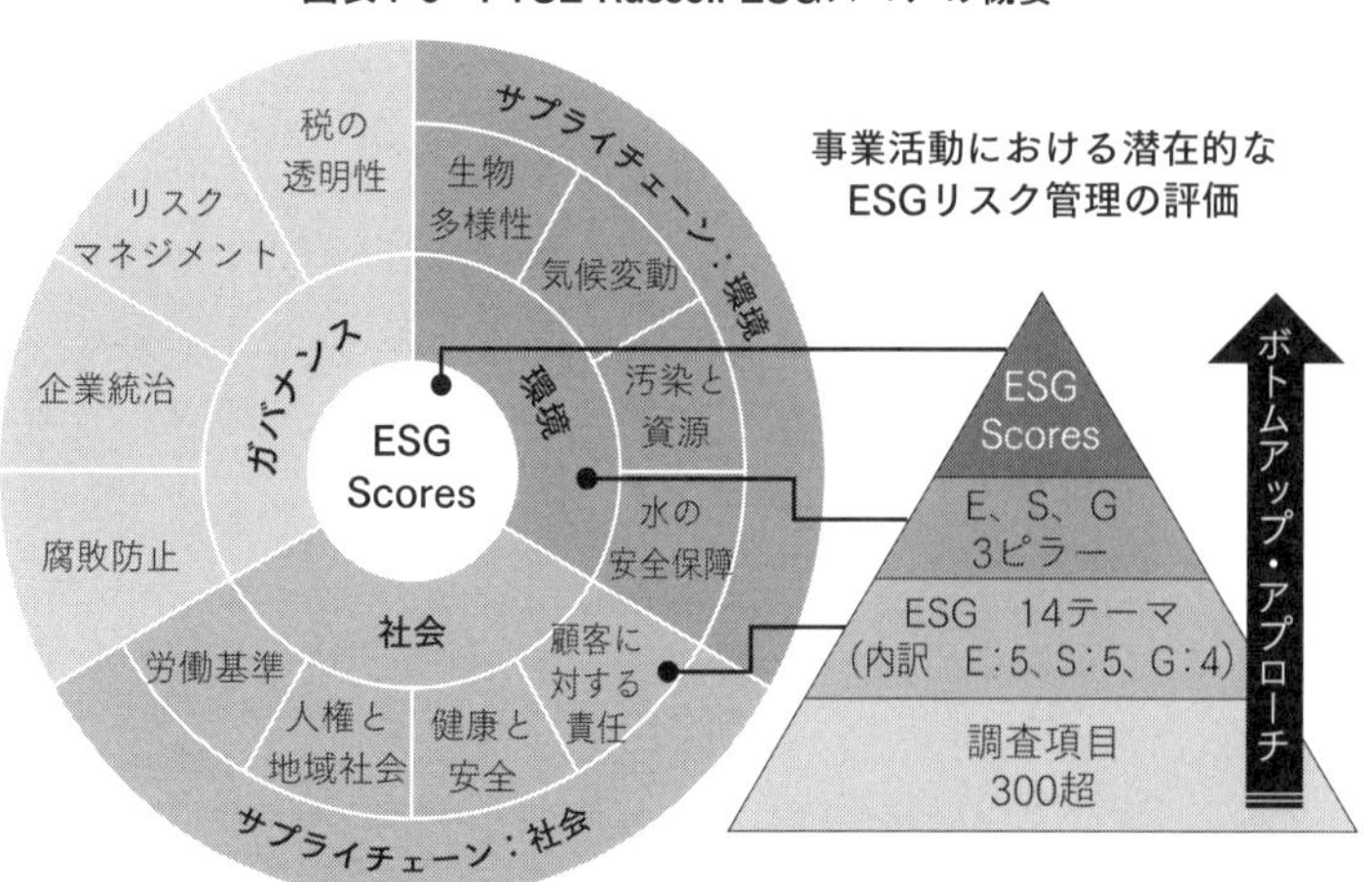

ESG Scores
企業のESG取組内容・状況の算出

ESGピラー
環境、社会、ガバナンスの各ピラーのエクスポージャーとスコアの算出

ESGテーマ
気候変動、腐敗防止など、各テーマにおいてエクスポージャーとスコアの算出

調査項目
各ESGテーマの下に調査項目が存在

（出所）FTSE Russell 資料より筆者作成

図表4-6　FTSE Russell ESG スコア評価プロセス――ケーススタディ X社

Step1.
企業特性の把握

業種	自動車、自動車部品
活動国・地域	アメリカ、中国、香港、インド
収益構造	多国籍

▼

Step2.
企業特性におけるマテリアリティ（エクスポージャー）の評価

E		S		G	
生物多様性	該当せず	顧客に対する責任	該当せず	腐敗防止	高
気候変動	高	健康と安全	中	コーポレートガバナンス	中
汚染と資源	高	人権と地域社会	中	リスク管理	高
サプライチェーン	高	労働基準	高	税の透明性	中
水の安全保障	中	サプライチェーン	高		

▼

Step3.
ESGリスク・エクスポージャーに応じて、企業の行った事業・活動を各指標を使って評価

▶

Step4.
エクスポージャーに応じて適用される指標の評点割合によって、テーマスコアを算出（高エクスポージャーのテーマはより高い評点割合が求められる）

▶

Step5.
テーマ別スコアをもとに、E、S、Gのスコアを計算し、それをもとに企業のESGスコアを算出

（出所）FTSE Russell資料より筆者作成

わちあらかじめ決められたメソドロジーに基づいて行われる。企業の公開情報のみを評価に用いるのは、透明性と公平性を持つ情報のみを評価に組み込むためであり、ルールベースのメソドロジーによる評価は、評価アナリストによる判断のバラツキを防ぎ、客観性と一貫性を持った評価結果、スコアの算出に資するものである、と考えられる。

ESG評価の透明性

ＥＳＧ評価については、評価会社によって評価がまちまちであるとか、評価がわかりづらいといった声を聞くことがある。ＥＳＧ評価の問題点としては、⑴そもそも何をどう開示すればよいかといった開示基準が定まっていないことや、⑵項目が広範囲で、利益のような共通指標とは異なり、企業や行う事業によって各ＥＳＧ評価項目におけるマテリアリティがまちまちである点などが挙げられる。現在ＩＦＲＳ財団傘下のＩＳＳＢ（International Sustainability Standards Board）などがサステナビリティ開示基準を標準化しようとしているが、まずはこうした開示基準が定まることが必要であろう。

ＥＳＧ評価会社も、積極的な評価メソドロジーの開示、透明性の確保、企業へのエンゲージメントを深めていく一方で、企業にＥＳＧ評価への膨大な回答書を求めるなどの過度の負担を課す評価方法は見直す必要があろう。

一方、企業側も、社外のコンサルタント等に対応を任せるのではなく、国際的な基準や投資家が求めるＥＳＧ情報を理解して積極的に公開し、ＥＳＧを重要な経営課題として戦略に取り込んでいくことが、ＥＳＧ評価の向上と長期的な企業価値の向上につながるものと考える。

日本企業のＥＳＧ評価

日本企業のＥＳＧレーティングについては、過去から向上がみられるものの、相対的には海外の先進国と比べると今なお低い水準にある。FTSE Russell の分析によると、Ｅについては相対的なスコアは高いものの、Ｓは健康と安全を除く残り4項目で、Ｇでは全4項目においてスコアの低さは顕著である。

この原因としては、国際的な大企業と国内の中小企業とのスコアの差が大きいことと（これは他の先進国でも同様）、日本的企業と国際企業における開示水準に違いがあることが挙げられる。例えば、Ｓの顧客責任においては、社会的に悪影響を及ぼす可能性が想定されうる事業に従事している企業（たばこ、アルコール、アダルト、消費者金融など）は、広告の規制や社会的弱者への配慮、またそうした悪影響を出さないための自主的かつ積極的な活動が求められる。医薬品ビジネスに従事する企業に対しては、医薬品の届きづらい途上国への配慮と具体的な対処方法などが求められている。

日本企業は規制や法律を遵守する一方で、こうした自社の事業や製品の社会的な影響について自主的な活動を積極的に行っている企業が多いとはいえない点が、このテーマにおける平均スコ

図表4-7　ESGの14テーマにおける、日本企業と先進国企業のスコア比較（2021年12月）

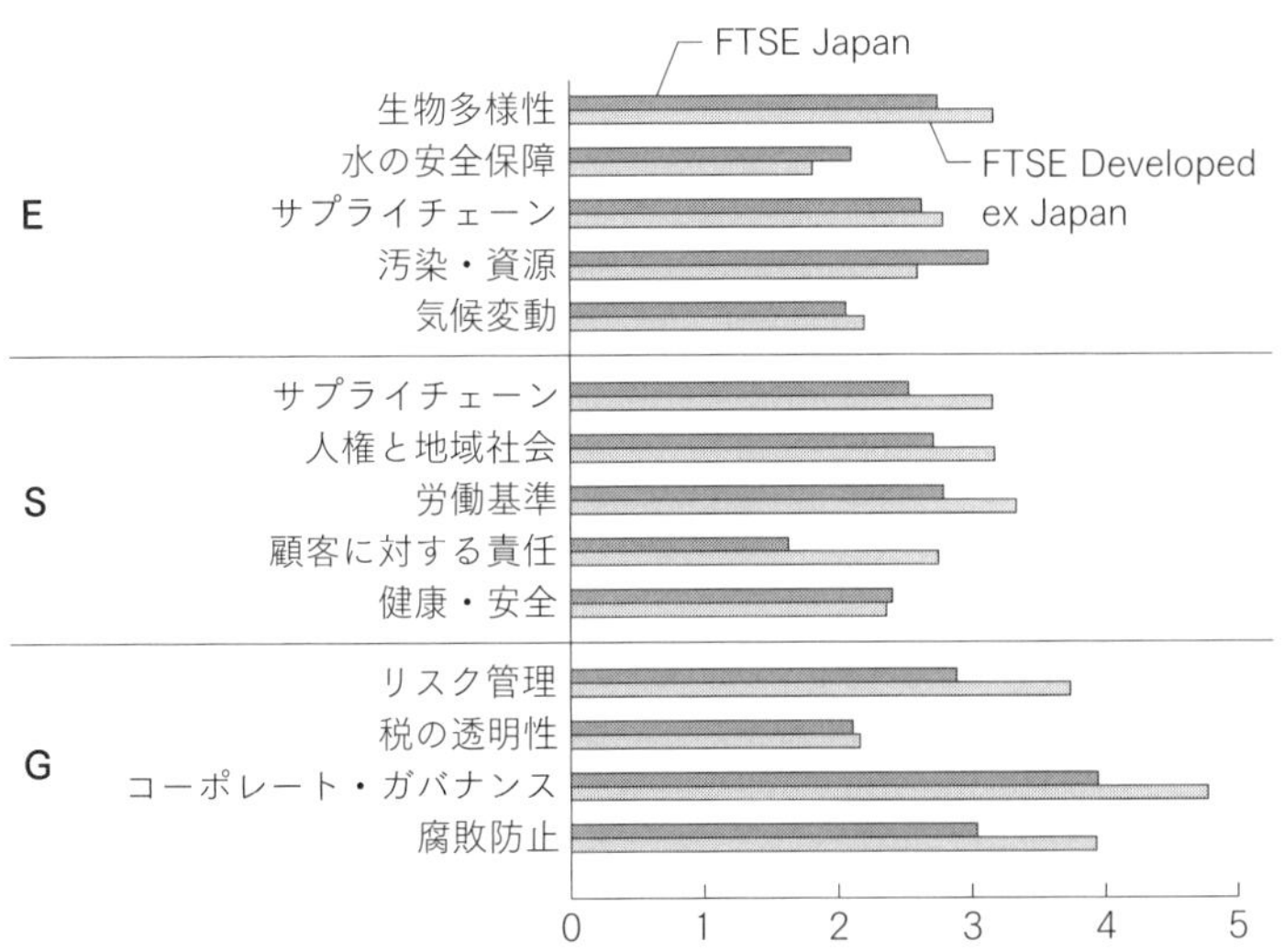

（出所）FTSE Russell 資料をもとに筆者作成

図表4-8　ESGスコアの推移（5点満点）

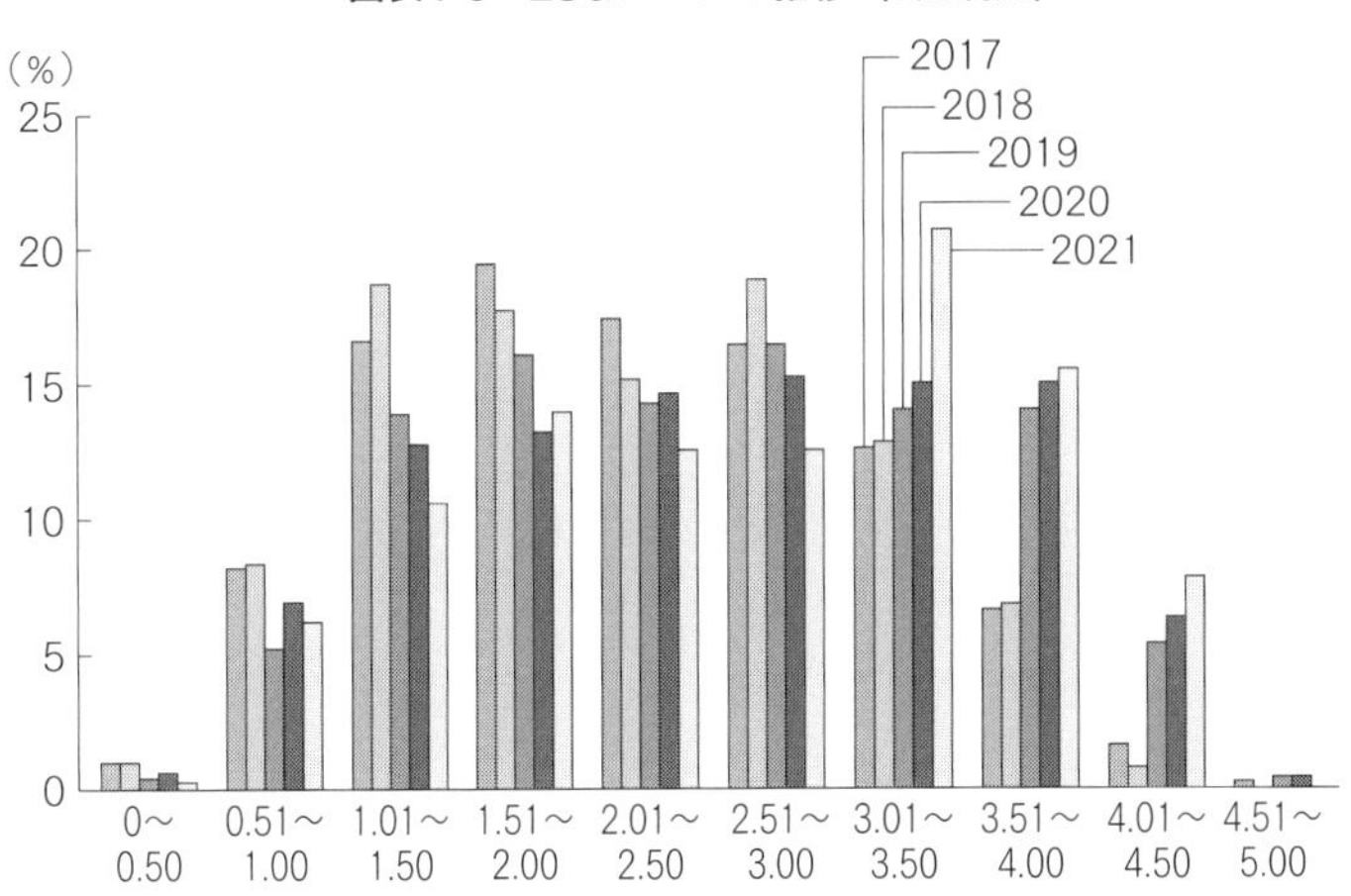

（出所）FTSE Russell資料をもとに筆者作成

アが低い原因のひとつであり、改善が求められる点である。

◆株式におけるＥＳＧ投資

ここまでＥＳＧ投資の前提となるＥＳＧレーティングについて述べた。以降では、特に株式投資においてＥＳＧレーティングをどのようにして活用していくか、いくつかの具体例を示す。

日本における代表的なＥＳＧ投資家と広く認知されているＧＰＩＦは、図表４－９に示したようなＥＳＧ指数を採用している。また図表４－10は、ＧＰＩＦが採用するＥＳＧ指数のひとつ「FTSE Blossom Japan Index」がどのように構築されているかを示している。この図からわかるように、このインデックスはＥＳＧ評価の一定スコア以上の企業を組み入れたインデックスである。

本章第１節（１５７ページ）でＧＳＩＡの定義による７つのＥＳＧ投資戦略を紹介したが、これらの戦略を実施するにあたってＥＳＧレーティングが活用されている。例えば、ネガティブ・スクリーニングではＥＳＧレーティング（スコア）が低い企業がインデックスの対象から外されるケースが考えられる。他方、ポジティブ・スクリーニングではＥＳＧレーティング（スコア）が高い企業を選別してインデックスを組成することが考えられる。また、ＥＳＧ総合評価の高い企業を選別する手法に加えて、例えば脱炭素に前向きに取り組む企業、女性の活躍度が高い企業など、ＥＳＧのなかのあるテーマに絞って評価の高い企業を選別して組成されるインデックスも

図表4-9　GPIFが採用するESG指数一覧

ESG総合指数	FTSE Blossom Japan Index	FTSE Blossom Japan Sector Relative Index	MSCIジャパンESGセレクトリーダーズ指数	MSCI ACWI ESG　ユニバーサル指数（除く日本、除く中国A株）
指数構築	選別型	選別型	選別型	ティルト型
組入対象資産	国内株式	国内株式	国内株式	外国株式
指数構成銘柄	229	493	222	2,111
ESGテーマ指数	**MSCI　日本女性活躍指数**	**Moriningstar先進国（除く日本）ジェンダー・ダイバーシティ指数**	**S&P/JPXカーボン・エフィシェント指数**	**S&Pグローバル（除く日本）大中型カーボンエフィシエント指数**
指数構築	選別型	ティルト型	ティルト型	ティルト型
組入対象資産	国内株式	外国株式	国内株式	外国株式
指数構成銘柄	352	2,149	1,855	2,428

（出所）GPIF 2021年度ESG活動報告をもとに筆者作成（データは2022年3月時点）

図表4-10　FTSE Blossom Japan Index　インデックス構築サマリー

FTSE Japan ALL Cap Index（親指数）

銘柄選定（FTSE ESGスコア≧3.3）
E（生物多様性、気候変動、汚染・資源、水の安全保障、サプライチェーン）
S（顧客に対する責任、健康・安全、人権と地域社会、労働基準、サプライチェーン）
G（腐敗防止、コーポレート・ガバナンス、リスク管理、税の透明性）

FTSE Blossom Japan Indexでは、業種別のICBウエイトを、FTSE Japan All Cap Indexの業種別ウエイトと同じウエイト（業種ニュートラル）に設定

FTSE Blossom Japan Index

（出所）FTSE Russell資料をもとに筆者作成

存在する。

ＥＳＧレーティング（スコア）を参照して親指数の投資ウエイトを調整する「ティルト」は、ネガティブ・スクリーニングとポジティブ・スクリーニングを組み合わせた手法といえるかもしれない。例えば、ＥＳＧレーティング（スコア）が高い企業をオーバーウエイトする一方で低い企業をアンダーウエイトするケース、炭素排出量の多い企業をアンダーウエイトする一方でグリーン事業で収益を上げている企業をオーバーウエイトするケースなどがこれに該当する。こうしたティルト手法は、親指数と投資銘柄数を同じにすることで親指数からの乖離（トラッキングエラー）を抑えたり、売買（ターンオーバー）を少なくして取引コストを抑制したりするなどの効果が期待できると考えられている。

テーマ型と気候インデックス

低炭素経済への移行、気候トランジションには莫大な資金需要があるといわれており、ある意味ではこうした低炭素経済への移行は大きな投資チャンスであるといえる。こうした状況下で近年、気候関連のインデックスがサステナブル投資インデックス全体のなかで占めるシェアが高まっている。この背景には、資金需要の大きさに加えて、ＴＣＦＤ等の気候開示規則の標準化、企業によるビジネスに及ぼす気候変動リスク開示の拡大とそれに基づく気候変動データの充実といった要因があると考えられる。

図表4-11　サステナブル投資インデックスのフレームワーク

気候（CLIMATE）		
ACCELERATE グリーン経済の加速	TRANSITION 低炭素経済への移行	ALIGN 規制の基準と目的を満たす
ESG		
SELECT 投資銘柄をセレクト	INTEGRATE 投資戦略にESGを統合	ALIGN 規制の基準と目的を満たす

（出所）FTSE Russellの資料をもとに筆者作成

気候インデックスの種類は主に、グリーン経済の加速、低炭素経済への移行（トランジション）、規制適応型の3つに分類される。

グリーン経済の加速

気候変動リスク開示に対して、再生エネルギーやＥＶ（電気自動車）など脱炭素に伴って成長するグリーン経済を加速させるビジネスを行っている企業に投資するインデックスなどがこのカテゴリーに入る。ここで最も難しいのが「グリーン事業」の定義である。国際的にも、二酸化炭素を出さない原子力や、石炭・石油と比べて炭素排出が少ない天然ガスなどがグリーンとして定義されるのかという議論はまだ決着をみていない。いわゆるグリーン分類論争であり、その分類のなかで最もポピュラーなのはいわゆるＥＵタクソノミーである。グリーンウオッシュの防止にも役立つこうしたＥＵタクソノミー等に

図表4-12　EUタクソノミーをベースに独自にグリーン事業を特定しているFTSEグリーン収益分類システム

エネルギー生成

- Bio Fuels
- Cogeneration
- Clean Fossil Fuels
- Geothermal
- Hydro
- Nuclear
- Ocean & Tidal
- Solar
- Waste to Energy
- Wind

エネルギー管理と効率

- Buildings & Property (Integrated)
- Controls
- Energy Management Logistics & Support
- Industrial Processes
- IT Processes
- Lighting
- Power Storage
- Smart & Efficient Grids
- Sustainable Property Operator

エネルギー設備

- Bio Fuels
- Cogeneration Equipment
- Clean Fossil Fuels
- Fuel Cells
- Geothermal
- Hydro
- Nuclear
- Ocean & Tidal
- Solar
- Waste to Energy
- Wind

環境資源

- Advanced & Light Materials
- Key Raw Minerals & Metals
- Recyclable Products & Materials

環境支援サービス

- Environmental Consultancies
- Finance & Investment
- Smart City Design & Engineering

食料と農業

- Agriculture
- Aquaculture
- Land Erosion
- Logistics
- Food Safety, Efficient Processing & Sustainable Packaging
- Sustainable Plantations

輸送機器

- Aviation
- Railways
- Road Vehicles
- Shipping

輸送ソリューション

- Railways Operator
- Road Vehicles
- Video Conferencing

廃棄物と汚染処理

- Cleaner Power
- Decontamination Services & Devices
- Environmental Testing & Gas Sensing
- Particles & Emission Reduction Devices
- Recycling Equipment
- Recycling Services
- Waste Management

水インフラとテクノロジー

- Advanced Irrigation Systems & Devices
- Desalination
- Flood Control
- Meteorological Solutions
- Natural Disaster Response
- Water Infrastructure
- Water Treatment
- Water Utilities

（出所）FTSE Russell資料より筆者作成

沿ってグリーン事業を特定し、そこから収益を創出している企業に投資するものなどがこのカテゴリーに含まれる。

低炭素経済への移行（トランジション）

以前は、こうした気候インデックスは、高炭素排出企業やセクターをインデックスから除外（exclusion）することが主流であった。しかし脱炭素やネットゼロを実現するためには、こうした高炭素排出企業や途上国の脱炭素化を、投資の力によって支援していくことが必要である。またこうした低炭素経済への移行プロセスに、投資やファイナンスが果たす重要性がより増してきていることを受け、移行（トランジション）に注目したインデックスに関心が集まっている。

例えば、主として高炭素排出企業の移行を促す国際的なイニシアチブであるＴＰＩ（Transition Pathway Initiative）[10]は、温室効果ガス排出量の管理や、低炭素経済への移行に関するリスクと機会への対応の質を評価した経営品質（ＭＱ）と、企業の脱炭素への削減経路を国際公約などと比較・評価するカーボンパフォーマンス（ＣＰ）という2つの観点から企業の気候対応を評価してスコアリングを行っている。こうしたＴＰＩスコアによって企業を選別する気候変動インデックスなども、新たな投資戦略として注目を集めてきている。

ここで、移行（トランジション）というのは石炭火力などを使って炭素を排出してもよい猶予期間という意味ではない。例えば、ＴＰＩのスコアでは、脱炭素に向けた企業コミットメントや

図表4-13　TPIの2つの気候移行スコアの概要

経営品質（MQ）	カーボンパフォーマンス（CP）
企業の経営品質（MQ）は、企業の方針、排出量の報告と検証、目標、戦略的リスク評価、役員報酬などの問題をカバーする一連の指標に対して評価。 これらの指標に対するパフォーマンスに基づいて、企業は次の5つのレベルのいずれかに分類。 • **レベル0**―気候変動をビジネス課題として気づいて（aware）いない（または認識していない） • **レベル1**―気候変動をビジネス課題として認識 • **レベル2**―キャパシティの構築 • **レベル3**―運用上の意思決定に統合 • **レベル4**―戦略的に評価	国際エネルギー機関（IEA）が隔年で実施するエネルギー技術展望レポートを使い、各国レベルで作成された排出目標をセクター別ベンチマークに変換、個々の企業のパフォーマンスを比較。 このフレームワークは3つのベンチマークシナリオを使用したセクター別脱炭素アプローチとして認知。 • **パリ制約**　パリ協定の一部として各国が誓約した排出削減目標（NDC）と一致 • **2℃**　野心の範囲の下限ではあるが、パリ協定の全体的な目的と一致 • **2℃未満**　すなわちパリ協定の全体的な目的のより野心的な解釈と一致

（出所）TPIウェブサイトより筆者作成

マネジメント力、削減ペースなどが定量的に評価され、スコアリングされている。現在脱炭素やカーボンニュートラルを目標に掲げる企業が増えているが、脱炭素は、期限が近付いてきたから突然やろうと思っても対応可能なものではなく、実現性に対し不確実性の高い企業に対しては、投資を躊躇する傾向が増している。

規制適応型

欧州連合（EU）では、低炭素経済に向けた投資を促すこと、削減量やペースなど脱

図表4-14　EUの気候ベンチマーク（CTB、PAB）の内容

EU CTBs and EU PABs　ミニマムスタンダード　サマリー

気候シナリオ	資産配分の制約	脱炭素化目標（年）	ベースライン削減値
IPCC　1.5℃ シナリオからのオーバーシュートがないまたは限定的	**＝or＞** 気候変動のインパクトが極めて大きいセクター	**－7％** 2050年までのGHG排出原単位の年間平均削減値の下限	**CTB　－30％** **PAB　－50％** 市場ベンチマークと比較したGHG排出原単位の削減値の下限
除外（ベースライン）		**事業における除外**	
除外 問題性のある武器、たばこ、UNGC（国連グローバル・コンパクト）原則に抵触	**重大な害を及ぼさない（DNSH）** 重大な害を及ぼさない追加のUNGC環境ウォッチリストスクリーニング	**PAB** 石炭（収益の1％以上） オイル（収益の10％以上） 天然ガス（収益の50％以上） ライフサイクルGHG排出量の炭素強度が100gCO_2e/kWh超の発電事業（収益の50％以上）	

（注）Scope3は4年間のタイムラインにおいて段階的に適用
（出所）TEG FINAL REPORTON CLIMATE BENCHMARKS AND BENCHMARKS' ESG DISCLOSURES September 2019より筆者作成

炭素への経路を長期的に管理すること、またいわゆる気候ウォッシュを防ぐことを目的として、EUベンチマーク規則のなかに、気候移行ベンチマーク（CTB）とパリ協定準拠型ベンチマーク（PAB）を示している。これらにおいてはネットゼロに向けた毎年の炭素削減率、ベンチマークと比較した場合の削減割合、除外規定などのミニマムスタンダードが定められており、各基準に基づきインデックスを構築、運営しなければならない。こうした気候関連の規則に対応したインデックスに対する投資家の需要も増えている。

その他テーマ型インデックス

ＥＳＧ総合型以外を一律に、あるいは気候変動関連インデックスをテーマ型とするのは議論の分かれるところだが、先のＧＰＩＦのカテゴリーに従えば、他にも女性活躍、ジェンダー、ダイバーシティといったＥＳＧの特定のテーマにフォーカスしたインデックスがある。また昨今では、気候変動の次の大きなＥＳＧ投資テーマとして、生物多様性や人的資本といったインデックスの開発への需要が生まれつつある。

ただし、インデックス構築の前提として、信頼性の高い、客観的かつ合理的な基準で作成されるデータと、テーマの正確な定義が必要である。その点において、こうしたテーマ投資においても、気候関連と同じく、独自の規則やガイドライン、イニチアチブによるディスカッションの進展が、投資家から望まれている。

FTSE Blossom Japan インデックスシリーズのパフォーマンス

FTSE Blossom Japan インデックスシリーズのリターンは、ベースとなる（ＥＳＧを考慮していない）インデックスを、特にここ最近上回ってきている（図表４－15）。

この原因としては、以下の２つが考えられる。

図表4-15　ESGスコアを取り入れたFTSE Blossom Japanインデックスシリーズおよびベンチマークインデックスのリターン比較（%：2023年4月現在）

インデックス名	2023（4月迄）	2022	2021	2020	2019	2018	直近3年（年率）	直近5年（年率）
FTSE Blossom Japan	10.7	−2.0	17.2	7.0	19.8	−16.7	16.7	6.7
FTSE Blossom Japan Sector Relative	10.7	−2.0	16.3	7.0	19.4	−15.2	16.4	6.7
FTSE Japan All Cap（ベンチマーク）	9.9	−2.8	13.1	8.0	18.4	−15.8	14.8	5.7

（出所）FTSE Russell factsheetsをもとに筆者作成。Past performance is no guarantee of future results. Returns shown before the index launch date reflect hypothetical historical performance.

ひとつは、日本企業のＥＳＧ情報開示が、ここ数年で充実してきている点が挙げられる。以前はＥＳＧ情報の開示は一部の大手の国際企業に限られ、開示方法もまちまちであった。しかし昨今では、国際的なイニシアチブやＥＳＧ評価会社が明確なＥＳＧ評価基準を定義してきていることもあって、ＥＳＧリスクを把握・開示し、改善に向けて努力する企業が増えてきた。結果的に、こうした社会的な要請の高まりと企業のＥＳＧ開示の努力が自社の長期的な価値向上につながってきていると思われる。

もうひとつは、企業の長期リスクや将来価値評価のスタンダードとしてのＥＳＧ情報に対する投資家の認識が広がっていることが挙げられる。これまでは企業の利益や資産、配当といった財務情報を主たる投資情報としてきた投資家や運用会社、インデックスプロバイダーが、ＥＳＧという非財務情報をインデックスや投資プロセスに組み込むことで、企業を選別する傾向が強まってきている。

この2つはますます強まる傾向にあり、それが希薄であった過去の運用実績だけでなく、将来的な傾向をみて投資をしていくことも重要となるのではないかと思われる。

◆債券におけるESG投資

債券におけるESG投資では、前出のESGレーティングを用いた投資も行われているが、特に高格付け国債、国際／政府機関債の領域ではESGレーティングと債券のパフォーマンスの関係についてコンセンサスが存在しないなか（後述するように、こうした関係を分析した研究は株式に比べて圧倒的に少ない）、現状では株式ほど活発には行われていない模様である。

他方で、債券におけるESG投資の有力な手法とみなされているのは、ESG債への投資である。「ESG債」の厳密な定義はないが、GSS債（グリーンボンド、ソーシャルボンド、サステナビリティボンドの総称）がESG債であることはほぼ投資家の共通認識となっており、サステナビリティ・リンク・ボンドやトランジションボンドをESG債に含むか否かについては見方が分かれている。

図表4－16はGSS債の発行額の推移をみたものであるが、2015～2016年頃まではGSS債市場は無視できるほどに小さかったのが、2017年以降に急拡大していることがわかる。また、2019年まではGSS債の発行のほとんどをグリーンボンドが占めていたのに対して、2020年以降はソーシャルボンド[11]、サステナビリティボンドの発行が増加した点が特徴的

図表4-16　GSS債の発行額（年次）

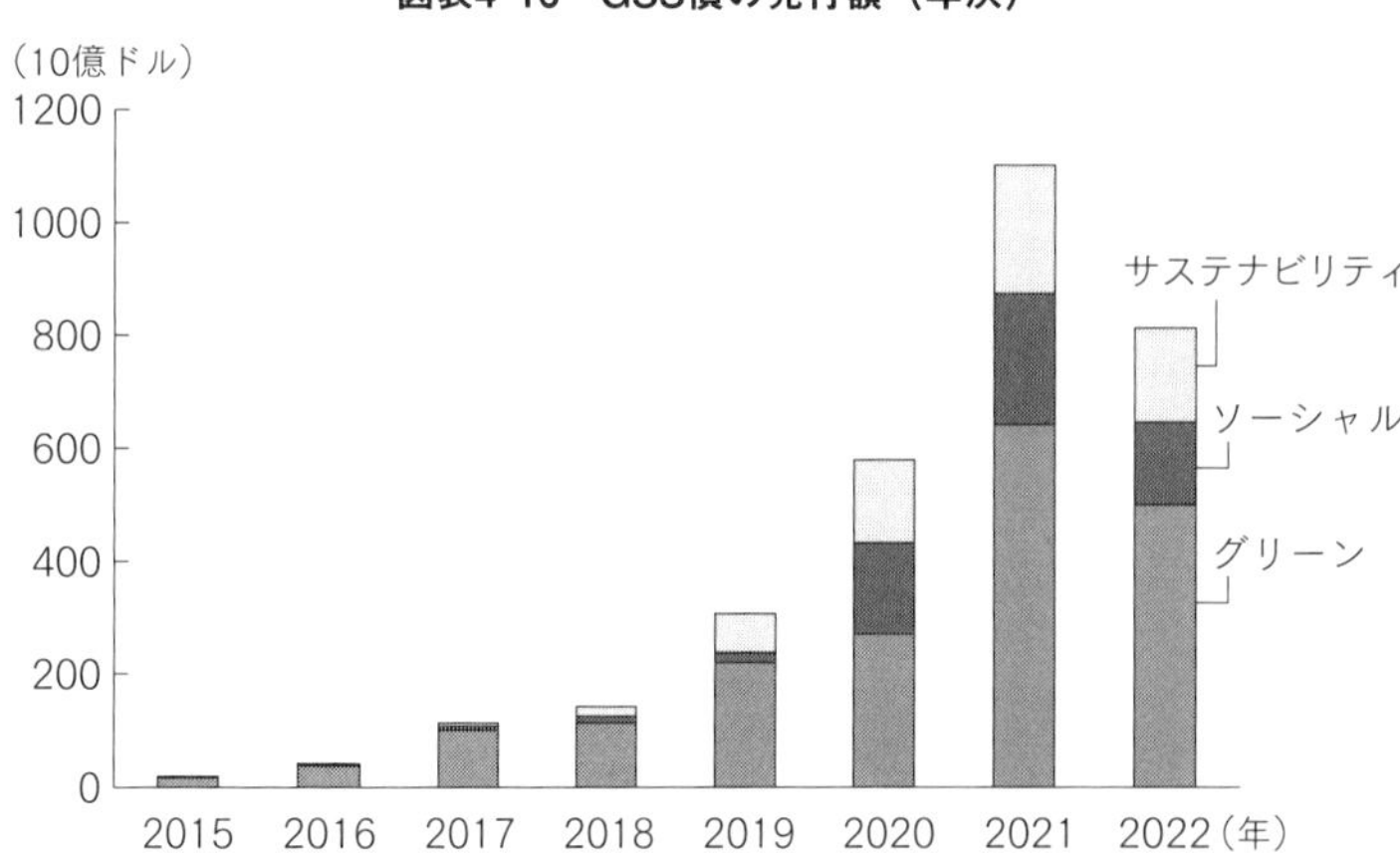

（出所）ブルームバーグのデータより筆者作成

である。２０２２年には前年まで一本調子に増加してきた発行が減少に転じたが、これは世界的なインフレ加速を受けた金利の大幅上昇と、市場のボラティリティの急拡大によって債券の発行環境が大きく悪化したことが主因であり、状況が落ち着きを取り戻せば、ＧＳＳ債の発行は増加に転じるとの見方が大勢である。

以下では、ＧＳＳ債の概要を簡潔に述べるが、ＧＳＳ債にはＥＳＧと紐付いた原則やガイドラインが存在しており、これがこうした債券への投資がＥＳＧ投資であることを担保している。前出のＧＳＩＡの分類では、一般的にＧＳＳ債への投資はインパクト投資に分類される。

グリーンボンド

グリーンボンドとは、環境改善効果をもたらすことを目的としたプロジェクト（グリーン・プロジェクト）に要する資金を調達するために発行される債券である。初のグリーンボンドは2008年にIBRDが発行した債券（33・5億スウェーデンクローナ）といわれるが、発行する債券に「グリーンボンド」と名付けるうえでの制約はなかった。

当初は、グリーンボンドの発行体はほとんどが国際機関だったが、2014年に欧米4銀行[12]が策定したグリーンボンド原則（GBP）を受けて定義が明確化され、民間による発行も拡大した。GBPは、(1)調達資金の使途（調達資金の使途は、明確な環境的ベネフィットをもたらすグリーンプロジェクトでなければならない）、(2)プロジェクトの評価とプロセス、(3)調達資金の管理、(4)レポーティング――の4項目からなり、発行する債券および発行プログラムがこれら4要素に適合していることを確認するために、外部評価を付与する機関を任命することが推奨されている。

その後、GBP以外にもいくつかの主体が基準やガイドラインを公表している。例えば、英気候債券イニシアチブ（CBI）は気候ボンド基準（CBS）への準拠について外部評価を受けた債券に認証を付与している。

ソーシャルボンド

ソーシャルボンドは、社会的問題への対処に向けた事業を資金使途とする債券である。

2017年にICMA[13]がソーシャルボンド原則（SBP）を公表。SBPは、(1)調達資金の使途（調達資金の使途は明確な社会的ベネフィットをもたらすソーシャルプロジェクトでなければならない)、⑵プロジェクトの評価とプロセス、⑶調達資金の管理、⑷レポーティング――の４項目からなり、発行する債券および発行プログラムがこれら４要素に適合していることを確認するために、外部評価を付与する機関を任命することが推奨されている。初のソーシャルボンドは、予防接種のための国際金融ファシリティが２００６年11月に発行したワクチン債といわれている。

ソーシャルボンドに類似した商品としてソーシャルインパクトボンド（ＳＩＢ）がある。ＩＣＭＡはＳＩＢについて、ＰＰＰ（官民連携）の一種であり、債券の一般的な特徴を有していないことが多いとしている（ＳＩＢは成果払い型の金融商品）。

サステナビリティボンド

サステナビリティボンドは、環境と社会開発等に共に資する事業を資金使途とする債券であり、ＩＣＭＡは２０１７年６月にサステナビリティボンド・ガイドライン（ＳＢＧ）を公表した（２０１８年６月に改訂）。

ＳＢＧによると、サステナビリティボンドはその手取り金の全額がグリーンプロジェクトおよびソーシャルプロジェクト双方への初期投資またはリファイナンスに充てられるもので、ＧＢＰとＳＢＰに共通する４つの核となる要素に適合する債券である。ＩＣＭＡは、当該債券をグリーン、ソーシャル、サステナビリティのいずれに分類するかは、当該プロジェクトの主な目的に基づき、発行体が決めるべき（ただし、同一の債券について複数の名称を用いることは避けるべき）であるとしている。

サステナビリティ・リンク・ボンド（SLB）

ＩＣＭＡは2020年6月にサステナビリティ・リンク・ボンド原則（ＳＬＢＰ）を公表した。ＳＬＢＰによると、ＳＬＢは「発行体が事前に設定したサステナビリティ／ＥＳＧ目標の達成状況に応じて、財務的・構造的に変化する可能性がある債券」の総称である。発行体は、事前に設定した時間軸のなかで、自社のサステナビリティ目標達成に向けて将来改善することを明示的に表明する。ＳＬＢは発行体のサステナビリティ目標の達成状況に連動して利率などの財務的・構造的要素が変化する。こうした目標は事前に選定されたＫＰＩ（Key Performance Indicator：重要業績評価指標）を通じて測定され、事前に設定したＳＰＴｓ（Sustainability Performance Targets）によって評価される。ＳＬＢは調達資金の使途に対する制限が緩い点が魅力的であるが、これは「サステナビリティ・ウオッシュ」に利用されやすいという点で諸刃の剣である。

トランジションボンド

江夏（2020）によれば、トランジションボンドは「二酸化炭素排出量等の観点からグリーンボンドの発行基準を満たさないものの、低炭素経済社会等に移行（トランジション）するためのプロジェクトを資金使途とする債券」である。

以上から明らかなように、ＳＬＢとトランジションボンドはＧＳＳ債に比べてＳＤＧｓとの関連が曖昧であるため不正が生じる余地が大きく、その運用にはより一層の慎重さが求められる。他方、ＳＤＧｓの様々な課題がすべて（例えば２０５０年までに）確実に解決されるとの前提は、あまりに楽観的すぎるように感じられる。こうした前提が非現実的なのであれば、ＳＤＧｓを達成するためにＳＬＢやトランジションボンドが果たす役割は重要である。

ＳＤＧｓをファイナンスするＥＳＧ債

本章の冒頭で、ＥＳＧ投資はＳＤＧｓという長期的な目標を達成するための金融面からの手段であると述べた。こうした観点から、ＩＣＭＡはＧＳＳ債とＳＤＧｓの各々の目標を紐付ける作業を行っており、興味深い（図表４－17）。

（より重要な）ＥＳＧ債以外の債券におけるＥＳＧ投資

図表４－16に示したようにＧＳＳ債の市場は近年大きく拡大しているが、それでも債券市場全体に占めるＧＳＳ債のシェアは依然小さく、１～２％程度である。ＧＳＳ債への投資は債券投資の分野でＥＳＧ投資を実装する、ある意味手っ取り早い手段であるが、ＧＳＳ債の市場規模は、

図表4-17　SGDsとGSS債の関係

		グリーンボンドの事業区分										ソーシャルボンドの事業区分					
		再生可能エネルギー	エネルギー効率	汚染防止および抑制	生物資源および土地利用に係る環境的に持続可能な管理	陸上および水生生物の多様性の保全	クリーン輸送	持続可能な水資源および排水管理	気候変動への対応	環境効率の高いまたは循環型経済に適合する製品、生産技術、プロセス	地域・国または国際的に認められた認証に合致したグリーンビルディング	手ごろな価格の基本的インフラ整備	必要不可欠なサービスへのアクセス	手ごろな価格の住宅	中小企業向け資金供給およびマイクロファイナンスによる潜在的効果の活用を含めた雇用創出	食料安全保障	社会経済的向上とエンパワーメント
SDGs	1 貧困								○				○	○			○
	2 飢餓				○	○			○			○	○			○	○
	3 保険	○		○								○	○				
	4 教育												○				○
	5 ジェンダー												○				○
	6 水・衛生					○		○				○					
	7 エネルギー	○	○									○					
	8 経済成長と雇用	○	○							○			○		○		○
	9 インフラ・産業化・イノベーション	○	○									○	○		○		
	10 不平等												○				○
	11 持続可能な都市	○		○	○	○	○	○		○	○	○		○			○
	12 持続可能な生産と消費	○		○	○			○		○						○	
	13 気候変動								○								
	14 海洋資源				○	○											○
	15 陸上資源				○	○											
	16 平和																
	17 実施手段																

（出所）水口他（2019）より筆者作成

図表4-18　株式、社債、国債へのESG投資戦略の適用

戦略	倫理的（ネガティブ/除外スクリーニング）	規範ベーススクリーニング	インテグレーション	ESGエンゲージメント/アクティビズム	ESGベスト・イン・クラス	ESG（ポジティブ/テーマ型）投資
株式	◎	◎	◎	◎	◎/○	◎/○
社債	○	○	◎	○/X	X	◎/○
国債	X	○	◎	X	X	X

（出所）ゴ（2016）より筆者作成

既にGSS債以外の債券の大規模なポートフォリオを保有する機関投資家や公的資金がポートフォリオの大部分を置き換えることができるほどには大きくない。したがって、こうした投資家にとっては当面、GSS債以外の債券がポートフォリオの主力であり続け、この分野においてESG投資をどのように実装していくかが、大きな課題となっている。

特に問題となるのが、高格付けの国債、国際・政府機関債における対応である。前述したように、ESG投資は株式投資の分野で発展したものであり、債券は後発である（後述するように、ESGの投資パフォーマンスへの影響に関する実証分析は、株式投資については膨大な先行研究があるが、債券はほとんどない）。それでも、社債については株式投資の手法がある程度適用可能であると考えられるが、こうした手法を高格付け国債、国際・政府機関債への投資に適用するのは困難である（図表4－18）。

グリーニアム（Greenium）その他のトピック

近年、GSS債の発行が急増するなかで、債券市場参加者の間

では同じ発行体が発行したＧＳＳ債と非ＧＳＳ債のパフォーマンスの差がしばしば議論されている。特に２０２１年前半にはＥＳＧ投資がややブーム的な盛り上がりをみせたこともあってＧＳＳ債への需要が極めて強く、同一の発行体、同一の年限で比較すると、ＧＳＳ債のほうが割高で取引されるケースが散見された。このケースにおけるＧＳＳ債と非ＧＳＳ債のスプレッドが、グリーニアム（Greenium：「グリーン」と「プレミアム」を合成した造語）と呼ばれるものである（字義の通り、グリーニアムは本来、グリーンボンドの非グリーン債に対するプレミアムを指す用語だが、ソーシャルボンド、サステナビリティボンドのプレミアムも同様のものと捉えて差し支えないだろう）。

もっとも、グリーニアムは２０２１年後半以降縮小し、今後どのような展開を辿るかについては投資家のコンセンサスは存在しない模様である。また、ＧＳＳ債は市場が小さいため非ＧＳＳ債に比べて流動性リスクが高い一方で、主な買い手が年金基金や保険会社など満期保有を前提とした長期安定的な投資家であることから、投資家のリスク回避姿勢が強まる際に売られにくいといった説もしばしば聞かれるが、こうした説についてもコンセンサスは存在しない。現時点では、ＥＳＧ投資における高格付け国債、国際・政府機関債のパフォーマンスについては、信頼できる実証分析を行うのに必要なデータが蓄積されていないため、手探りの状況が続いている。

◆ＥＳＧ投資のパフォーマンス

本節では、主に湯山（２０２０）に依拠してＥＳＧ投資のパフォーマンスについての基本的な考え方を示したうえで、ＥＳＧ投資のパフォーマンスに関する実証研究の代表的なサーベイ論文である Friede et al.（2015）と Gillan et al.（2021）の内容を簡単に紹介する。

ＥＳＧ投資のパフォーマンスについての考え方

前述したように、ＳＲＩなど以前から存在した類似のコンセプトに基づく投資が今ひとつ盛り上がりを欠いたのに対してＥＳＧ投資が近年爆発的に拡大したことの背景には、平たくいえば「ＥＳＧ投資は儲かる（少なくともリターンを犠牲にすることはない）」という認識が投資家間で広がったことがあると考えられる。それでは、「ＥＳＧ投資は儲かる」ことの理論的背景は、どのように整理できるだろうか。

ＥＳＧと共通する部分もあるＣＳＲ活動の企業価値への影響については、Freedman（1970）に代表されるように、ＣＳＲ活動は企業に追加的コストを要求するためむしろネガティブであるとの見方が大勢であった。筆者の感触では、ほんの数年前までは、同様の考え方からＥＳＧ活動が企業のパフォーマンスに与える影響について懐疑的にみている投資家は、決して少なくなかったように思える。

これに対して近年の研究では、ＥＳＧ活動が企業価値にとってむしろポジティブに働くとの主張が多くみられるようになった。この点について湯山（2020）は、企業のESG活動は、⑴ステークホルダーとの関係向上、⑵周囲との関係改善による情報の非対称性の低下、⑶反社会的活動を招きかねないリスクの減少――などを通じた企業活動リスクの低減やサステナビリティの向上により、企業価値向上や資本調達コストの低下に資すると整理している。他方で湯山（2020）は、企業にとっての資本コストの低下は、投資家にとっては低い期待リターンを意味する点に注意が必要と指摘している。ESG活動の企業活動のリスクが低下すれば、その企業への投資リスクも低下する。ここでリターンが高いままなら当該企業への投資は「ローリスク・ハイリターン」となるが、これは「フリーランチは存在しない」というファイナンス理論の根本的な定理に反する。

また湯山（2020）は、ESG投資のパフォーマンスがネガティブとなることの根拠として、⑴（ダイベストメント等によって）投資対象に制限が加えられるため、モダンポートフォリオ理論における分散効果のメリットが十分享受できなくなることと、⑵スクリーニングの際のコスト負担、を挙げている。前者に関しては、そもそもESG投資が持続的にアウトパフォームするとの考え方は、長期的に市場平均に対する超過収益（α）を得ることはできないという、モダンポートフォリオ理論の効率的市場仮説に反している。

この点について、ESG投資はαを追求するものではなく、市場全体のパフォーマンス自体（β）を向上させるとの考え方もある。湯山（2020）は具体例として、「アベノミクス」によってコーポレートガバナンスに対する注目が高まった際、日本企業のガバナンス改善に対する期待から日本株が買われ、ＴＯＰＩＸ（＝市場ポートフォリオ）が大きく上昇した事例を挙げている。このケースは、日本企業のＥＳＧパフォーマンスが高いことが株高につながったのではなく、ＥＳＧパフォーマンス改善に対する期待の高まりを背景にバリュエーションに対する認識が変化したことが株価上昇につながったと解釈できる。

先行研究のサーベイ

以下では、ＥＳＧ投資のパフォーマンスに関する研究の代表的なサーベイ論文である Friede et al.（2015）と Gillan et al.（2021）について、その内容を概観する。

この分野でよく引用される Friede et al.（2015）は、１９７０年代以降の２２００以上の既存研究をサーベイしたものである。なお、Friede et al.（2015）自身がサーベイした論文は60本であり、２２００本はこれら60本の論文中でサーベイされた論文の合計（重複調整後）である。

図表４－19と図表４－20は Friede et al.（2015）からの引用であり、アンケート調査（vote-counted：計35本）と実証分析（meta analysis：計25本）の２つのグループにおける分析結果のサマリーである。以下に２つの表の読み方を簡潔に示す。

アンケート調査の分析結果のサマリーである図表４－19の一番上に Arlow and Gannon（1982）があるが、これはＥＳＧのうち「Ｓ」にフォーカスした論文７本をサーベイしたものであり、

図表4-19　Friede et al.（2015）アンケート調査

Study	Focus	# of studies surveyed	Share of Findings			
			Positive	Neutral	Negative	Mixed
Arlow and Gannon（1982）	S	7	42.9%	42.9%	14.3%	
Cochran and Wood（1984）	S, E	13	69.2%	23.1%	7.7%	
Aupperle, Carroll, and Hatfield（1985）	S, E	9	55.6%	22.2%	11.1%	11.1%
Ullmann（1985）	S, E	24	54.2%	20.8%	12.5%	12.5%
Capon, Farley, and Hoenig（1990）	S, E	14	75.9%		19.5%	4.6%
Wood and Jones（1995）	S, E	51	49.0%	21.6%	13.7%	15.7%
Pava and Krausz（1996）	S, E	21	57.1%	38.1%	4.8%	
Griffin and Mahon（1997）	S, E	50	44.0%	12.0%	22.0%	22.0%
Roman, Hayibor, and Agle（1999）	S, E	45	60.0%	24.4%	4.4%	11.1%
Richardson, Welker, and Hutchinson（1999）	E, S	22	50.0%	45.5%	4.5%	
Margolis and Walsh（2003）	S, E	126	42.9%	22.2%	5.6%	29.4%
Salzmann, Ionescu-Somers, and Steger（2005）	S, E	12	50.0%	25.0%	25.0%	
McWilliams, Siegel, and Wright（2006）	S, E	12	33.3%	25.0%	16.7%	25.0%
Gillan and Starks（2007）	G	39	35.9%	43.6%	5.1%	15.4%
Ambec and Lanoie（2007）	E	41	68.3%	22.0%	4.9%	
van Beurden and Gossling（2008）	E, S	34	67.6%	26.5%	5.9%	
Peloza（2009）	S, E	130	63.0%	22.0%	15.0%	
Blanco, Rey-Maquieira, and Lozano（2009）	E	32	71.9%	21.9%	6.3%	
Molina-Azorin et al.（2009）	E	32	62.5%	12.5%	12.5%	12.5%
Horvathova（2010）	E	44	54.7%	29.7%	15.6%	0.0%
Westlund and Adam（2010）	S	21	85.7%			14.3%
Love（2010）	G	45	77.8%	0.0%	22.2%	
Derwell, Koedijk, and Horst（2011）	Funds	18	16.7%	33.3%	22.2%	27.8%
Gunther, Hoppe, and Endrikat（2011）	E	274	44.5%		11.8%	43.7%
Sjostrom（2011）	E, S	21	23.8%	33.3%	14.3%	28.6%
Boaventura, Santos da Silva, and Bandeira-de-Mello（2012）	S, E	58	55.2%	27.6%	10.3%	6.9%
Rathner（2013）	Funds	25	13.2%	72.0%	14.9%	0.0%
Schultze and Trommer（2012）	E	36	50.0%	19.4%	5.6%	25.0%
Viviers and Eccles（2012）	Funds	59	23.4%	56.2%	20.3%	
Fifka（2013）	Reporting	45	53.3%	42.2%	4.4%	
Kleine, Krautbauer, and Weller（2013）	E, S, G	182	30.8%	31.9%	7.7%	29.7%
Revelli and Viviani（2013）	Funds	75	24.0%	48.0%	14.7%	13.3%
Capelle-Blancard and Monjon（2014）	Funds	61	3.3%	47.5%	16.4%	32.8%
Clark, Feiner, and Viehs（2015）	E, S, G	110	85.5%	5.1%	0.9%	8.5%
Schroner（2014）	E, S	28	57.1%	7.1%	10.7%	25.0%
Total/Average		**1816**	**48.2%**	**23.0%**	**10.7%**	**18.0%**

（出所）Friede et al.（2015）から筆者作成

図表4-20　Friede et al.（2015）実証分析

Study	Focus	# of studies surveyed	# of observations surveyed	Average correlation r
Frooman（1997）	E, S	22	2,161	0.312
Orlitzky and Benjamin（2001）	S, E	18	6,186	0.149
Orlitzky（2001）	S, E	20	6,889	0.061
Orlitzky, Schmidt, and Rynes（2003）	S, E	62	33,878	0.184
Allouche and Laroche（2005）	S, E	79	57,409	0.143
Combs et al.（2006）	S	90	19,319	0.150
Wu（2006）	S, E	120	21,933	0.166
Rosenbusch, Bausch, and Galander（2007）	E	62	21,742	0.190
Darnall and Sides（2008）	E	9	30,000	0.077
Pavie and Filho（2008）	E, S	112	170,737	0.083
van Wijk, Jansen, and Lyles（2008）	S	28	4,627	0.190
Margolis, Elfenbein, and Walsh（2009）	S, E	214	38,483	0.133
Vishwanathan（2010）	E, S	189	n.a.	0.070
Crook et.al（2011）	S	66	12,163	0.170
Rosenbusch, Brinckmann and Bausch（2011）	S	46	21,270	0.133
Unger et al.（2011）	S	70	24,733	0.076
Rubera and Kirca（2012）	S	153	33,544	0.146
Albertini（2013）	E	52	62,943	0.090
del Mar Miras-Rodriguez et al.（2015）	E, S	91	31,878	0.067
Dixon-Fowler et al.（2013）	E	39	22,869	0.062
Golicic and Smith（2013）	E	31	15,160	0.305
Mayer-Haug et al.（2013）	S	58	50,045	0.044
Endrikat, Guenther, and Hoppe（2014）	E	148	201,511	0.082
Stam, Arzlanian, and Elfring（2014）	S	43	13,263	0.157
Revelli and Viviani（2015）	Funds	80	89,496	−0.003
Total/Average		**1,902**	**992,239**	**0.118**

（出所）Friede et al.（2015）から筆者作成

ＥＳＧの企業パフォーマンスに対する影響は「ポジティブ（positive）」が42・９％、「ニュートラル（neutral）」が42・９％、「ネガティブ（negative）」が14・３％であったことを示している。図表４－19で取り上げられた合計35本の論文中でサーベイされた論文は合計１８１６本にのぼり、ＥＳＧの企業パフォーマンスへの影響は平均してみると、「ポジティブ」が48・２％、「ニュートラル」が23・０％、「ネガティブ」が10・７％、「重複（mixed）」が18・０％であった。

他方、実証分析の分析結果のサマリーである図表４－20の一番上に Frooman（1997）があるが、この論文中では22本の論文がレビューされ、これら22本の論文における実証分析で用いられたサンプル数が合計２１６１個、このサンプルを用いて行われた推定結果の決定係数が０・３１２であったことを示している。図表４－20で取り上げられた合計25本の論文中でサーベイされた論文は合計１９０２本にのぼり、ＥＳＧ要素と企業パフォーマンスの相関（決定係数）は平均で０・１１８であった。この分析結果は、ＥＳＧ要素と企業パフォーマンスの間に緩やかな正の相関関係が存在したことを示している。

２つの表からは、主に以下のようなことが読み取れる。⑴ＥＳＧと企業の財務パフォーマンスの関係は約半分がポジティブ、⑵ＥＳＧと企業の財務パフォーマンスの間には正の相関関係が存在するが、相関はそれほど強くない。Friede et al.（2015）は、２つのグループの重複がそれほど大きくなく（12・９％）、分析手法が全く異なるにもかかわらず同じような（ＥＳＧ投資にとってポジティブな）結果が得られたことを「驚き」と述べている。

なお、Friede et al.（2015）が取り上げた既存研究のほとんどは株式にフォーカスしたものであり、債券を対象とした分析はわずか36にすぎなかった。

より最近の代表的なサーベイ論文に、Gillan et al.（2021）がある。そこでは、様々な金融リスクおよび投資パフォーマンスとＥＳＧの関係を分析した先行研究をサーベイしている。図表４－21は金融リスクとＥＳＧ、図表４－22は投資パフォーマンスとＥＳＧの関係に関する先行研究の結果のサマリーである。図表４－21の一番上の欄は、システミックリスクとＥＳＧの関係を調べた研究が２例（El Ghoul et al.（2016）とOikonomou et al.（2012））あり、いずれもＥＳＧとシステミックリスクの間に有意な逆相関があるとの推定結果であったことを示している。図表４－21の「ｓｉｇｎ」は大部分が「－（マイナス）」であるが、これはＥＳＧパフォーマンスの改善が企業が抱える様々な金融リスクを有意に低下させることを意味している（つまり、マイナスが多ければ多いほど学術研究の結果がＥＳＧ投資にとってポジティブ）。

投資パフォーマンスとＥＳＧの関係に関する研究結果のサマリーである図表４－22の見方も基本的に同様であるが、唯一違うのは「ｓｉｇｎ」がプラスであるほうがＥＳＧ投資にとってポジティブである点である。「ｓｉｇｎ」がプラスであることは、ＥＳＧパフォーマンスがよい企業の各種投資パフォーマンスが有意に改善することを意味している。もっとも、投資パフォーマンスとＥＳＧの関係は金融リスクとの関係よりは不透明であり、投資パフォーマンスとＥＳＧの関係が有意でなかったりネガティブだったりしたケースも一定程度存在している。

図表4-21　Gillan et al.（2021）各種金融リスクとESGの関係

Primary Variable	Independent/ Dependent Variable of Interest	Sign	Citation
Systematic risk	Dependent	−	El Ghoul et al.（2016）
	Dependent	−	Oikonomou et al.（2012）
	Dependent	−	Albuquerque et al.（2019）
Credit risk	Dependent	−	Jiraporn et al.（2014）
	Dependent	−	Seltzer et al.（2020）
	Dependent	0/−	Stellner et al.（2015）
Legal risk	Dependent	−	Schiller（2018）
	Dependent	−	Hong and Liskovich（2015）
Downside risk	Dependent	−	Hoepner et al.（2019）
	Dependent	−	Ilhan et al.（2019）
Idiosyncratic risk	Dependent	+	Becchetti et al.（2015）
	Dependent	0	Humphrey et al.（2012）
Equity cost of capital	Dependent	−	El Ghoul et al.（2011）
	Dependent	+/−	Breuer et al.（2018）
	Dependent	−	Hong and Kacperczyk（2009）
	Dependent	−	Chava（2014）
	Dependent	0/−	Ng and Rezaee（2015）
Debt cost of capital	Dependent	−	Chava（2014）
	Dependent	−	Goss and Roberts（2015）
	Dependent	−	Ng and Rezaee（2015）
	Dependent	−	Zerbib（2019）

（出所）Gillan et al.（2021）から筆者作成

図表4-22　Gillan et al.（2021）：投資パフォーマンスとESGの関係

Primary Variable	Independent/ Dependent Variable of Interest	Sign	Citation
Financial constraints	Independent	−	Hong et al.（2012）
Revenue growth	Dependent	0	Di Giuli and Kostovetsky（2014）
ROA	Dependent	−	Di Giuli and Kostovetsky（2014）
	Dependent	+	Gillan et al.（2010）
	Dependent	0	Hsu et al.（2018）
	Dependent	+	Lins et al.（2017）
	Dependent	+	Liang and Renneboog（2017a）
	Dependent	+	Iliev and Roth（2020）
	Independent	+	Borghesi et al.（2014）
Free cash flow	Independent	+	Borghesi et al.（2014）
Long-run returns	Independent	+	Hong et al.（2012）
	Dependent	−	Di Giuli and Kostovetsky（2014）
	Dependent	0	Hamphrey et al.（2012）
	Dependent	−	Hong and Kacperczyk（2009）
	Dependent	−	Bolton and Kacperczyk（2020）
	Dependent	+	Dimson et al.（2015）
	Dependent	+	Edmans（2011）
	Dependent	+	Lins et al.（2017）
	Dependent	+	Barko et al.（2018）
	Dependent	+	Statman and Glushkov（2009）
Short-run returns	Dependent	−	Masulis and Reza（2015）
	Dependent	+/−	Kruger（2015）
	Dependent	+	Deng et al.（2013）
	Dependent	+	Tang and Zhang（2020）
	Dependent	+	Flammer（2015）
	Dependent	+	Flammer（2021）
Tobin's q	Dependent	+	Gillan et al.（2010）
	Dependent	−	Buchanan et al.（2018）
	Dependent	0	Hsu et al.（2018）
	Dependent	+	Albuquerque et al.（2019）
	Dependent	+/−	Servaes and Tamayo（2013）
	Dependent	+	Gao and Zhang（2015）
	Dependent	+	Liang and Renneboog（2017a）
	Dependent	+	Ferrell et al.（2016）
Cash value	Dependent	+	Chang et al.（2019）
ROE	Dependent	+	Cornett et al.（2016）
Bond values	Dependent	+	Amiraslani et al.（2017）
Bond returns	Dependent	−	Amiraslani et al.（2017）

（出所）Gillan et al.（2021）から筆者作成

また、Gillan et al.（2021）でも債券を扱った研究の少なさには変わりはなく、該当する論文はわずか1本（Amiraslani et al.（2017））である。

本項ではＥＳＧ投資のパフォーマンスに関する理論的根拠と学術研究の成果を概観したが、ＥＳＧ投資がアウトパフォームする根拠はそれほど頑健ではなく、学術研究の結果もポジティブなものが多いとはいえまちまちであり、少なくとも「ＥＳＧ投資は儲かる」と断言できるほどではない。それにもかかわらずＥＳＧ投資が投資におけるスタンダードとなり得たのは、環境問題やコーポレートガバナンスを重視する流れが世界的に強まったことや、国連全加盟国でＳＤＧｓという具体的な目標が共有されたことなど、金融以外の様々な要因が複合的に作用し合った結果とみなすのが妥当であろう。

理論や学術研究からいえることは、せいぜい「多くの場合、ＥＳＧ投資のパフォーマンスはネガティブではない可能性が高い」という程度のことにすぎない。これは、平時であればグローバルの主要投資家のスタンスを大きく変えるにはいささか力不足に思えるが、上述したような社会環境の大きな変化の下では、リターンを犠牲にしないことが最低限担保されていれば、投資家がＥＳＧ投資に舵を切るのに十分だったということかもしれない。

3 ─ 銀行による取り組み

企業によるＳＤＧｓに向けた活動のファイナンス手法としては、ＥＳＧ投資にみられるように直接金融が先行したが、近年、この分野における銀行の役割（間接金融）に対する注目が高まっており、活発な動きがみられ始めている。

銀行によるＥＳＧ考慮に対する要請が高まった背景としては、以下のようなものが考えられる。

第１に、日本のように間接金融のほうが直接金融よりも活発な国もあるなかで、企業活動（当然ＳＤＧｓに向けた活動も含まれる）に用いられる資金の供給源として直接金融だけにフォーカスすることは適切でないという、至極当然の理由がある。

第２の理由として、近年、世界各国の金融当局は、気候変動が銀行の資産の質の劣化を招き、金融システムを不安定化させるリスクに対する警戒感を強めており、金融機関への働きかけを強めていることが挙げられる。

第３の理由として、ＥＳＧ投資家によるエンゲージメントの対象が大企業中心となるのに対して、銀行は中小企業に対して広範なカバレッジを有していることから、中小企業に対してＳＤＧｓ課題への理解と対応を促していく役割が期待されていること[14]がある。

◆ＰＲＢ（責任銀行原則）

国連環境計画・金融イニシアチブ（ＵＮＥＰ ＦＩ）は２０１９年、ＳＤＧｓやパリ協定が掲げる国際目標と銀行業務との整合をとるために責任銀行原則（ＰＲＢ）を公表した。発足時には世界１３２行が署名、これらの銀行が保有する資産残高は全体の約３分の１に相当した。２０２２年７月時点では、署名行は２９０行と倍以上に拡大、世界の銀行資産残高全体に対するシェアは45％まで増加している。ＰＲＩ署名機関の運用資産残高は世界全体の50％を超えたと前述したが、ＰＲＢによって、直接金融のみならず間接金融の世界でも、全体の約半分の資産においてＥＳＧ要素が考慮されるようになったということである。

ＰＲＢは６つの原則（整合性、インパクトと目標設定、顧客、ステークホルダー、ガバナンスと企業文化、透明性と説明責任）と、原則を効率的に実施するための３つのステップ（インパクト分析、目標設定と実行、説明責任）を定め、署名機関には４年以内に原則実施に向けた体制を整えることを求めている（ＰＲＢ６原則と各々の原則の下で求められる行動については図表４−23を参照）。

◆ＦＳＢロードマップ

金融安定理事会（ＦＳＢ：Financial Stability Board）は、１９９９年に設立された金融安定化フォーラム（ＦＳＦ：Financial Stability Forum）を前身とし、ＦＳＦを強化・拡大するかたち

図表4-23　PRB6原則と求められる行動

原則	原則に沿って求められる行動
原則1：整合性（アラインメント） 事業戦略を、SDGsやパリ協定および各国・地域の枠組みで表明されているような個々人のニーズおよび社会的な目標と整合させ、貢献できるようにする	●事業に関連のあるフレームワークを評価し、地域・国の社会的な目標を特定 ●フレームワークと銀行のビジネス戦略の整合がどのようにとれているかの評価 ●事業を通して、どのように社会的な目標に貢献できるのかを説明
原則2：インパクトと目標設定 銀行業務によって発生するポジティブインパクトの増大およびネガティブインパクトの低減を評価する そのための目標を設定し、公表する	●社会、経済、環境面においてのポジティブ・ネガティブインパクトの分析の実施 ●分析結果を踏まえ、最も社会的な目標にインパクトを与える分野を特定 ●2つ以上のSMARTに沿った目標設定 ●進捗確認のための重要業績評価指標（KPI）の設定
原則3：顧客（法人・リテール） 顧客と協力して、持続可能な慣行を奨励し、現在と将来の世代に共通の繁栄をもたらす経済活動を可能にする	●どのように持続可能なビジネスを可能にし促進しているのか、顧客の経営層への報告を行い、顧客の巻き込みを実施
原則4；ステークホルダー これらの原則の目的をさらに推進するため、関係するステークホルダーと積極的に協力する	●多様なステークホルダーと協議・協調し、自行のビジネスによるインパクトを拡大化
原則5：ガバナンスと企業文化 効果的なガバナンスと責任ある銀行としての企業文化を通じて、これらの規則に対するコミットメントを実行する	●PRBの原則を行内ガバナンスに取り入れ、コミットメントや効果的な管理を行う ●社内体制、ポリシー等の行内ガバナンスの構築や、従業員内での責任ある銀行文化の醸成・促進のための方針を公開
原則6：透明性と説明責任 これらの原則の個別および全体的な実施状況を適切に見直し、ポジティブ・ネガティブインパクト、および社会的な目標の貢献について、透明性を保ち、説明責任を果たす	●自行の活動によるポジティブ・ネガティブインパクト、および社会的な目標達成への貢献について、透明性を確保し、説明責任を果たす ●署名後の設定された期間内に、年次で進捗の報告を行う

（出所）環境省（2021）

で2009年4月に設立された組織であり、金融システムの脆弱性への対応や金融システムの安定を担う当局間の協調の促進等を目的としている[15]。

FSBは、気候変動リスクがリスクプレミアムの上昇と金融機関が保有する資産価格の下落を通じて金融システムを不安定化させるリスクに対する懸念や、気候変動リスクが金融システムによって増幅されることへの懸念を背景に、2017年に金融セクターがこの問題に対処するための「ロードマップ」をとりまとめた。ロードマップは、企業単位の情報開示、データ、脆弱性分析、監督ツールという4つの主要分野を通じて気候変動リスクを評価し、そのリスクに対処するためのフレームワークであり、2021年7月のG20財務大臣・中央銀行総裁会議、2021年10月のG20ローマ・サミットで承認された。

銀行業務におけるSDGs課題への取り組みには、企業によるそれとは決定的に異なる点がある。企業のケースではSDGs課題への取り組みは企業価値の向上などを通じて自らに還元されるのに対して、SDGs課題への取り組みを怠った場合には資本コストの上昇や株価下落といった「ペナルティ」を受けることになる。つまり、SDGs課題への取り組みと企業価値がダイレクトにリンクしているということである。

これに対して、銀行のケースでは、銀行は貸出先にSDGs課題への取り組みを促すことしかできないため、SDGs課題へのスタンスに関して貸出先との齟齬が生じやすい。例えば、SDGs課題への取り組みに消極的な貸出先に銀行（PRBに署名しているかもしれない）が圧力をかけた場合、その貸出先はよりＳＤＧｓ課題に対するコミットメントが弱い銀行（ＰＲＢに署名していない可能性が高い）に乗り換えてしまうかもしれない。このケースではＳＤＧｓ／ＥＳＧ関連リスクは金融システム内にそのまま残存することになる。ＰＲＢ署名行と非署名行が並立しているような状況下では、こうした事態を完全に回避することはできない。

こうした事態を回避するには、ある程度の強制力を持ったトップダウンのアクションが不可欠であり、この意味で、ＦＳＢのロードマップがＧ20サミットで承認されたことは、前向きな動きと捉えられる。また、国際業務を展開する銀行に対する規制を決定するバーゼル銀行監督委員会（ＢＣＢＳ）が２０２２年６月に銀行に対して気候変動の財務リスクに関する原則を公表したことも、同様の観点から重要といえるだろう。

◆ＮＺＢＡ（ネットゼロ銀行同盟）

「ネットゼロのためのグラスゴー金融同盟」（ＧＦＡＮＺ）は、２０５０年までにカーボンニュートラルの実現を目指す民間金融機関の連合体を包括する世界組織であり、２０２１年４月にグラスゴーで開かれた第26回気候変動枠組条約締約国会議（ＣＯＰ26）で正式に発足した。ＧＦＡＮＺの傘下には６つのアライアンスがあり、[16]そのうち銀行によるアライアンスが「ネットゼロ銀行同盟」（ＮＺＢＡ）である。ＰＲＢがＥＳＧのすべてを対象にしているのに対して、ＮＺＢＡは「Ｅ」のみにフォーカスしている点に特徴がある。２０２０年７月時点で、ＮＺＢＡには41カ国

115機関が署名し、これらの銀行が保有する資産は70兆ドルと、世界の銀行の総資産の約4割を占めている（白井〈2022〉）。

NZBAは2050年までにネットゼロ目標を達成することを目標としているが、より短期的な目標として、少なくとも2030年かそれよりも前の削減目標と、さらに短期の中間目標も設定する必要がある。また、温室効果ガス排出量が多い9分野のなかから署名18カ月以内に1つ、36カ月以内に9分野すべてについて削減目標を設定することが求められる。署名行はこれらすべてについて毎年進捗状況を報告し、少なくとも5年ごとに目標を見直すこととなっている。

◆ESG投資の対象としての銀行、および中小企業との関係

本章第2節で「長期的な目標であるSDGsへの企業の取り組みをファイナンスするのがESG投資」と整理したが、この整理に従えば、銀行は年金基金や保険会社などのESG投資家にとっては投資先企業である。単純化すれば、PRBやNZBAへの署名を通じてESGに対するコミットメントを明確化している銀行にはESG投資家の資金が集まり、そうでない銀行には資金が集まらないという図式になる。

ここで、ESG投資家の投資先の大部分が大企業である点に注意が必要である。換言すれば、ESG投資の枠組みでカバーできるエリアはそれほど広くなく、ESG投資家は企業のほとんどを占め、雇用者のかなりの割合を引き受けている中小企業に対するダイレクト・コンタクトのチ

ャネルを有していないということである。したがって、「誰一人取り残さない」インクルーシブ・キャピタリズムを実現するためには、ＥＳＧ投資家と（ＥＳＧ投資の対象外である）中小企業の双方にコンタクトを有するという、重要なポジションにある。ＳＤＧｓ課題にコミットしている銀行は、資金の供給先として、融資の相手先にＥＳＧへの取り組みを加速させることを要請できる。

ＥＳＧ投資家の主たる投資先である大企業がＳＤＧｓ課題に取り組むにあたっては、自社のみならずサプライチェーンの全般にわたってＳＤＧｓ課題に取り組むことが求められる。実際には、下請けの下請け、さらにはその下請けとレイヤーが下がっていくにつれて大企業が中小企業によるＳＤＧｓ課題への取り組みを管理することは難しくなっていき、極端なケースではＳＤＧｓ課題への取り組みにコミットしている企業（ＥＳＧ投資の対象になり得る企業）であっても、サプライチェーンの末端では前出の「責任あるサプライチェーン」の問題が発生しているといったことも起こり得る。

現実的には、高度に発達したサプライチェーンのすべてのレイヤーを大企業が管理することは困難だが、こうした状況下で、銀行はサプライチェーンを構成する中小企業に対してＳＤＧｓ課題への取り組みを加速させるべく直接働きかけることが可能な立場にある。

図表４－24は、以上の議論を類型化したものである。ＥＳＧ投資家はＳＤＧｓ課題に取り組む企業（銀行を含む）に投資資金を提供するが、こうした企業は大企業が多い。例えば、図中の大

図表4-24　ESG投資家、銀行、企業の関係

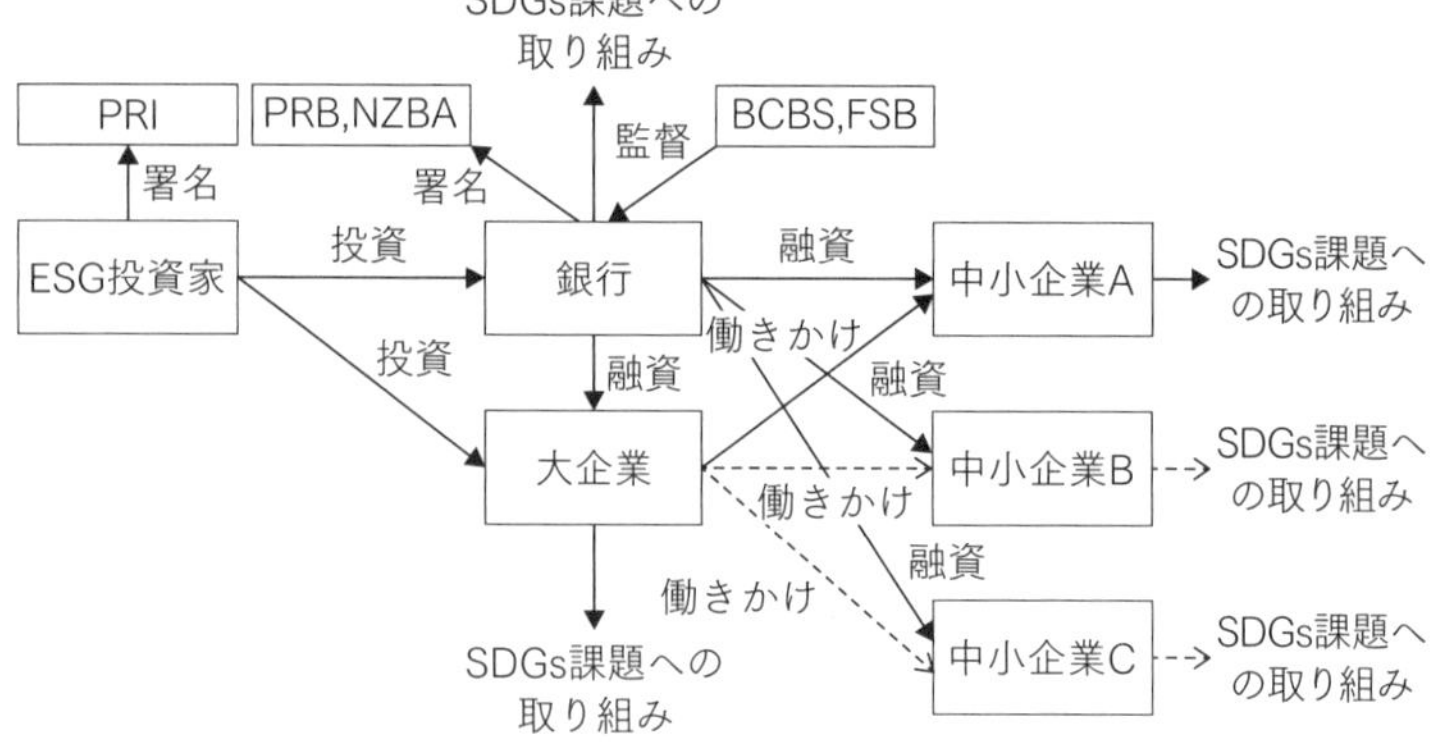

（出所）筆者作成

企業がグローバルに展開する世界的な自動車メーカーだとすると、この企業は部品のサプライヤーなど、多数の中小企業と取引を行っている可能性が高いだろう。こうした大企業がＳＤＧｓ課題（例えば温室効果ガスの排出量削減、女性取締役の登用など）に取り組む際には、自社の取り組みのみならず、関連企業の取り組みも考慮する必要があるとする考え方が主流である。

代表的なものは、温室効果ガスにおける「サプライチェーン排出量」である。サプライチェーン排出量は自社の排出量（スコープ１）、他社から供給された電気・熱・蒸気による排出量（スコープ２）、スコープ１、２以外の排出量（関連他社の排出量：スコープ３）の合計からなる。つまり、自社が排出量の削減に成功しても、関連他社による排出量が同量ないしはそれ以上に増加した場合には、排出量を削減したとは評価されないということである。

大企業は、一部の関連企業（図中では「中小企業A」）には温室効果ガスの排出量削減などSDGｓ課題への取り組みについて働きかけを行うことができるかもしれないが、すべての関連企業に対してこうした働きかけを行うのは困難かもしれない（図中の点線は、働きかけを行うべきであるにもかかわらず働きかけができていない状況を示している）。他方、図中の銀行は、大企業のみならず、大企業の関連企業（中小企業A、B、C）に対しても融資を行っているため、大企業よりもこうした中小企業との結びつきが強く、SDGｓ課題への取り組みについて働きかけを行いやすいかもしれない。PRBに署名するなどしてSDGｓへのコミットメントを明確にしている銀行は、ローン・ポートフォリオにおける関連リスクを削減する必要があるため、すべての貸出先の中小企業に対してこうした働きかけを行うインセンティブを有すると考えられる。

一般論として、中小企業は関連情報の収集等の面で不利な立場にあることからSDGｓへの取り組みが後手にまわりやすいが、ESG投資家の投資対象になりづらいため、ESG投資家がエンゲージメントを通じてこうした取り組みを加速させることもできない。こうした状況下で、銀行は中小企業のSDGｓ課題への取り組みを加速させるうえで重要な役割を果たせるということである。

インクルーシブ・キャピタリズムの実現に向けては、企業のほとんどを占める中小企業の取り込みが不可欠であり、この領域で銀行が大きな役割を果たすことができると述べたが、銀行の働きかけによる中小企業のSDGｓ課題への取り組みの加速が実現するためには、銀行の「レベル・プレイング・フィールド」を整備する必要がある。前述したように、SDGｓ課題にコミットする銀行とそうでない銀行、SDGｓ課題にコミットする企業とそうでない企業（中小企業においてはかなりの割合を占めるとみられる）が混在するケースでは、SDGｓへのコミットメントが強い銀行がSDGｓ課題へのコミットメントが弱い企業に貸出を行い、当該企業にSDGｓ課題への取り組みについて働きかけを行った場合、この企業はこうした働きかけを嫌って、よりSDGｓに対するコミットメントが弱い銀行に借入先を切り替える可能性がある。

こうした「抜け穴」が存在する限りは、銀行が中小企業のSDGｓ課題への取り組みを促進する状況は実現しないと考えられる。近年のFSBのロードマップ、BCBS原則などの動きはよい兆候であるが、レベル・プレイング・フィールド実現にはまだ道半ばの観があり、今後の動向を注視する必要がある。

4　中銀デジタル通貨とインクルーシブ・キャピタリズム

◆「リブラ構想」の思わぬインパクト

ここまで、直接金融（ESG投資）、間接金融（銀行融資）の双方から、インクルーシブ・キャピタリズムをファイナンスする手段について概観した。一方、通貨は、これらとは異なるやり方でインクルーシブ・キャピタリズムの発展に資することができると考えられるため、この点をみていきたい。

そのヒントは、２０１９年にフェイスブック（当時）が発表して世界を驚かせた、ステーブルコイン「リブラ」構想にある。当時発表されたリブラの「ホワイトペーパー」では、「リブラが生み出す機会」として、「もっと多くの人が金融サービスや安価な資本を利用できるようにする」「グローバルに、オープンに、瞬時に、かつ低コストで資金を移動できるようになれば、世界中で多大な経済機会が生まれ、商取引が増える」ことを通じて「金融包摂を推進」することが挙げられた。特に、金融サービスへのアクセスが限られる新興国の人々にこうした機会を提供して「金融包摂を推進」することは、明らかにインクルーシブ・キャピタリズムに貢献すると考えられる。

例えば、ＩＦＣ（国際金融公社）は「持続可能な開発目標（ＳＤＧｓ）への貢献」というステートメントのなかで、金融包摂はＳＤＧｓの「２　飢餓をゼロに」「３　すべての人に健康と福祉を」「４　質の高い教育をみんなに」「６　安全な水とトイレを世界中に」「７　エネルギーをみんなに。そしてクリーンに」「９　産業と技術革新の基盤をつくろう」に関連すると述べている。リブラのような民間のデジタル通貨、あるいは本節の主たるテーマである中銀デジタル通貨が金融包摂を推進するのであれば、それはそのままいくつかのＳＤＧｓ課題の解決につながり得るということである。

後述するように、先進国の金融・通貨当局はリブラ構想に鋭く反応し、リブラは大幅な方向転換を余儀なくされた。他方で、各国当局の中央銀行デジタル通貨（ＣＢＤＣ：Central Bank

Digital Currency）に対する取り組みが加速、2020年10月20日にバハマが世界初のCBDCとなる「サンド・ダラー」を発行するに至った。

◆CBDCを巡る近年の動向

中央銀行デジタル通貨（CBDC）に関する議論はそれほど目新しいものではなく、小林他（2016）によれば、1990年代には既に、中央銀行が電子マネー（つまりCBDC）を発行したら何が起きるのかについて活発に議論が行われていた。[17] 小林他（2016）によれば、当時議論されていたCBDC発行のメリットは、①ユーザー利便性の向上、②金融政策の有効性確保、③通貨発行益（シニョレッジ）の減少防止などであったが、これらは現在においても同様に当てはまる。

ユーザー利便性の向上は、主として、CBDCが紙の銀行券に付随するコストを低下させることによって実現される。多くの先進国でキャッシュカード、デビットカードや各種電子マネーなどの電子決済手段の普及により紙の銀行券に対する需要が減少するなかで、紙の銀行券のハンドリングコストや保管コストがより強く意識されるようになった。図表4－25は主要国におけるキャッシュレス決済のシェアをみたものだが、2020年時点で韓国では93・6%、中国では83・0%に達しており、その他の国でもおしなべてキャッシュレス決済のシェアが上昇していることがわかる。一方、日本およびドイツにおける紙の紙幣の選好度合いの強さは広く知られており、

図表4-25　主要国のキャッシュレス決済のシェア

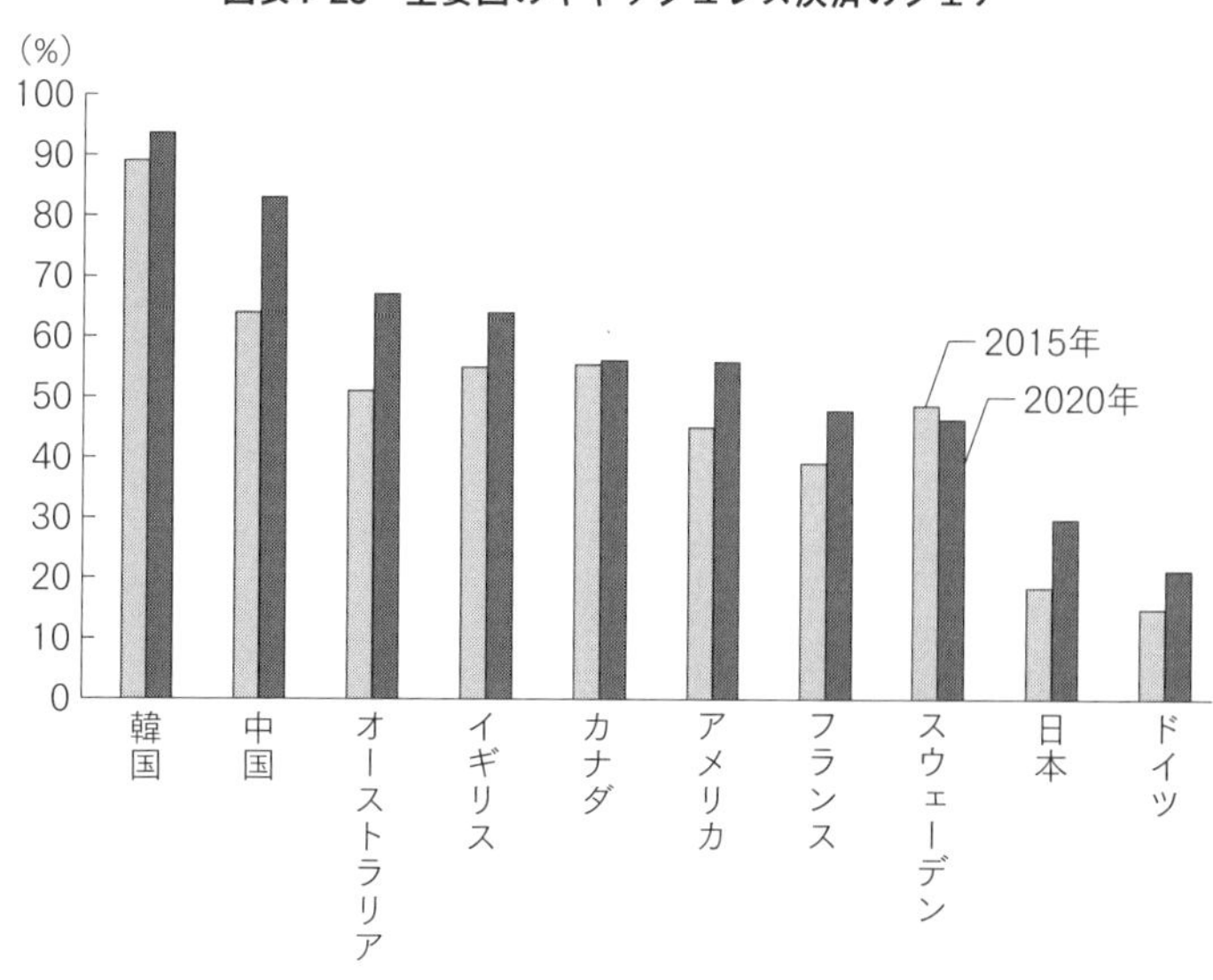

（出所）一般社団法人キャッシュレス推進協議会「キャッシュレス・ロードマップ2019」、「キャッシュレス・ロードマップ2022」から筆者作成

実際、両国におけるキャッシュレス決済のシェアは低水準にとどまっているが、それでも日本は18・4％（2015年）→29・8％（2020年）、同じ期間でドイツは14・9％→21・3％と、近年キャッシュレスの比率は大きく高まっている。

他方、金融政策の有効性確保とシニョレッジの問題は、ビットコインなど民間発行通貨のプレゼンスが中央銀行発行通貨を凌駕するまでに拡大した状況下で、特に問題になると考えられる。2019年にフェイスブック（当時）がステーブルコイン「リブラ」に関する構想を発表した後、既述の通り各国当局によるCBDCに対する取り組みが急加速したが、この背景には、リブラの登場によって、②金融政策の有効性確保と③シニョレッジの減少が差し迫った危機と認識されたことがあったとみられる。

当時、ビットコインをはじめとする民間通貨は既にある程度普及しており、一部では決済利用も始まっていたが、そのボラティリティの大きさや決済のアベイラビリティが限定的であったこと等から、②、③は差し迫った危機とはみなされていなかった。換言すれば、ビットコインの決済利用が中銀発行通貨を凌駕する規模にまで拡大してネットワーク外部性を獲得する可能性は、極めて低いと考えられていたということである。

この点で、リブラは主に以下の2つの側面で、ビットコインとは大きく異なっていた。ひとつは、ビットコインが純粋な需給で価格が決定されるため価値の裏付けを持たなかったのに対して(ビットコインの価格が最初に急上昇した時期には、オランダのチューリップバブルがよく引き合いに出されていた)、リブラは価値の裏付けがあるステーブルコインである点である(当初は、リブラの価値は主要通貨で構成されるバスケットにペッグされる設計であった)。もうひとつは、リブラの運営主体であるフェイスブックの利用者数は世界の人口の約3分の1に相当する約29億人にものぼっていた点である。このため、フェイスブックのプラットフォーム上にリブラを流通させれば、中銀発行通貨に匹敵するネットワーク外部性を獲得する可能性も十分あると考えられた。

フェイスブックによるリブラ構想の発表に対して、主要国の金融当局や国際機関は異例ともいえる迅速な対応を示したが、これは右に述べた理由により、リブラが金融政策の有効性とシニョレッジに対する差し迫った脅威であるとの認識が各国間で共有されていたことを示唆している。ＢＩＳ（２０１９）では、リブラに否定的な理由として、⑴リブラが目的として掲げた銀行口座を開設できず金融サービスを利用できない人の救済とクロスボーダー送金・決済の効率化が本人確認義務（ＫＹＣ：Know Your Client）の徹底やマネーロンダリング防止（ＡＭＬ：Anti-Money Laundering）といった各国金融当局が推進してきた取り組みを阻害する可能性があること、⑵フェイスブック（当時）がリブラの運営に伴って収集する情報が不適切な形で用いられることへの懸念、⑶リブラの運営主体である「カリブラ」がスイス・ジュネーヴに置かれることに対する懸念[18]――を指摘した。金融政策の安定性とシニョレッジという従来認識されていたものに加えて、これらの問題点が新たにあぶり出された格好である。

◆ＣＢＤＣとは何か？

そもそも、世の中に流通している貨幣のかなりの部分はデジタルである。例えば、日銀のバランスシートの「負債」の部をみると（貨幣は中銀にとっては負債である）、紙のお金に該当する「発行銀行券」が約１２０兆円であるのに対して[19]、電子的に処理される「当座預金」は約５２０兆円であり、デジタルな部分のほうが圧倒的に大きい。「発行銀行券」と「当座預金」の合計（マネタリーベース）は日銀によって銀行システムに注入された貨幣であるが、民間の銀行は信用創造の働きによって貨幣を増やすことができる。これがマネーストックであり、その規模はM_2で1209兆円、M_3で1565兆円にものぼる。基本的に銀行は貨幣を発行することができないので、銀行が信用創造によって創出する貨幣はすべてデジタルである。

このように、貨幣は典型的には銀行預金のようにデジタルな形態をとる部分が圧倒的に大きい。貨幣がそもそもデジタルなものだとすると、CBDCにはどんな特徴があるのだろうか（少なくとも、デジタルであること自体は顕著な特徴とはいいがたいだろう）。また、既に利用可能な電子マネーとCBDCは、どんな点で異なっているのだろうか。

CBDCと電子マネーの違い

CBDCは通貨そのものであり、現金と同様の役割を果たす。したがって、受け渡しを行った瞬間に決済が完了する（このことを指して「ファイナリティがある」という）。他方、電子マネーが行っているのはそれと紐付いている銀行口座における取引の指図であり、電子マネー自体が現金と同様の役割を果たすわけではなく、取引を完了させるためには銀行間での口座振替が必要である。

CBDCと電子マネーの間には即時のファイナリティの有無の他にもいくつかの相違点があり、中島（2022）は、(1)汎用性（CBDCは銀行券と同様に強制的な通用力を持ち、「どこでも、誰にでも」使うことができるのに対して、電子マネーは店舗によって使えたり使えなかったりする）、⑵転々流通性（ＣＢＤＣは利用者間で繰り返し譲渡できるのに対して、電子マネーは店舗での1回の支払いに限定されており、個人間の支払いは不可）、⑶利用料（ＣＢＤＣが無料であるのに対して、電子マネーは店舗に手数料がかかる）——を挙げている。

「一般利用型」と「ホールセール型」

ＣＢＤＣは利用目的に応じて様々にデザインされ得るが（ＣＢＤＣ導入の目的には各国間で違いがある。この点については後述する）、大きく分けて2つの形態がある。

ひとつは、金融機関間の大口の資金決済に利用することを主な目的として中央銀行から一部取引先に提供される「ホールセール型ＣＢＤＣ」である（日本銀行〈２０２０〉）。前述したように、中央銀行預金（当座預金）はもともとデジタルであることから、中央銀行預金をデジタル化したホールセール型ＣＢＤＣと中央銀行預金の間にはその機能において大きな差はないと考えられる。

ＣＢＤＣのもうひとつの形態は、個人や一般企業を含む幅広い主体の利用を想定した「一般利用型ＣＢＤＣ」（リテール型ＣＢＤＣ）である。これは、現在の現金通貨（銀行券および貨幣）を代替するものであるが、企業間、金融機関間の取引に一般利用型ＣＢＤＣを用いることも可能である。このケースでは、一般利用型ＣＢＤＣは、中央銀行預金ではなく、民間の銀行預金の代替となる。

図表4-26　通貨の分類（一般利用型 vs ホールセール）

		媒体		発行主体	
		デジタル	物理媒体	中央銀行	民間
ホールセール	中央銀行預金	✓		✓	
	ホールセール型CBDC	✓		✓	
一般利用	銀行預金	✓			✓
	現金		✓	✓	
	一般利用型CBDC	✓		✓	

（出所）日本銀行（2020）を基に筆者作成

また、ＣＢＤＣの基本的分類には、発行形態に関するものもある。ひとつは中銀が直接利用主体に対してＣＢＤＣを発行する「直接型」、もうひとつはＣＢＤＣの発行に際して銀行などの仲介機関を介する「間接型」である。

例えば現在、日本銀行は日銀当座預金と引き替えに銀行に対して現金を供給し、銀行は銀行預金と引き替えに個人や企業に対して現金を供給している。この方式が「間接型」であり、上記の文章の「現金」を「ＣＢＤＣ」に置き換えれば、「間接型」発行のＣＢＤＣの説明となる。一般利用型ＣＢＤＣについては、基本的に間接型の発行が想定されているケースが多い。日本銀行（２０２０）によれば、これは「日本銀行がファイナリティのある中央銀行通貨を発行し、全体的な枠組みを管理するとともに、銀行等の仲介機関が、その知見やイノベーションを通じて利用者とのインターフェース部分の改善に取り組むことが、決済システム全体の安定性・効率性の向上につながると考えられるため」である。

また、日本銀行（２０２０）は、間接型の発行形態の下で一般利用型ＣＢＤＣを発行するうえでは、①ユニバーサルアクセス、②セキュリティ、③強靱性、④即時決済性、⑤相互運用性といった基本的特性を備える必要があると指摘している。

ＣＢＤＣ発行の動機とリスク

ＣＢＤＣ発行の動機は様々であり、特に新興国と先進国では違いが顕著である。BIS et al.（2020）によると、現状ではＣＢＤＣ発行の第１の動機は決済手段としての活用である。BIS et al.（2020）は決済領域におけるＣＢＤＣ発行の動機として、①中央銀行マネーへの継続的なアクセス、②強靱性、③決済の多様性の向上、④金融包摂の促進（主に新興国）、⑤クロスボーダー送金の改善、⑥財政給付の円滑化を挙げている。

BIS et al.（2020）は、ＣＢＤＣ発行の二次的な動機として金融政策上の動機を挙げている。この点では、ＣＢＤＣに対する付利やヘリコプターマネー[20]への利用の可能性が指摘された。他方、ＣＢＤＣ発行のリスクとして、ＣＢＤＣへの逃避が起こることによる銀行の金融仲介機能の低下や、自国通貨以外のマネーの大規模な利用が金融政策の効果や金融システムの安定に与えるネガティブな影響が指摘されている。

BIS et al.（2020）は、ＣＢＤＣ発行における３つの基本原則として、①無害性（中央銀行がマンデートを達成する妨げにならない）、②共存（現金や既存マネーとの共存）、③イノベーションと効率性を挙げている。また、３つの基本原則を満たすために必要な基本的特性として、図表４

－27に示した14の要因を挙げている。

◆ＣＢＤＣ導入の目的：ＢＩＳサーベイから

前項では、ＣＢＤＣに関する基本的な事項を整理したが、既述のように、ＣＢＤＣ発行の目的は各国間で異なり得る（ＣＢＤＣ発行の目的は必ずしもひとつではないので、各国間で目的の一部は共通し、一部は異なるとしたほうがより正確かもしれない）。この点に鑑みて本項では、ＢＩＳが行ったサーベイ（Kosse and Mattei（2022））を基に、ＣＢＤＣに対する各国のスタンスを概観する。

ＢＩＳは２０１７年以降毎年、ＣＢＤＣに関するサーベイを行っている。直近の２０２１年のサーベイでは回答した中央銀行は81と、過去最高を記録した。[21] Kosse and Mattei（2022）によると、何らかの形でＣＢＤＣに関わっている中央銀行は全体の９割に達した。中銀は特に一般利用型ＣＢＤＣに関心があり、ＣＢＤＣに関わっている中央銀行のうち、ホールセール型のみにフォーカスしている先は皆無だった。また、ＣＢＤＣに取り組んでいる中央銀行の70％は、「間接型」の発行を想定している。

Kosse and Mattei（2022）によれば、ＣＢＤＣ発行の動機は先進国と新興国で異なる。先進国中銀によるＣＢＤＣ発行の主な動機は、国内の支払いの効率化、支払いの安全性、金融システムの安定である。これら３つの要因は新興国においても重要だが、新興国では金融包摂が前出の３

図表4-27　CBDCの基本的特性

機能面の特性	
交換可能性	CBDCは現金および民間マネーと等価で交換されるべき
利便性	CBDCによる支払いは、他の支払い手段と同様に簡便であるべき
受容性および利用可能性	現金と同様に多くの取引に利用可能であるべき（オフライン取引含む）
低コスト	エンドユーザーにとって非常に低いコストか無償であるべき
システム面の特性	
安全性	サイバー攻撃その他の脅威に対して極めて強靭であるべき
即時性	即時あるいはほぼ即時のファイナリティを提供
強靭性	ネットワークへの接続が遮断された際にオフライン取引を可能に
利用可能性	24時間365日、常に決済可能であるべき
処理性能	極めて大量の取引を処理可能
拡張性	CBDCシステムは拡張可能であるべき
相互運用性	民間システムとの十分な相互作用メカニズム
柔軟性および適応性	環境変化や政策要請への柔軟な対応
制度面の特性	
頑健な法的枠組み	中央銀行はCBDC発行に関する明確な権限を有するべき
基準	CBDCシステムは適切な規制上の基準に適合する必要

（出所）BIS et al.（2020）を基に筆者作成

つの要因と同等ないしはそれ以上に重要であるのに対して、先進国では金融包摂の重要性は低い（ただし、ホールセール型については、金融包摂が新興国においてより重視されている点は同じであるものの、重要度の水準はリテール型に比べて低い）。また、新興国においては金融政策に用いることがＣＢＤＣ発行の動機として重要であるケースが多い。

直近のサーベイでは、クロスボーダー支払いの効率性の重要性が新興国において上昇を続けたのに対して先進国では低下した結果、両者の差が拡大したことも特徴的であった（他方、ホールセール型では先進国、新興国ともにクロスボーダー支払いの重要性が上昇を続けており、重要度の水準もリテール型に比べて高い）。

バハマ、カンボジアのケース[22]

以上は一般論であり、実際には各国が個別に抱える問題が存在する。以下では、既にＣＢＤＣを発行したバハマ（サンド・ダラー）とカンボジア（バコン）がＣＢＤＣを導入した理由を紹介する（後述するように、厳密にはバコンはＣＢＤＣではなく、「準ＣＢＤＣ」という扱いが一般的である）。

バハマではしばしば、ハリケーンによって決済システムが断絶したり、金融機関の店舗やＡＴＭが壊滅的な打撃を受けたりすることがあった。また、７００以上の島々からなる島嶼国であるバハマでは、現金の輸送に船を使う必要があるうえ、銀行の支店がない島もあることから、現金の輸送コストが高く、金融サービスへのアクセスに問題があった。こうした事情から、バハマでは通貨・決済のデジタル化による自然災害のリスクの最小化、送金コストの低減、金融サービスへのアクセス改善などが、ＣＢＤＣ導入の主な動機となったと考えられる。

カンボジアのバコン導入には、送金コストの低減、金融サービスへのアクセス改善といった一般的な理由に加えて、「ドル化」への対処という独特の事情があったとみられている。同国では長く続いた内戦の影響による自国通貨の信認低下等もあって、国内で流通している通貨は自国通貨リエルよりも米ドルのほうがはるかに多い。「ドル化」には金融政策の自立性が失われる等の弊害があるが、バコンによって自国通貨への信認を回復することができれば、自国通貨の流通が増加して「ドル化」の度合いが徐々に低減していく可能性がある。

◆新興国における金融包摂推進の具体例

新興国においては、先進国とは異なり、金融包摂の推進をＣＢＤＣ導入の主目的とするケースが多いと述べた。「新興国における金融包摂の推進」は、一般的にはそれほど馴染みがあるテーマではないと考えられることから、本項ではこの点についてもう少し具体的にみていく。

「新興国における金融包摂の推進」を具体的にイメージすることが難しい理由は、その結果として想定されているアクティビティが、先進国においてはごく当たり前に行われていることであると考えられる。個人が銀行に口座を持ち、クレジットカードを使って買い物の決済を行う。銀行のローンを利用して住宅や自動車を購入し、毎月返済額が銀行口座から引き落とされるといった行動は、先進国で生まれ育った人々にとってはあまりにもありふれたものであり、そこにイノベーティブな匂いを嗅ぎ取ることは難しいであろう。近年の変化は、強いていえば、こうした一連の取引がすべてスマートフォンなどのモバイル上で完結できるようになり、一段と利便性が高まったことぐらいであろうか。

しかし、多くの新興国にとっては、こうした状況は決して当たり前ではない。多くの新興国においては、アンバンクド（unbanked）と呼ばれる銀行口座を持たない人が依然として大量に存在する。

図表4－28は、銀行口座を保有する人の割合を地域別にみたものである。「世界」の数字は2011年の51％から2021年には76％まで上昇しており、世界全体では金融包摂が順調に進展していることを示しているようにみえる。

もっとも、地域別、所得水準別でみると依然バラツキが大きい（図表4－29）。地域別では中東とアフリカが後れをとっており、中東の割合はまだ50％に届いていない。低所得国の割合は2011年にはわずか10％だったものが2021年は39％と、10年で約4倍になっており上昇ペースは急だが、さらなる改善の余地は依然大きい。

図表4－30、図表4－31は、クレジットカードを保有する人の割合を地域別、所得水準別にみたものである。銀行口座を保有する人の割合は、水準の違いこそあれ、すべてのカテゴリーで時

図表4-28　銀行口座を保有する人の割合（地域別）

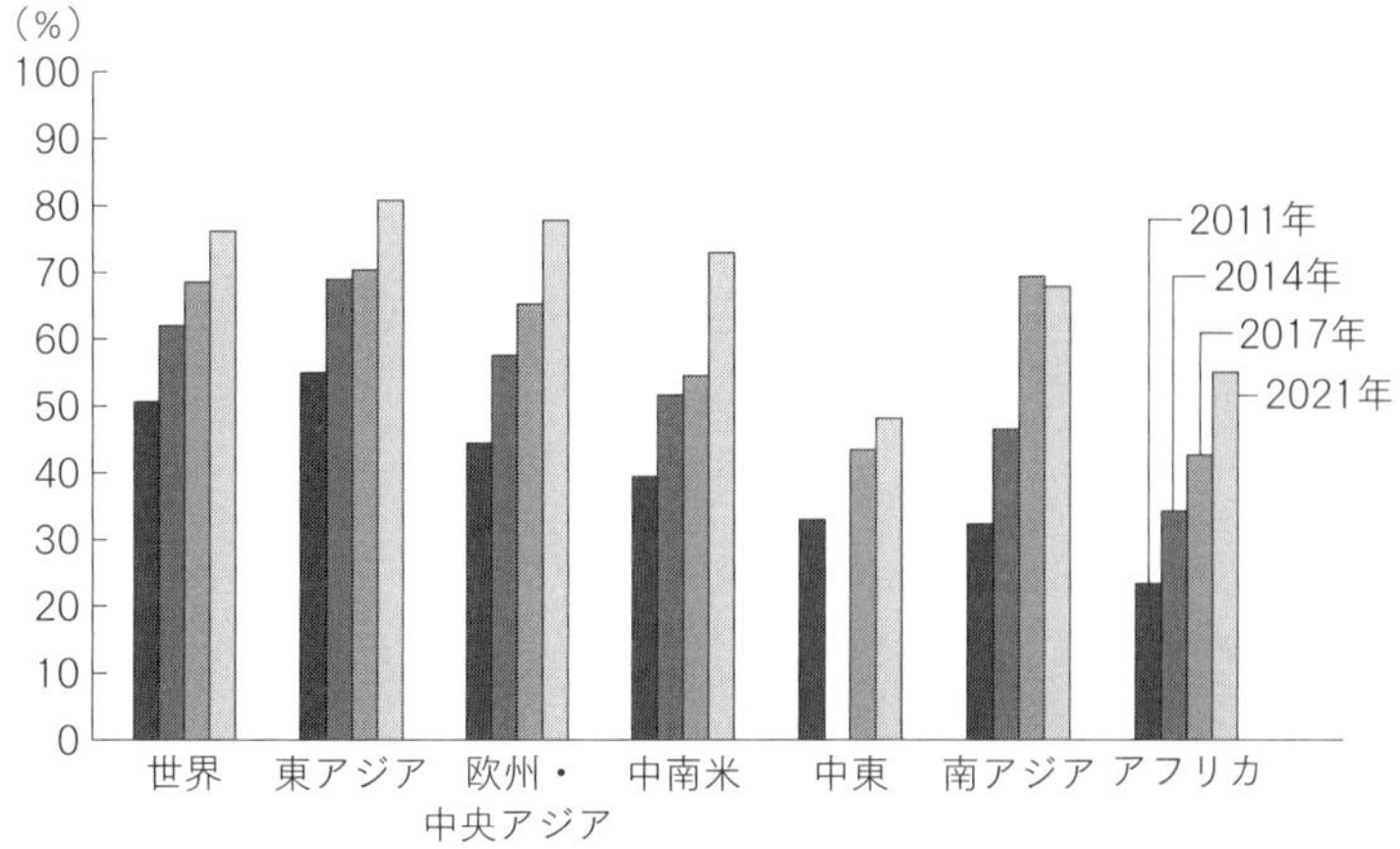

（出所）世界銀行「The Global Findex Database」より筆者作成

図表4-29　銀行口座を保有する人の割合（所得水準別）

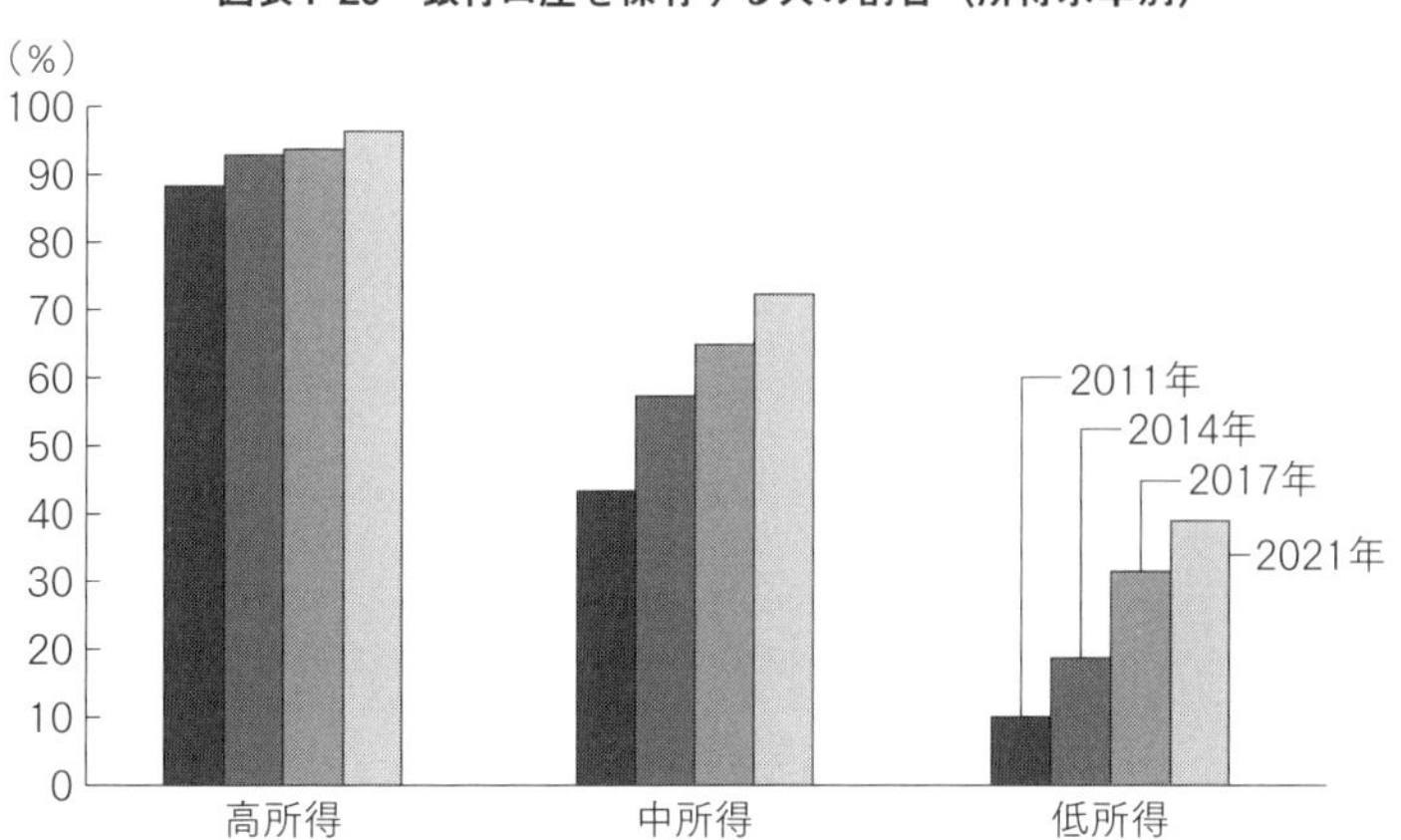

（出所）世界銀行「The Global Findex Database」より筆者作成

図表4-30　クレジットカードを保有する人の割合（地域別）

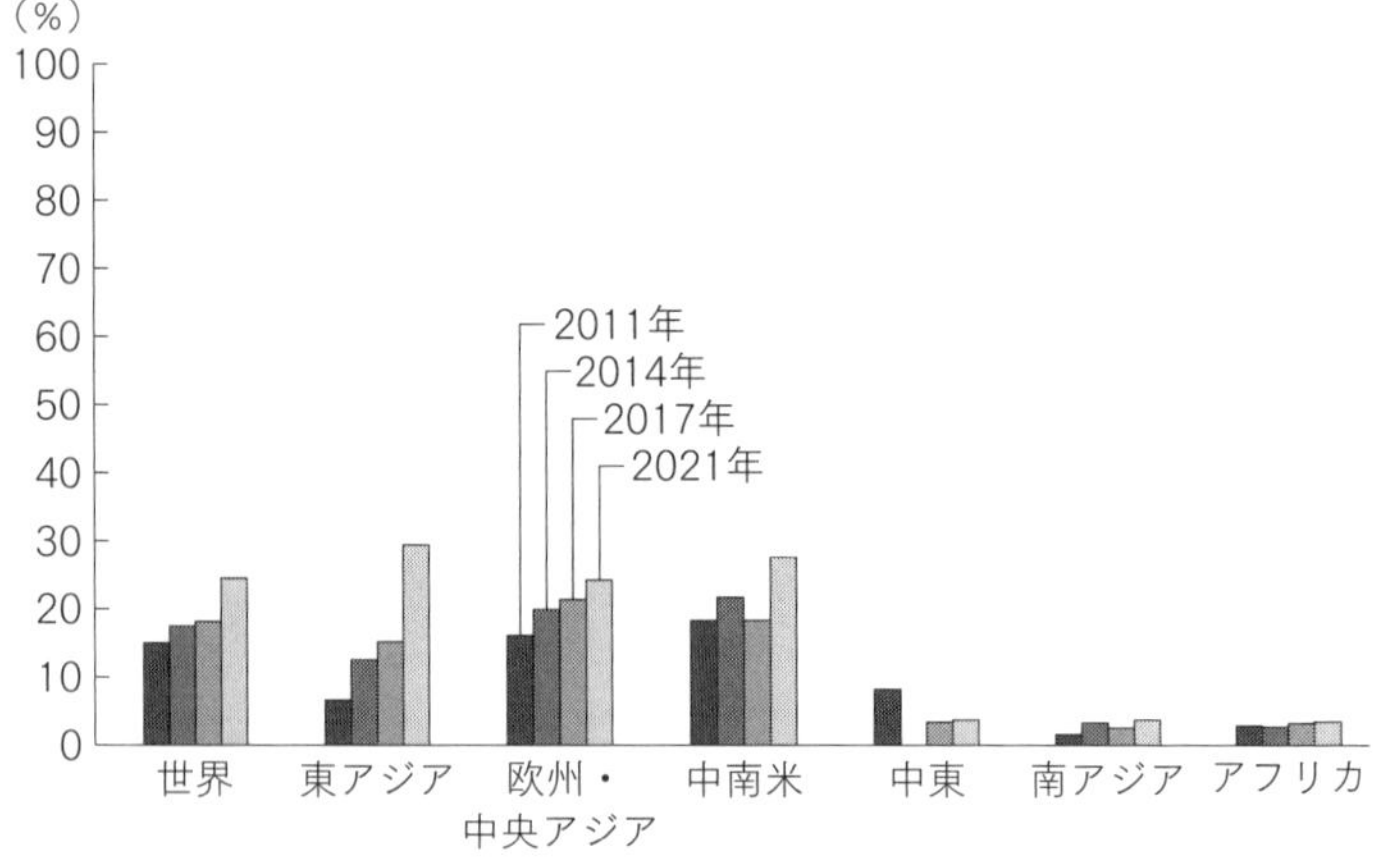

（出所）世界銀行「The Global Findex Database」より筆者作成

図表4-31　クレジットカードを保有する人の割合（所得水準別）

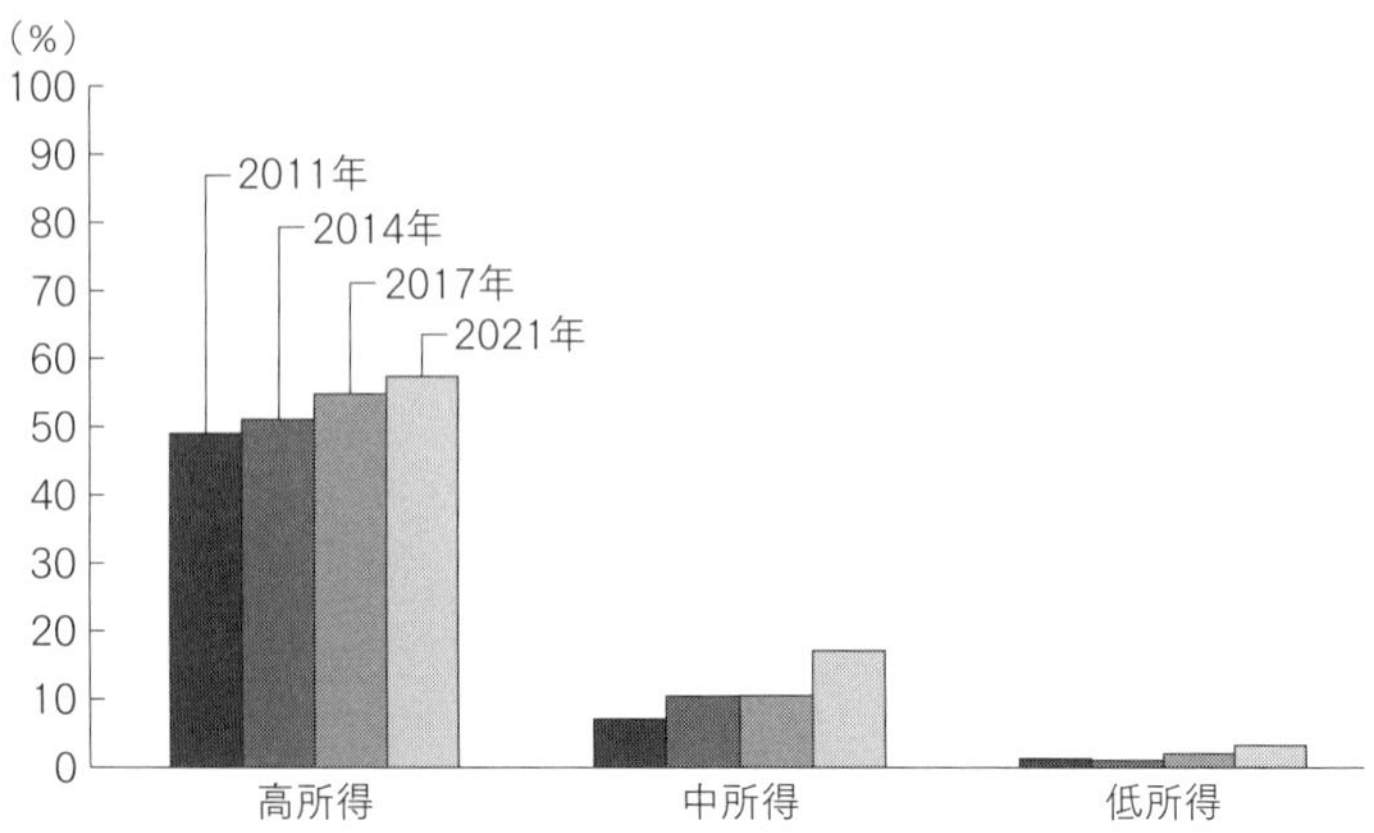

（出所）世界銀行「The Global Findex Database」より筆者作成

間とともに増加しているが、クレジットカードでは、一部地域（中東、アフリカ、南アジア）や低所得国など、割合がほとんど増加していないカテゴリーが存在する点が特徴的である。

銀行口座を持たない人はクレジットカードで買い物ができないし、銀行からローンを借りて住宅や自動車を買うこともできない。Ｅコマースで購入した商品の決済は現金振り込みで可能かもしれないが、銀行ＡＴＭが近くになければ振り込みそのものが大変な作業になるかもしれない。また、銀行に現金を持ち込んで送金を行うコストは多くの場合非常に高いようだ。

こうした状況では、多くの人々が金融サービスへのアクセスを有さないことがボトルネックとなり、消費や投資が抑制されている。「新興国で金融包摂を高める」というのは、アンバンクドに対して金融サービスへのアクセスを付与することで、既述のような問題を解決して潜在する経済成長力を実現させることにほかならない。

以前は、こうした問題の解決策はアンバンクドが銀行口座を開設することであったが、フィンテックなどの金融技術の進歩により、今では他にも様々な形で金融包摂を高めることが可能になっている。代表的なのは、スマートフォン（スマホ）を利用するものであろう。銀行口座を有していなくても、スマホ上にウオレットをつくれば、そこで様々な金融サービスを利用することが可能になる。[23]

図表４－32は、銀行口座を保有する人の割合が50％を下回る国における携帯電話の普及率を示している。チャート上でほとんどの国が45度線の左上に位置しているが、これは、これらの国々

図表4-32　銀行口座を保有する人の割合と携帯電話の普及率の関係

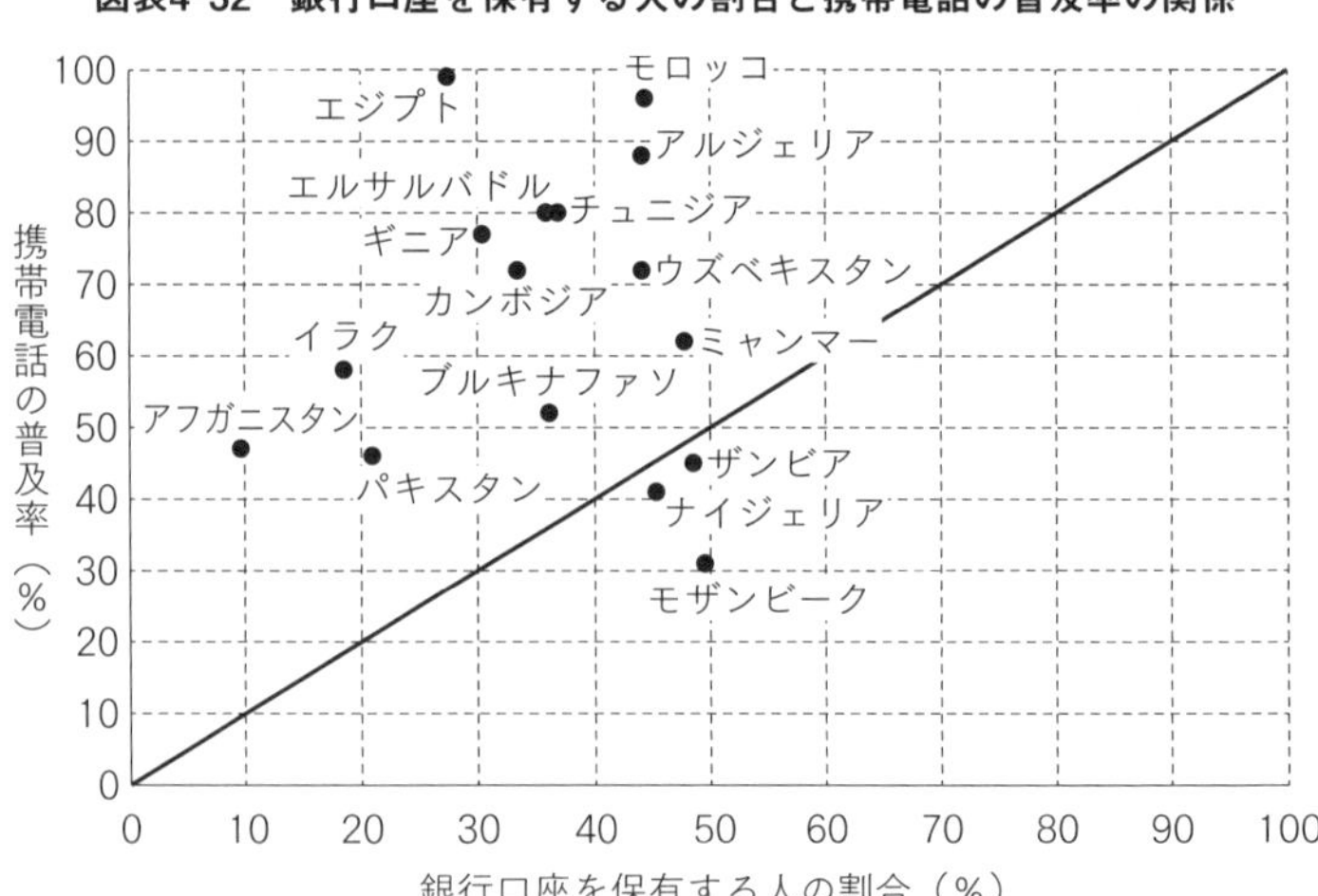

（出所）ITU（International Telecommunication Union）、世界銀行のデータから筆者作成

では銀行口座を有していないが携帯電話を保有している人々が多数存在することを示している。これらの国々では、右記したようにスマホを通じてアンバンクドに金融サービスを提供することが、大きな経済の押し上げ効果を持ち得ると考えられる。

◆CBDCのフロントランナーとその含意

２０１９年６月のリブラ構想発表以降、中国がデジタル人民元の発行に向けた動きを加速させたことから、当初は中国が世界で最初にＣＢＤＣ発行国となるとの見方が大勢であった。しかし、実際に世界初の栄誉に輝いたのは、２０２０年10月20日にＣＢＤＣ「サンド・ダラー」を発行したバハマであった。

その後、２０２２年にジャマイカが「ＪＡＭ-ＤＥＸ」を発行している。ナイジェリア

（イー・ナイラ）、東カリブ諸国機構（Ｄキャッシュ）等も既にＣＢＤＣを発行したとみなされることがあるが、CBDC Tracker の分類ではまだ「launched」ではなく「pilot」（後述）にとどまっている。また、カンボジアは２０２０年10月28日に「バコン」を発行、「サンド・ダラー」に次いで僅差の２位とみる向きもあるが、カンボジア中銀はバコンをＣＢＤＣとは定義しておらず、不換紙幣でバックアップされた決済システムであるとしている（このため、バコンは「準ＣＢＤＣ」と呼ばれることもある）。[24]

図表４－33は CBDC Tracker のステイタスによるＣＢＤＣの進捗度合いと、経済規模、通貨の市場規模、為替相場制度（ＩＭＦの Annual Report on Exchange Arrangements and Exchange Restrictions（ＡＲＥＡＥＲ）（ＩＭＦ〈２０２１〉）に基づく定義）、１人当たりＧＤＰの関係をまとめたものである。CBDC Tracker の定義では、進捗度合いが高い順に、「Pilot」（ＣＢＤＣを現実世界でテスト）、「Proof of Concept」（リサーチが最終段階にあり、概念実証がなされている）、「Research」（ＣＢＤＣに関するリサーチを実施）となっている。

図表４－33からは、ＣＢＤＣのフロントランナー（「launched」と「pilot」）には、経済規模と自国通貨の市場規模が小さく、自国通貨の変動を何らかの形で抑制する為替相場制度を採用している新興国・地域が多いことがわかる。例外はカナダ、中国、シンガポールだが、中国は通貨の取引が規制されているため、経済規模との比較でみると通貨の市場規模は小さい。

右記のような国がＣＢＤＣの発行に積極的、逆にいえば、経済規模と通貨の市場規模が大き

為替相場制度の関係（2023年1月時点）

ステータス	国	通貨名	アナウンスメント	名目GDPシェア（% 2021年）	Triennial[*2]シェア（% 2019年4月平均）	AREAER	AREAER Free Float or not	1人当たりGDP（米ドル 2021年）
Proof of concept（17カ国・地域）	韓国	South Korea CBDC	2020	1.9%	0.8%	Floating		34,801
	オーストラリア	Project Atom	2020	1.7%	4.3%	Free Floating	✓	63,529
	日本	Digital yen	2021	5.1%	9.1%	Free Floating	✓	39,340
	ニュージーランド	New Zealand CBDC	2021	0.3%	1.3%	Free Floating	✓	48,424
	カザフスタン	Digital Tenge	2021	0.2%	n/a	Floating		9,977
	トルコ	Digital lira	2021	0.8%	0.6%	Floating		9,350
	ハンガリー	Hungary CBDC	2021	0.2%	0.2%	Floating		18,968
	タイ	Thailand CBDC	2022	0.5%	n/a	Floating		7,336
	ロシア	Digital Ruble	2022	1.8%	0.8%	Free Floating	✓	12,198
	イラン	Crypto-Rial	2022	1.5%	n/a	Crawl-like arrangement		16,784
	ブラジル	Digital Real	2022	1.7%	0.4%	Floating		7,564
	マレーシア	e-ringgit	2022	0.4%	n/a	Floating		11,399
Research（参考）	アメリカ	Project Hamilton	2021	23.9%	42.4%	Free Floating	✓	69,231
	ユーロ圏	Digital euro	2020	15.1%	15.5%	Free Floating	✓	[*5] 43,707
	イギリス	UK CBDC	2018	3.3%	6.0%	Free Floating	✓	47,203
	スイス	e-franc	2019	0.8%	2.2%	Crawl-like arrangement		93,720

図表4-33　CBDCの進捗状況と経済規模、通貨の市場規模、

ステータス	国	通貨名	アナウンスメント	名目GDPシェア（% 2021年）	Triennial[*2]シェア（% 2019年4月平均）	AREAER	AREAER Free Float or not	1人当たりGDP（米ドル 2021年）
Launched（2カ国・地域）	バハマ	Sand Dollar	2017	0.0%	n/a	Stabilized arrangement		28,579
	ジャマイカ	JAM-DEX	2022	0.0%	n/a	Floating		5,525
Pirot（12カ国・地域）	ウルグアイ	e-Peso	2014	0.1%	n/a	Floating		16,756
	カナダ	Jasper	2016	2.1%	3.1%	Free Floating	✓	52,079
	南アフリカ	Khokha	2016	0.4%	0.7%	Floating		6,950
	中国	e-CNY	2017	18.2%	2.4%	Crawl-like arrangement		12,359
	フランス	France CBDC	2019	3.1%	n/a	n/a		44,203
	UAE	Aber	2019	0.4%	n/a	Conventional peg		42,884
	サウジアラビア	Aber	2019	0.9%	n/a	Conventional peg		23,507
	ナイジェリア	e-Naira	2022	0.5%	n/a	Stabilized arrangement		2,089
	東カリブ諸国機構（OECS）[*1]	DCash	2022	0.0%	n/a	Currency board[*3]		11,271[*4]
	ガーナ	e-cedi	2022	0.1%	n/a	Crawl-like arrangement		2,441
	チュニジア（フランス）	France & Tunisia CBDC	2022	0.0%	n/a	Floating		3,867
	シンガポール（フランス）	France & Singapore CBDC	2022	0.4%	0.9%	Stabilized arrangement		72,795
Proof of concept（17カ国・地域）	イスラエル	e-shekel	2017	0.5%	n/a	Floating		51,416
	スウェーデン	e-krona	2017	0.7%	1.0%	Free Floating	✓	60,029
	ウクライナ	e-hryvnia	2017	0.2%	n/a	Floating		4,828
	香港	LionRock	2019	0.4%	0.2%	Currency board		49,727
	台湾	Taiwan CBDC	2020	0.8%	0.3%	n/a		33,775

（注1）加盟国はアンギラ、アンティグア・バーブーダ、英領ヴァージン諸島 、グレナダ、セントクリストファー・ネイビス、セントルシア、セントヴィンセント・グレナディーン、ドミニカ、モントセラト
（注2）スポットのシェア
（注3）ドミニカを除く。ドミニカはCrawl-like arrangement
（注4）アンティグア・バーブーダ、グレナダ、セントクリストファー・ネイビス、セントルシア、セントヴィンセント・グレナディーン、ドミニカの平均
（注5）ドイツ、フランス、イタリアの平均
（出所）CBDC tracker、IMF、BIS等のデータから筆者作成

く、完全変動相場制を採用している先進国がＣＢＤＣの発行に消極的な理由は何だろうか。

ひとつの理由は、先進国と新興国のＣＢＤＣ発行の目的の違いと考えられる。ＣＢＤＣ発行の目的は先進国と新興国で共通のものと異なるものがあると述べたが、ここで重要なのは、いうまでもなく異なるもののほうである。前出のＢＩＳサーベイで新興国に特有のＣＢＤＣ発行の目的として挙げられたのは金融包摂と金融政策への適用であったが、ＣＢＤＣの発行によって金融包摂が加速し、金融政策の有効性が高まった場合には、経済へのポジティブな影響は大きなものになると考えられ、経済構造を根本的に変えてしまうほどのインパクトを与える可能性もある。既に述べた、スマホ等を通じてアンバンクドに金融サービスを提供することで金融包摂が一気に進むケースなどは、その一例といえよう。

他方、先進国におけるＣＢＤＣ導入の主な目的は決済システムの効率化だが、既にそれなりに効率的な決済システムを有する先進国で決済システムを一段とアップグレードしても、経済を押し上げる効果は限定的だろう。

もうひとつの理由は、ＣＢＤＣの発行は、後戻りができない、絶対に失敗が許されないプロジェクトであるため、自国の経済規模・自国通貨の市場規模が大きい国ほど発行に慎重になるのは自然であると考えられることだ。経済規模・通貨の市場規模が大きい国では、第3国間での当該通貨の取引が活発に行われているケースが多いが（その最たるものが事実上の基軸通貨・米ドルである）、こうした通貨をデジタル化することは、国外への持ち出しが禁止されており、様々な規制の下、国内のみで流通している通貨をデジタル化することに比べて、はるかに困難であると考えられる。

この観点から、スウェーデンのケースは興味深い。スウェーデンは銀行券の使用の大幅な落ち込みを受けて早い段階からＣＢＤＣ（e-krona）発行に向けた取り組みを行っており（２０１７年、２０１８年に白書を発表）、リブラ構想公表前の段階では世界初のＣＢＤＣ発行の有力候補であった。しかしその後は様子見姿勢に転じ、実際の発行がいつになるかは不透明な状況となっている。このスウェーデンの一連の動向は、先進国のように法制度や金融システムが確立されている国では、ＣＢＤＣ発行のための法的ないしは技術的な課題のハードルが思いのほか高いことを示唆している。銀行券の使用の大幅な落ち込みへの対処というＣＢＤＣ発行の明確な動機があり、完全変動相場制を採用している先進国のなかでは比較的市場規模が小さいスウェーデンですら慎重にならざるを得ないのであれば、決済手段としての現金が依然として一定の地位を占めている日本や、前出の「後戻りができない、絶対に失敗が許されない」ことの制約が最も大きいと考えられるアメリカがＣＢＤＣ発行に対して慎重なのは、むしろ当然ともいえよう。

元欧州復興開発銀行総裁ジャック・アタリ氏は、「ＥＳＧ投資は先進国を利するもので（ＥＳＧ投資の投資先の90％は先進国であり、新興国のＥＳＧスコアは低くなりやすい）、地球全体の持続的目標（すなわちＳＤＧｓ）を達成するためには新興国の全面的な関与と成長が不可欠であるにもかかわらず、現行のＥＳＧ投資の枠組みでは新興国に必要な資金が供給されない可能性がある」と警鐘を鳴らしている。[25]

確かに、投資資金の太宗が先進国に滞留しており、ＥＳＧ投資に関わるルールが先進国主導で決定されている現状に鑑みるに、新興国が不利な立場に置かれやすいことは否めない。先進国の思惑で投資資金の流れが決まり、ＳＤＧｓの観点から優先順位が高いと考えられるセクター（多くは新興国と考えられる）に必要な資金が行きわたらない状況が懸念されるが、投資資金の太宗が先進国に滞留している状況は簡単には変わらないだろうし、先進国がＥＳＧ投資の全般的な動向を左右する状況も変わらないだろう。

以上のように、アタリ氏がいう通りＳＤＧｓの達成には新興国の成長と一段の関与が不可欠であるにもかかわらず、本来ＳＤＧｓを実現する手段であるはずのＥＳＧ投資において不利な立場に置かれている新興国にとって、ＣＢＤＣは自らの裁量でいかようにも利用できる強力な「武器」にもなり得ると考えられる。既述のように、先進国とは異なり、新興国はＣＢＤＣを自国の金融包摂を推進するためのツールとして用いることができる。こうした取り組みが成功を収めれば、インクルーシブ・キャピタリズムの実現に向けた強力な推進力となる可能性がある。

5　ＥＳＧ投資の南北問題

◆様々な「格差」

インクルーシブ・キャピタリズムの目的のひとつは、民間資金を活用しつつ様々な形で存在する格差を縮小させる（必ずしも解消することではない）、本章で前述した言葉を用いるなら「（機会の平等を前提として）行きすぎた結果の不平等を是正すること」であるといえよう。企業がＳＤＧｓの達成に取り組むことでこの目的に近づくことができるが、それを資金面から支援するのがＥＳＧ投資ということになる。

ここでは単に「不平等」としたが、実際には「不平等」には様々なレイヤーが存在しており、互いに重複する部分も多いため、それほど単純ではない。例えば、所得の格差には、あるひとつの国のなかでの格差と、他国との比較における格差がある。本節では先進国と新興国の所得格差について検討するが、こうした議論をするうえでは、あるひとつの新興国内で深刻な所得格差が存在するケースが珍しくないことや（1人当たりＧＤＰでみると、低所得国であっても、その国のトップ層の所得水準は先進国と比較しても遜色ないケースもあり得る。このケースでは当該国の所得格差は先進国や比較的所得水準が高い新興国よりも深刻かもしれない）、新興国というグループ内でも大きな所得格差が存在し得る（サンプル国の選択次第では新興国間の格差が新興国―先進国間の格差よりも大きい事態も生じ得る）ことに注意する必要がある。

以上のことを踏まえ、本節で扱う先進国―新興国間の不平等は、イメージとしては先進国グループ全体の所得水準の平均と新興国グループ全体の所得水準の平均の格差を指しており（先進国、新興国の定義には様々なものがあるが、いかなる定義でも前者のほうが後者よりも高くなると考えられる）、ある特定の国間の格差にフォーカスしたものではないことをあらかじめ明らかにしておきたい。

◆新興国におけるファイナンス・ギャップ

新興国が健全な経済成長を通じて所得水準を上昇させることはSDGsの達成に不可欠であり、こうした動きをサポートすることは、インクルーシブ・キャピタリズムに期待される重要な役割のひとつであるといえよう。少なくとも、前出の「責任あるサプライチェーン」の問題のように、先進国が新興国から様々な資源（天然資源、労働力など）を不当に搾取する結果、先進国―新興国間の所得格差が拡大してしまうような事態は避けなければならないだろう。

第1節で言及したUNCTAD（2014）の試算によれば、SDGsを達成するための必要額は新興国のほうが先進国よりもはるかに大きい。これは、多くの新興国で社会インフラが未発達であることを考慮すれば当然であるが、新興国への資金の集まり具合は芳しくないようだ。

特に、新興国におけるSDGsのファイナンスにとって大打撃となったのは、2020年のコロナショックであった。UNCTAD（2020）によれば、同年上期、SDGsセクターのグリーンフィールド投資およびプロジェクト・ファイナンスは再生可能エネルギーを除いて軒並み前年同月比で大幅に減少、インフラは62％、食品・農業は57％、ヘルスケアは37％、水資源は70％、教育は42％、それぞれ減少した。再生可能エネルギーはこうした状況においても前年同期比で増加したが、伸び率は３分の１に鈍化した（ＵＮＣＴＡＤ〈２０２０〉は各国政府の同セクターに対する支援策が下支えした可能性を示唆）。また、ＳＤＧｓセクターへの投資に対するパンデミックのネガティブな影響は所得水準が低い国でより大きく、アフリカで51％、中南米で44％、それぞれ減少したのに対して、アジアの減少は27％にとどまった。また、国際的なプロジェクト・ファイナンスは、アジアでは２％の減少にとどまったが、他地域では大きく減少した。

◆インフラ投資がカギ

多くの新興国で社会インフラが未発達であるため、ＳＤＧｓを達成するための必要額は新興国のほうが先進国よりもはるかに大きいと前述した。ＵＮＣＴＡＤ（２０１４）の試算では、ＳＤＧｓ達成のための新興国のファイナンス・ギャップは毎年３・５兆～４・５兆ドルだが、このうちどの程度がインフラ投資に必要かはわからない。

もっとも、インフラにフォーカスした他の試算に基づくと、新興国がＳＤＧｓを達成するために必要な資金のかなりの部分がインフラ投資に向けられる可能性が高いことがわかる。例えば、ＡＤＢ（アジア開発銀行）は２０３０年までのアジアにおけるインフラの資金ギャップを年間１・

7兆ドルと推計している。アジアだけで1・7兆ドルなので、新興国全体ではUNCTAD（2014）によるSDGs達成の所要額（3・5兆〜4・5兆ドル）の過半を大きく超える可能性が高いとも考えられる。

インフラは社会性が強いアセットであり、様々な規制の下に置かれており、政府との契約に基づいていることが多いため、個別株や債券（特に社債）に比べて社会的なモニタリングを受けている度合いが強い。したがって、インフラ投資にはESG要素を考慮すべき必然性がもともと備わっているとも考えられる（PRI〈2018〉）。年金シニアプラン総合研究機構（2020）は、インフラ資産は様々なステークホルダーを持ち、しばしば独占的な地位を与えられているため、ESG各要素について一般の民間企業よりも高いスタンダードが求められ、インフラ投資へのESG要素のインテグレーションは不可避であると指摘している。

他方、投資に際して様々なハードルがあるため、インフラがアセットクラスとして広く投資家に認知されたのは（ESG投資と同様）ここ数年の話である。インフラ構築のための資金不足に悩む新興国がESG投資のモメンタムを利してインフラ・ファイナンスを加速させることができれば、SDGs達成に向けて大きく前進することになるかもしれない。

インフラ投資は通常の株式や債券への投資とは性質が大きく異なるため（インフラ投資は通常「オルタナティブ投資」に分類される）、基本的に本章におけるこれまでの議論の範疇外であった。しかし、インフラ投資が新興国によるSDGs達成のカギであり、新興国におけるSDGs達成

図表4-34　インフラ投資の主な対象資産

セクター	具体例
輸送	空港、港湾、道路、橋梁、トンネル、鉄道、都市交通、駐車場など
ネットワーク・ユーティリティ	送電、配電、ガス輸送、ガス供給、上下水道、地域冷暖房など
エネルギー＆発電	発電、パイプライン、エネルギー貯蔵施設、LNG基地など
再生可能エネルギー	太陽光、風力、水力、バイオマス、環境サービスなど
通信＆データ	通信タワー、光ファイバー網、衛星通信、データセンターなど
社会インフラ	病院、ヘルスケア施設、学校、政府関連施設、刑務所など

（出所）年金シニアプラン総合研究機構（2020）P34

なくしてはインクルーシブな世界を実現することもできないと考えられる以上、インクルーシブ・キャピタリズムを考えるうえでは新興国におけるインフラ投資を避けて通ることはできない。この点に鑑みて、以下では、インフラ投資の概要について簡単に述べる。

◆インフラ投資の概要

定義と投資対象

年金シニアプラン総合研究機構（2020）は、インフラ投資の対象となる資産を「社会にとって必要不可欠なサービスを提供する施設、設備、ネットワークなどの総称」と定義している。具体的には、図表４－34に示したような資産がインフラ投資の対象となる。

インフラ投資の特色

株式や債券とは異なるインフラ資産への投資の特色として、事業フェーズ（グリーンフィールドかブラウンフィールドか）や投資対象（エクイティかデットか）、収益の源泉（政府か利用者か）、プロジェクトへの投資なのかインフラ企業への投資なのか等によって、同じ資産への投資であってもリスク・プロファイルが大きく異なる点が挙げられる。

グリーンフィールドはインフラの設計、計画、資金調達、建設が開始される前の段階での投資であるのに対して、ブラウンフィールドは建設が完了して既に営業が開始されている段階での投資である。当然グリーンフィールド投資のほうがハイリスク・ハイリターンであり、リスク・プロファイルはグリーンフィールドが株式に近い（主な収益の源泉は値上がり益）のに対して、ブラウンフィールドは債券に近い（主な収益の源泉はインフラ使用料による安定収入）。

また、インフラ資産では官民でリスクをシェアするケースが多いことも特徴として挙げられる。従来、インフラ事業の運営は公的部門が主導してきたが、財政状況の悪化等によって公的部門だけで必要な資金を賄うことが難しくなってきたため、民間の資金を呼び込むケースが増加して、今に至っている。

インフラ投資のメリット・デメリット

年金シニアプラン総合研究機構（２０２０）はインフラ投資のメリットとして、⑴長期にわたり相対的に安定的で予測可能なキャッシュフロー、⑵景気変動等に対する需要弾力性の低さ、⑶インフレ率への長期的な連動性、⑷株式など伝統的アセットクラスとの低相関、⑸長期の資産であり陳腐化のリスクが低いこと——を挙げている。他方、リスクとして、⑴政治・規制リスク、⑵カウンターパーティ・リスク、⑶需要リスクとレバレッジ、⑷環境リスク、⑸テクノロジー・陳腐化リスク——を挙げている。

リスクの⑴に関して、国債投資においては一部新興国等を除けば政権交代を受けてデフォルト・リスクが大きく変動することはないが、インフラ投資ではしばしばこうしたリスクが顕現化する。[26]また⑵に関して、インフラ事業には通常様々なカウンターパーティが存在することから、（通常単一の）発行体のみを考えればよい債券投資に比べてデフォルト・リスクが複雑である。また、景気に左右されにくい安定収入や長期的な資産であることがインフラの魅力とみなされているが、需要予測が下振れしたり、規制の変更によって見込んでいた収入が得られなくなったり、技術進歩の結果資産が陳腐化するなどのリスクもないわけではない。

インフラ資産におけるＥＳＧ投資

既述の通り、インフラ資産はもともとＥＳＧ要素との親和性が高いことから、ＥＳＧインテグレーションの重要性を殊更に強調する必要はないだろう。もっとも、株式や債券との顕著な違いとして、インフラ事業のフェーズによって考慮すべきＥＳＧ要素が大きく変化し得る点には注意すべきかもしれない。ＵＮ ＰＲＩ（２０１８）によれば、開発・建設段階では環境やコミュニティへの配慮が最も重要である。他方、建設終了後に重要になるのは様々な長期的要因（異常気象、温暖化等の環境の方向性、資源の動向、必要な許認可の喪失など）である。ＵＮ ＰＲＩ（２０１８）は、インフラ投資において考慮すべきＥＳＧ要因として、以下を挙げている。

□運営に必要な許認可の維持
□健康および安全に関する基準
□生態系への影響
□株主との利害の一致
□ステークホルダー管理やコミュニティとの関係
□労働基準
□土地の権利、先住民の権利
□アクセスのしやすさ、コミュニティの受け入れ姿勢
□サービスに対する信頼性
□気候変動へのインパクト
□資源の枯渇や不足
□異常気象
□サプライチェーンの持続可能性

□アカウンタビリティ
□取締役の独立性と利益相反管理
□経営陣によるＥＳＧ監視
□賄賂や汚職
□税務方針
□サイバーセキュリティ
□ダイバーシティ・差別撤廃

また、ＵＮ ＰＲＩ（２０１８）は、インフラ分野におけるＥＳＧ投資戦略として、具体的に以下のようなものを挙げている。

□スクリーニング
　ネガティブ・スクリーニング：特定セクターの投資対象からの除外
　ポジティブ・スクリーニング：優れたＥＳＧ対応案件を投資対象として選定
□テーマ投資
　例：再生可能エネルギー、グリーンボンド、社会インフラ
□ＥＳＧの定量的織り込み
　例：洪水・干ばつ発生リスクのキャッシュフローモデルへの織り込み
□エンゲージメント

◆南北問題の解決に向けて

ＳＤＧｓは国連全加盟国によって採択された全世界的な目標であり、よりインクルーシブな世界の実現に向けたベンチマークとしてふさわしい。ＳＤＧｓが世界共通の目標となるなか、これを達成する手段としてのＥＳＧ投資が投資の世界におけるスタンダードとなりつつある動きも好ましい。しかし、アタリ氏の警告にもあるように、ＥＳＧ投資資金の太宗は先進国に滞留しており、ＳＤＧｓ達成のために、おそらく多くの先進国以上に切実にＥＳＧ投資資金を必要としている新興国には十分に行きわたっていない可能性がある。

（ＥＳＧに限ったことではないが）投資資金の偏在についてあまり楽観的な先行きを描くべきではないだろう。新興国に十分な投資資金が流入していないことは、一面では世界の投資家の経済合理的判断の結果といえるかもしれない。２００１年のＷＴＯ加盟から２００８～２００９年の世界金融危機（ＧＦＣ）までの間、中国経済の急成長が牽引する形で新興国の世界経済におけるプレゼンスは大きく高まった。中国の急成長は、主として、⑴国内に巨大な市場を有する中国自身の需要と、⑵コモディティ価格の大幅な上昇（全体としてみると、新興国がコモディティのネット輸出であるのに対して、先進国はネット輸入であることから、コモディティ価格の上昇は先進国から新興国への所得移転につながる）という２つのチャネルを通じて新興国経済全体に恩恵をもたらした。

ＧＦＣ後世界の経済成長が急激に落ち込むなか、巨額な財政出動もあって中国経済はよく持ちこたえていたが（当時は「デカップリング」という言葉がよく聞かれた）、持続的な人民元高、（特に沿岸部における）賃金上昇による競争力の低下や人口動態の問題等の成長の押し下げ要因が効き始め、２０１２年頃から中国経済の成長率は顕著に減速、こうしたなかでコモディティ・バブルも弾け、新興国の成長も全体として押し下げられていった。こうしたなか、新興国はかつての「高成長、（一部の国における）高金利」といった投資のアピールポイントを失い、今に至っている。新興国にとってカギとなるインフラ投資も、以前のようなバラ色の成長シナリオがあれば投資対象として魅力的だったかもしれないが、現状では政治的不透明感や累積債務の問題がリスクを取りづらくしている可能性がある（インフラ投資のメリットのひとつとして「長期的な資産であること」を挙げたが、現在の状況ではこれはむしろデメリットとみなされている可能性もある）。

以上のように、ＳＤＧｓとＥＳＧを巡るポジティブな流れにもかかわらず新興国を取り巻く状況は厳しいが、今新興国に求められることは、先進国や国際機関に頼らずとも自身で実行可能な方策を模索して、（ひところに比べて低下してしまった）投資対象としての魅力を回復することであろう。本章第４節で述べた、ＣＢＤＣをカタリストとして金融包摂を高めることは、その一例といえるだろう。

また、投資資金が先進国に偏在しているとも述べたが、一部新興国（特に経常黒字国）は比較的潤沢な国内資金を有しているとみられ、こうした資金を活用する方法を模索することも重要だろう。こうした観点から、西沢（2018）や清水（2019）による、アジアのインフラ・ファイナンスに関する議論が参考になるかもしれない。

西沢（2018）は、アジアは地域全体としてみれば潤沢な資金を有しているものの（アジアは経常黒字国が多く、域内に比較的潤沢な投資基金を有しているとみられる）、経済の発展段階や貯蓄・投資バランスに大きな差異が存在することから、域内諸国間で貯蓄を融通して、インフラ投資のような長期投資に振り向ける必要があると指摘している。このためには、地域全体の金融市場の発展・統合が必要としており、そのための具体例な取り組みの一例として「アジア債券市場育成イニシアチブ（ＡＢＭＩ）」を挙げている。

清水（2019）は、アジアにおけるインフラ・ファイナンスの改善に必要な施策を、官民両面から指摘している。民間では、域内機関投資家の役割の重要性を指摘している（もっとも、アジアの機関投資家の発展は遅れており、育成には時間がかかるとしている）。公的部門では、投資リスクを低減するための公的保証の活用とインフラ整備の効率化を挙げている。また、国際開発金融機関（ＭＤＢｓ）が果たす役割の重要性にも言及している。

課題は山積しているが、これは裏を返せば改善の余地が大きいことを示しているともいえる。総じてみれば新興国のＥＳＧパフォーマンスは先進国に劣っているが、これは将来的な改善の余地が大きいことを意味しているとも考えられる。例えば、インフラはもともとＥＳＧとの親和性が高いアセットクラスであることから、インフラ・プロジェクトに関連するＥＳＧ要因の改善を図っていくことが、将来的なＥＳＧパフォーマンスの改善見通しを強め、ＥＳＧ投資資金を呼び込むといった展開もあり得るかもしれない。

６ ― ＥＳＧ投資だけでは不十分？

本章ではインクルーシブ・キャピタリズムにおけるファイナンス手段を検討した。最初にＥＳＧ投資を取り上げたが、ＳＤＧｓのインクルーシブな性質に鑑みるに、ＳＤＧｓをファイナンスする手段としてのＥＳＧ投資をインクルーシブ・キャピタリズムにおけるファイナンスの主軸に据えることは、リーズナブルであるといえよう（ただし、第１節で述べたようにインクルーシブ・キャピタリズムはあくまで資本主義のシステムの下での〈ＳＤＧｓに表現されているような〉インクルージョンを目指すものであり、資本主義国以外がＳＤＧｓを目指すケースは想定されていない点には留意が必要）。

ＥＳＧ投資は近年急激に拡大しており、ＥＳＧ要素を考慮した投資はグローバル投資家の間で新たなスタンダードとなった観もある。それでは、このままＥＳＧ投資の健全な発展をサポートすれば、インクルーシブ・キャピタリズムを実現できるのだろうか。

答えは、おそらく「否」である。少なくとも現時点では、ＥＳＧ投資の投資先は先進国の大企業にバイアスがかかっている模様である。例えば、FTSE Russell（2020）によれば、ＥＳＧスコアの半分近くは企業の規模、セクター、国で決まっている。すなわち、ＥＳＧスコアは先進国における特定セクターの大企業で高くなるバイアスが存在する。

本章でも取り上げたように、ＥＳＧへの取り組みと企業の財務パフォーマンスの因果関係については まだ学術的なコンセンサスは存在せず、現時点では「業績好調な大企業だからＥＳＧ活動に積極的に取り組める」との仮説を棄却することはできていない。仮に年金基金などのユニバーサル・オーナーが指数構成銘柄全体に投資して、指数全体のパフォーマンスが向上したとしても、その恩恵が雇用の過半を占める中小企業にまで及ぶか否かは不透明である。

また、インクルーシブ・キャピタリズムの射程は、雇用者のみならず非雇用者にまで及んでいる。インクルーシブ・キャピタリズムの下では行きすぎた格差の是正に取り組むことが想定されるが、このためには社会的なセーフティーネットを整備する必要があるだろう。こうした領域までＥＳＧ投資がカバー可能か否かは不透明である。各国政府がこうした資金をソーシャルボンドでファイナンスするなら（コロナ禍からの復興を目的として発行された債券の多くがソーシャルボンドであったことを思い出されたい）、こうした債券への投資はＥＳＧ投資となるが、国債・高格付け国債・政府機関債におけるＥＳＧ投資戦略は確立されておらず、パフォーマンスへの影響についてもコンセンサスは存在しない。

したがって、インクルーシブ・キャピタリズムを実現するためには、ＥＳＧ投資のさらなる発展以外に、ＥＳＧ投資の恩恵を受けづらいと考えられる中小企業や失業者、新興国などをカバーする様々な取り組みが必要となるだろう。本章ではこうした観点から、銀行の役割（銀行自体がＥＳＧ投資の投資先になり得ることに加えて、銀行はＥＳＧ投資の対象になりづらい中小企業とのコネクションを活かして、中小企業のＳＤＧｓに向けた活動への働きかけを行うことが可能）や、新興国においてＣＢＤＣが金融包摂を加速させるカタリストになり得ることを論じた。銀行によるＥＳＧ考慮要請の高まりやＣＢＤＣが実際に使用され始めたのはごく最近のことであり、何らかの評価を下すには時期尚早だが、これらはインクルーシブ・キャピタリズムの実現に向けて極めて重要な役割を果たすことになる可能性もあることから、大きな期待を持って今後の展開を注視したい。

〈参考文献〉

BIS (1996) "Implications for Central Banks of the Developments of Electronic Money," Bank for International Settlement.

BIS (2019) "Investigating the impact of global stablecoins," G7 Working Group on Stablecoins, Committee on Payments and Market Infrastructures, Bank for International Settlements.

BIS, BoC, ECB, BoJ, Riksbank, SNB, BoE and FRB (2020) "Central bank digital currencies: foundational principles and core features," Report no.1 in a series of collaborations from a group of central banks.

Freedman, Milton (1970) "The Social Responsibility of Business is to Increase its Profits", *The New York Times Magazine,* September 13 (1970): pp.122-126.

Friede, Gunnar, T. Busch and A. Bassan (2015) "ESG and financial performance: aggregated evidence from more than 2000 empirical studies," *Journal of Sustainable Finance & investment,* 5 (4) pp. 210-233.

FTSE Russell (2020) "ESG scores and beyond (Part1): Factor control: Isolating specific biases in ESG ratings," Index Insights, Sustainable Investment/Product Engineering.

Gillan, Stuart.L., A.Koch and L.T. Starks (2021) "Firms and social responsibility: A review of ESG and CSR research in corporate finance," *Journal of Corporate Finance* 66, 2021, 101889.

GSIA (2020) "Global Sustainable Investment Review 2020," Global Sustainable Investment Alliance.

Kosse, Anneke and I. Mattei (2022) "Gaining Momentum - Results of the 2021 BIS survey on central bank digital currencies," BIS Papers No 125, Bank for International Settlements.

OECD (2020) "Global Outlook on Financing for Sustainable Development 2021: A New Way to Invest for People and Planet," OECD.

UNCTAD (2014) "World Investment Report: Investing the SDG, an Action plan," United Nations.

UNCTAD (2020) "International SDG Investment Flows to Developing Economies Down by One Third Due to COVID-19," *SDG Investment Trends Monitor*, December 2020, United Nations.

UNEP FI (2004) "The Materiality of Social, Environmental and Corporate Governance Issues to Equity Pricing Revised System for the Classification of Exchange Rate Arrangements," *CEO Briefing*, United Nations.

UN PRI (2016) "Why and How Might Investors Response to Economic Inequality?" United Nations.

UN PRI (2021) "PRI Annual Report 2021," United Nations.

Rockstroem, Johan, M. Klum (2015) *Big World, Small Planet: Abundance within Planetary Boundaries*, Yale University Press.

井上哲也（２０２０）『デジタル円：日銀が暗号資産を発行する日』日本経済新聞出版

梅内俊樹（２０２１）「ＥＳＧのＧとは―重要視されるコーポレートガバナンス」基礎研レター２０２１-07-28、ニッセイ基礎研究所

江夏あかね（２０２０）「トランジションボンドの登場とサステナブルファイナンスの新潮流」野村資本市場クオータリー（２０２０ Winter）

環境省（２０２１）「責任銀行原則（ＰＲＢ）の署名・取組ガイド」環境省大臣官房環境経済課環境金融推進室
桑島浩彰・田中慎一・保田隆明（２０２２）『ＳＤＧｓ時代を勝ち抜くＥＳＧ財務戦略』ダイヤモンド社
ゴ・マイリン（２０１６）「適切なＥＳＧ（環境・社会・企業統治）債券戦略の構築」ブルーベイアセットマネジメント
小林亜紀子・河田雄次・渡邊明彦・小早川周司（２０１６）「中央銀行発行デジタル通貨について：海外における議論と実証実験」日銀レビュー（２０１６-Ｊ-19）
清水聡（２０１９）「アジアにおけるインフラ・ファイナンスの拡大に向けた官民の課題」環太平洋ビジネス情報（RIM 2019 vol.19 No.75, pp.121-163）
清水美香（２０２１）「ベストプラクティスからみるバハマとカンボジアのＣＢＤＣ導入戦略」ＪＥＴＲＯ
白井さゆり（２０２２）『ＳＤＧｓファイナンス』日本経済新聞出版
ＧＰＩＦホームページ「ＥＳＧ投資」（https://www.gpif.go.jp/ESG-stw/ESGinvestments/）
中島真志（２０２２）「中銀デジタル通貨のインパクトとデジタル円への期待」財務省財務総合政策研究所「『デジタル通貨』に関する調査研究」講演資料
西沢利郎（２０１８）「アジアのインフラ投資ファイナンス」財務省財務総合政策研究所『ファイナンシャルレビュー』平成30年第1号
日本銀行（２０２０）「中央銀行デジタル通貨に関する日本銀行の取り組み方針」日本銀行

日本経済新聞（2022）「新興国に配慮したESG投資を：ジャック・アタリ氏」2022年3月8日付日本経済新聞「グローバルオピニオン」
年金シニアプラン総合研究機構（2020）「インフラ投資に関する調査研究（2020年度版）」年金シニアプラン総合研究機構
水口剛（2017）『ESG投資：新しい資本主義のかたち』日本経済新聞出版
水口剛編著（2019）『サステナブルファイナンスの時代：ESG／SDGsと債券市場』金融財政事情研究会
湯山智教編著（2020）『ESG投資とパフォーマンス』金融財政事情研究会
UNPRI（2018）「インフラストラクチャーにおけるESG投資入門」United Nations

注

1　持続可能な開発を可能にするために各国および関連国際機関が実行すべき行動計画であり、「社会的・経済的側面」「開発資源の保護と管理」「主たるグループの役割強化」「実施手段」の4つのセクションからなる。

2　大気中の温室効果ガス（二酸化炭素、メタンなど）の濃度を安定化させることを究極の目的とし、本条約に基づき、1995年から毎年、気候変動枠組条約締約国会議（COP）が開催されている。

3　生物の多様性を包括的に保全するとともに、生物資源を持続可能な形で利用していくために国際的な枠組みが必要との議論を受け、地球サミットで採択された。①生物多様性の保全、②生物資源の持続可能な利用、③遺伝資源の利用から生じる利益の公平かつ衡平な配分を目的とする。

4 https://www.mofa.go.jp/mofaj/ic/ch/page1w_000119.html

5 国際労働機関（ＩＬＯ）の定義によると、「自由意志によらず、強制または詐欺の結果として行われ、報復の脅しによって強要されるあらゆる労働」。

6 梅内（２０２１）はこの点についてＧＰＩＦによる「第６回機関投資家のスチュワードシップ活動に関する上場企業向けアンケート集計結果」を引用しているが、直近（第７回）のアンケートでは気候変動がはじめて１位となり、コーポレートガバナンスは２位となった。

7 ＧＳＩＡはサステナブル投資推進に取り組む世界各国・地域の団体がメンバーとなり、グローバルに協同する組織。日本からは「日本サステナブル投資フォーラム」が参加。

8 ＧＳＩＡ（２０２０）

9 ＵＮＰＲＩ（２０２１）によると、上場株式の運用残高の95％、債券運用残高の94％でＥＳＧ要素が考慮されている。

10 ＴＰＩ（Transition Pathway Initiative）：英国環境保護庁年金基金（ＥＡＰＦ）および英国国教会（ＣｏＥ）の投資機関と欧米のアセット・オーナーによって２０１７年に設立された、社会と企業の低炭素経済への移行を目指す世界的なイニシアチブ。世界の１１８に及ぶ投資家がＴＰＩに賛同を表明しており、その合計運用資産残高は40兆ドル（２０２１

年12月時点）。

11　２０２０年にソーシャルボンドの発行が急増した理由としては、新型コロナウイルスの感染拡大による被害に対処するための政策をファイナンスするために発行された、所謂「コロナ債」がソーシャルボンドに分類されていることも大きい。

12　バンク・オブ・アメリカ、メリルリンチ、クレディ・アグリコル、ＪＰモルガンの4行。

13　ＩＣＭＡ（International Capital Market Association）は１９６９年設立（本部チューリヒ）の国際的な業界団体。世界60カ国の発行体、発行市場・流通市場取引仲介業者、アセット・マネージャー、投資家、資本市場インフラ運営者等５００以上の会員が所属している。

14　白井（２０２２）

15　２０２１年（令和3年）末時点で、主要25カ国・地域の中央銀行、金融監督当局、財務省、主要な基準策定主体、ＩＭＦ、世界銀行、ＢＩＳ、ＯＥＣＤ（経済協力開発機構）等の代表が参加（事務局はＢＩＳに設置）。

16　ＧＦＡＮＺ傘下にはＮＺＢＡのほかにＮＺＡＭ（アセット・マネジャー）、ＮＺＡＯＡ（アセット・オーナー）、ＮＺＩＡ（保険）、ＮＺＦＳＰＡ（金融サービスプロバイダー）、ＮＺＩＣＩ（投資助言）がある。

17　ＢＩＳ（１９９６）など。

18　井上（２０２０）は、スイス当局はこうした懸念を共有し、主要国や国際機関と連携することを再三表明したが、スイスの金融機関の秘密保持が何らかの問題を引き起こすことへの懸念や税法等におけるスイスとの調整の難しさがハードルになったと指摘している。

19 2022年8月31日時点。

20 CBDCにおけるマイナス金利適用も一部で検討されたが、現金や暗号資産保有によって回避される可能性が高くデメリットが大きいことから、議論はあまり盛り上がらなかった。

21 回答した中央銀行は、2017年52行、2018年63行、2019年66行、2020年65行。

22 清水（2021）

23 サンド・ダラー（バハマ）やバコン（カンボジア）は、利用者が指定金融機関の専用アプリをモバイル端末にダウンロードして使用する。また、銀行口座を保有していなくてもCBDC専用のデジタル口座を取引できる（清水〈2021〉）

24 https://cbdctracker.org/

25 日本経済新聞（2022）

26 年金シニアプラン総合研究機構（2020）は具体例として、2018年のロペス・オブラドール新大統領によるメキシコシティ新国際空港の建設中止発表の事例を挙げている。

著者紹介

広瀬 健（ひろせ・けん）

FTSE ラッセル インデックス投資部門 日本代表
日興アセットマネジメントや UBS シンガポール、三菱 UFJ モルガンスタンレー PB 証券にてシニアファンドマネージャー及びチーフストラテジストを歴任。その後、経済統計ベンチャーのナウキャストや S&P Global を経て 2021 年より現職。
一橋大学商学部卒業、トヨタ自動車財務部出身。公認オルタナティブ投資アナリスト（CAIA）、金融梁山泊研究会主査。
著書に『ASEAN 金融資本市場と国際金融センター』（共著、日本証券経済研究所、2015 年）、『アジアのフロンティア諸国と経済・金融』（共著、日本証券経済研究所、2017 年）、『環南シナ海の国・地域の金融・資本市場』（共著、日本証券経済研究所、2018 年）など。

青木 大樹（あおき・だいじゅ）

UBS SuMi TRUST ウェルス・マネジメント株式会社 日本地域最高投資責任者（CIO）兼チーフエコノミスト。

中央大学総合政策学部卒業。ブラウン大学大学院経済学修士。内閣府を経て 2010 年に UBS 入社。2016 年より現職（2021 年 8 月より UBS 銀行東京支店との兼務）。

著書に『アベノミクスは進化する』（共著、中央経済社、2016 年）、『アベノミクスの真価』（共著、中央経済社、2018 年）、『学ばなかった日本の成長戦略』（共著、中央経済社、2022 年）など。

木村 玄蔵（きむら・げんぞう）

年金積立金管理運用独立行政法人（GPIF）シニアエコノミスト
2000 年、東京大学経済学部卒業。大蔵省（現：財務省）入省。国際局にて G7 や IMF との折衝、主計局にて予算編成に従事。金融庁では NISA、iDeCo（イデコ）につながる証券税制を推進。UBS アセット・マネジメント、三井住友信託銀行（外債運用のファンドマネジャー、エコノミスト）を経て 2016 年より現職。
著作に「日米欧における低金利定着のメカニズム」（証券アナリストジャーナル、2021 年）、共訳書に『誤解だらけのアセットアロケーション』（ウィリアム・キンロー、マーク・クリッツマン、デービッド・ターキントン著、東洋経済新報社、2020 年）。